クリスティー文庫
3

アクロイド殺し

アガサ・クリスティー

羽田詩津子訳

早川書房

5293

THE MURDER OF ROGER ACKROYD

by

Agatha Christie

Translated by

Shizuko Hata

Published 2021 in Japan by

HAYAKAWA PUBLISHING, INC.

This book is published in Japan by

arrangement with

AGATHA CHRISTIE LIMITED

through TIMO ASSOCIATES, INC.

殺人が起き、
検死があり、
登場人物全員が次から次に疑われる
本格推理小説が好きな、
パンキーに捧げる

目次

アクロイド殺し

登場人物

エルキュール・ポアロ………私立探偵
ロジャー・アクロイド………地主
ラルフ・ペイトン……………ロジャーの義子
セシル・アクロイド夫人……ロジャーの義妹
フローラ・アクロイド………セシルの娘
ジェフリー・レイモンド……ロジャーの秘書
ジョン・パーカー……………ロジャーの執事
ミス・ラッセル………………アクロイド家の家政婦
アーシュラ・ボーン…………アクロイド家の小間使い
ヘクター・ブラント…………ロジャーの旧友。少佐
フェラーズ夫人………………キングズ・パドック屋敷の未亡人
ジェームズ・シェパード……医師
キャロライン…………………ジェームズの姉

1　朝食の席でのシェパード医師

フェラーズ夫人が亡くなったのは、九月十六日から十七日にかけての夜——木曜日だった。十七日金曜日の朝八時に、わたしは夫人の屋敷に呼びだされたが、手のほどこしようがなかった。すでに数時間前にことされていた。

自宅に戻ったのは、九時少し過ぎだった。自分の鍵で玄関ドアを開けて、帽子と、初秋の朝は冷え込むかもしれないと念のために着ていった薄手のコートをかけながら、玄関ホールでわざとぐずぐずしていた。実をいうと、気がひどく動転して、不安を覚えていたのだ。そのときすでに、その後数週間にわたって起こる出来事を予見していた、などというつもりはない。それは断じてなかった。しかし、ひと騒動あるかもしれない、と本能的に感じていた。

左手のダイニングルームから、ティーカップのカチャカチャいう音や、姉のキャロラインの短い空咳が聞こえた。

「ジェームズ、あなたなの？」という声がした。

聞くまでもないことだった。わたし以外に家族はいないのだから。正直にいえば、まさにこの姉のキャロラインのせいで、わたしはぐずぐずしていたのだ。キプリングが『ジャングルブック』で書いているように、マングース一族のモットーは「行け、そして嗅ぎだせ」だ。キャロラインが紋章を選ぶことになったら、マングースが後ろ足で立ち上がっているものにするように、強く勧めてやるつもりだ。標語の最初の部分「行け」は、省略してもいいだろう。キャロラインは家でのんびりくつろいでいるだけで、いろいろなことを嗅ぎだせるのだ。どうしてそんなことができるのかわからないが、ともかく、嗅ぎだしてしまう。おそらく使用人や出入りの商人を、諜報部員として利用しているのだろう。姉が外出するときは、情報を仕入れるためではなく、広めるためだった。そちらの方面でも、感嘆するほどの手腕をふるった。

実は、わたしが玄関から先に進むのをためらっていたのは、今いったように、姉が情報を流すことに長けているせいだった。フェラーズ夫人の死に関して姉に何か話そうものなら、一時間半もたたないうちに、それが村じゅうに広まっていることだろう。医師という職業柄、わたしは心して慎重にふるまうようにしている。そのため、いかなる情報も、姉からできるだけ隠す習慣が身についてしまった。それでも、姉は決まって探りだしてしまうのだが、わたしが漏らしたわけではないので、良心がとがめることはなかった。

フェラーズ夫人のご主人は一年ほど前に亡くなっていた。キャロラインは何の根拠もないのに、夫人がご主人を毒殺したのだ、と主張して譲らなかった。

フェラーズ氏は毎日大量の酒を飲んでいたせいで、急性胃炎を起こして亡くなったのだ、とわたしは一貫していい続けていたが、キャロラインは歯牙にもかけなかった。たしかに胃炎と砒素中毒の症状は似ていなくもないが、キャロラインの主張は、まったく別の根拠によるものだった。

「あの人を見れば、わかるわよ」と姉はいったものだ。

フェラーズ夫人は、もうそれほど若くはないものの、とても魅力的な女性で、シンプルなデザインながら、いつも、とてもよく似合う服を着ていた。とはいえ、パリで服を買う女性はたくさんいるし、だからといって、そうした妻たちが必ずしも夫を毒殺するとは限らない。

こうしたことをあれこれ考えながら玄関ホールでためらっていると、キャロラインの声がまたもや聞こえた。その口調はいくぶん尖っていた。

「いったい、そんなところで何をしてるの、ジェームズ？　さっさとこっちに来て、朝食にしたらどう？」

「いま行くよ、姉さん」とあわてて答えた。「コートをかけていたものだから」

「それだけの時間があったら、コートなんて半ダースもかけられるわ」

まさにそのとおり。わたしはそれぐらい、そこでぐずぐずしていたのだ。

ダイニングルームに入っていき、キャロラインの頰に軽くキスをして朝の挨拶をすると、ベーコンエッグの皿の前にすわった。ベーコンは少し冷めていた。

「朝早くから往診だったのね」キャロラインがいった。

「ああ、キングズ・パドック屋敷まで。フェラーズ夫人のところに」

「知ってるわ」姉はいった。

「どうして？」

「アニーから聞いたの」

アニーというのは、雑用係のメイドだ。気立てのいい子だが、とにかくおしゃべりだった。

沈黙が落ちた。わたしはベーコンエッグを食べ続けた。姉の細長い鼻先が少しひくついている。何かに興味をかきたてられているか、興奮している証拠だった。

「それで？」姉は催促した。

「気の毒にね。もうどうすることもできなかった。眠っているあいだに亡くなったんだろうね」

「知ってるわ」姉がまたいった。

今度は、さすがにむっとした。

「知ってるわけがない」語気を強めた。「ぼくだって、向こうに着くまで知らなかったんだから。それに、まだ誰にも話してない。アニーが知っていたというなら、千里眼にちがいないな」

「アニーから聞いたんじゃないわ。牛乳配達の人からよ。彼はフェラーズ家のコックから聞いたんですって」

このとおり、キャロラインは情報を集めるために外出する必要などないのだ。家にすわっていれば、情報の方からやって来るのだから。

姉は先を続けた。

「どうして死んだの？　心臓麻痺？」

「牛乳配達から聞かなかったのかい？」わたしは嫌味たっぷりにいってやった。

キャロラインには皮肉が通じない。言葉どおりに受けとって、まともに答えを返してよこす。

「彼は知らなかったのよ」と説明した。

どっちみち、遅かれ早かれキャロラインの耳に入るだろう。それなら、わたしの口から伝えても同じことだ。

「ヴェロナールの過剰摂取だった。最近、不眠のせいで睡眠薬を飲んでいたんだよ。うっかり多く飲み過ぎたんだろう」

「馬鹿な」キャロラインは即座に断じた。「覚悟のうえで飲んだのよ。決まってるでしょ！」

妙なもので、ひそかに信じていることがあって、内心それを認めたくないと思っているときに他人から指摘されると、むきになって否定したくなるものだ。わたしはたちまち、憤然として反論した。

「ほら、また悪い癖が始まった。ちゃんとした理由もないのに、すぐ結論に飛びつくんだから。いったいぜんたい、フェラーズ夫人がどうして自殺したがるんだね？　未亡人だが、まだ十分に若く、とても裕福なうえに健康で、これから人生をたっぷり楽しもうとしていた矢先なんだよ。馬鹿げた意見だ」

「とんでもない。あなただって、あの人の最近の変わりようには、気づいていたはずよ。この半年ばかりかしらね、ああなったのは。いかにも悩みを抱えているように見えたわ。それに、夜、眠れなかったって、さっき自分でもいってたじゃないの」

「姉さんの診断はどうなのかな？」わたしはひややかにたずねた。「不幸な恋愛のもつれ？」

姉はかぶりを振った。

「良心の呵責よ」姉は力をこめていった。

「良心の呵責だって？」

「そうよ。あの人がご主人に毒を盛ったといっても、あなたは信じようとしなかったわね。これで、ますます確信が強まったわ」

「姉さんの意見は、論理的とはいえないんじゃないかな」わたしは反論した。「殺人をやってのけるような女は、後悔なんていう弱気で感傷的な気持ちになるどころか、犯罪の結果を楽しむぐらいの冷血な人間だよ」

キャロラインは首を振った。

「そういう女も、たぶんいるでしょうね――だけど、フェラーズ夫人は、そういうタイプじゃない。神経がとても細い人間だったのよ。で、苦労と名のつくものには一切耐えられなかったから、衝動に駆られて、ご主人を亡き者にしてしまった。アシュレー・フェラーズのような男の妻だったら、いろいろと苦労もあったでしょうしね——」

わたしはうなずいた。

「あれ以来、自分のやったことにずっと苦しんできたのよ。そう考えると、気の毒だわ」

フェラーズ夫人が生きているあいだ、キャロラインは気の毒に感じたことなど一度もないと思う。夫人がパリ仕立ての服をもはや着られないであろう場所に行ってしまったので、ようやく憐れみとか理解といったやさしい気持ちを抱く気になったのだ。

姉さんの考えはとんでもないたわごとだ、とわたしは語気を強めた。少なくとも、ある部分については、内心ひそかに姉の意見に同感だったので、よけいにきっぱりとした口調になった。しかし、キャロラインがたんなる直感だの当て推量だので真実にたどりついたら、とても厄介なことになる。そんなことを助長するわけにはいかない。姉がいい加減な自説を村じゅうに触れ回ったら、みんなは、わたしから聞いた医学的根拠にもとづいて話していると思いこんでしまう。人生とはまったく辛いものだ。

「何いってるの」とキャロラインは、わたしの非難を一蹴した。「いまにわかるわ。きっと、夫人はすべてを告白する遺書を残しているわよ」

「遺書のようなものは、何も残してなかった」つっけんどんに応じたが、そんなことを口にしたら、どう受けとられるかまでは考えていなかった。

「まあ！」とキャロラインは叫んだ。「じゃあ、やっぱりそのことを調べたのね？　わかってるわ、ジェームズ。心の奥底では、あなたも同じように考えているんでしょ。まったく一筋縄ではいかない人ね」

「どんな場合も、自殺の可能性を考慮するものなんだよ」わたしは強調した。

「検死審問はあるのかしら？」

「あるかもしれない。ぼくの意見しだいかな。睡眠薬を飲みすぎたのは過失にまちがいないと証言できれば、検死審問は開かれないだろうね」

「で、あなたは過失にまちがいないという自信があるの？」姉が抜け目なく追及した。

わたしは答えずに、席を立った。

2　キングズ・アボット村の人々

わたしと姉のキャロラインのやりとりについて書き進める前に、地元の地理について、多少とも説明しておいた方がいいだろう。わたしたちの村、キングズ・アボットは、イギリスのどこにでもあるような、ありふれた村である。いちばん近い大きな町は、九マイル離れたクランチェスターだ。村には大きな鉄道の駅と小さな郵便局があり、さらに、あらゆる品物を商う、いわゆる〝よろず屋〟が二軒、競い合っていた。壮健な男たちはたいてい若くして村を出ていくが、未婚の女性や退役軍人はたくさんいる。村人たちの趣味と娯楽をひとことでいえば、噂話である。

キングズ・アボットで大きな屋敷といえば、二軒だけだ。ひとつは、フェラーズ夫人に亡き夫から遺されたキングズ・パドック。もう一軒は、ロジャー・アクロイドが所有するファンリー・パークだ。このアクロイドは、まさに典型的な田舎地主という男で、わたしにとってはまことに興味深い人間である。たとえてみれば、古くさいミュージカル・コメディの第一幕の冒頭で、牧歌的な村を背景に登場する赤ら顔の狩猟好きの男、という感じだろうか。決まってロンドンに行く歌を熱唱する登場人物だ。最近は風刺劇がはやっているせいで、田舎地主の役どころもミュージカルから姿を消してしまったが。

むろん、アクロイドは厳密にいうと田舎地主ではない。彼は荷車の車輪製造で（だと思うが）、大儲けをした人物なのだ。赤ら顔で、愛想のよい、四十代の男。村の牧師と昵懇《じっこん》の間柄で、教区基金に気前よく寄付し（ただし、私生活ではおそろしくケチだという噂だ）、クリケット競技会、青年クラブ、傷痍軍人協会を支援している。事実上、平和なキングズ・アボット村の中心人物といえた。

ところで、ロジャー・アクロイドは二十一歳の青年時代に、五、六歳年上の美しい女性と恋に落ちて、結婚した。彼女の名前はペイトンといい、子供が一人いる未亡人だった。結婚生活は短く、苦悩に満ちたものだった。単刀直入にいえば、アクロイド夫人はアルコール依存症だったのである。夫人は酒と手を切ることができず、結局、結婚後四年で亡くなった。

その後、アクロイドは、再婚という冒険に踏み切るそぶりをまったく見せなかった。妻の連れ子は母親が亡くなったとき、まだ七つだったが、いまでは二十五歳の青年になっている。アクロイドはこの子をずっと実の息子のように思って、愛情をかけて育ててきたのだが、この青年がまた自由気ままな性格で、継父にとっては絶えざる心配と悩みの種になっていた。とはいえ、キングズ・アボット村の人々はみな、このラルフ・ペイトンに好意を持っていた。ひとつには、彼が大変に美しい青年だったからだ。

前にも述べたように、この村では寄ると触ると噂話だ。おかげでアクロイドとフェラーズ夫人の親密な間柄は、当初から、知らぬ者がなかった。夫人の夫が亡くなったあとは、その親密さがいっそう目につくようになった。しじゅういっしょにいる姿が目撃されたので、夫人の喪が明けたら、フェラーズ夫人はロジャー・アクロイド夫人になるのだろう、と村人たちははばかることなく噂しあった。実際、それはお似合いの組み合わせに感じられた。ロジャー・アクロイドの妻は明らかに飲酒が原因で亡くなったし、夫人の夫アシュレー・フェラーズは、死ぬまで毎日浴びるように酒を飲み続けていた。大酒飲みの犠牲者である二人が、かつての配偶者に与えられた苦痛を互いに慰めあうのは、しごく当然の成り行きだった。

フェラーズ夫妻はこの村で暮らすようになってから、まだ一年そこそこだったが、アクロイドの方は長年にわたって噂の渦中にあった。ラルフ・ペイトンが成人するまで、入れ替わり立ち替わり家政婦がやって来ては、アクロイド家の所帯を切り盛りしていたが、そのたびに、キャロラインとその噂好きの仲間たちは、好奇心むきだしの疑いの目を向けた。少なくとも十五年にわたって、村じゅうの人間が、アクロイドは家政婦の一人と再婚するにちがいないと確信していたといってもいいだろう。現在の家政婦ミス・ラッセルは、一目置かれている女性で、五年間、すなわち前任者の二倍もの期間、絶対的権力をふるってきた。フェラーズ夫人が現われなければ、アクロイドはもはやこの女性から逃げられなかっただろう。そのことと――もうひとつの理由――未亡人になった義理の妹が娘を連れてカナダから突然やって来たことで、事情は変わった。アクロイドのろくでなしの弟の未亡人、セシル・アクロイド夫人が、ファンリー・パーク屋敷に居候することになり、キャロラインの言葉を借りれば、ミス・ラッセルは相応の分際をわきまえるようになったというのである。

「相応の分際」というのが、正確にいうと何を意味するのかはわからないが――この言葉には冷酷で不快な響きがあった――ミス・ラッセルが唇を不機嫌にひき結び、毒気を含んだとしかいいようのない笑みを浮かべるようになったのは確かだ。そして、「お気の毒なアクロイド夫人――ご主人のお兄さまのお慈悲にすがるしかないなんて。施しのパンの味はとても苦いというでしょう？　わたしも自活できなかったら、とても惨めな気持ちになると思いますわ」とわざとらしい同情を示したそうだ。

フェラーズ夫人とのことが噂にのぼったときに、セシル・アクロイド夫人がどう思ったのかはわからない。アクロイドが独身のままでいた方が、彼女にとって都合がいいことは明らかだった。ともあれ、フェラーズ夫人と会うと、セシル・アクロイド夫人はいつも——話に花を咲かせるほどではないにしても——とても感じよくふるまった。キャロラインにいわせれば、そんなことでは何もわからないそうだが。

この数年のキングズ・アボット村の大きな関心事は、こんなところだ。アクロイドとその結婚問題は、あらゆる角度から論議され、フェラーズ夫人は常に、その話題の焦点となっていたのだ。

いまや事態はがらりと変わった。結婚祝いには何がふさわしいか、などとのんきに話し合っていたわたしたちは、悲劇のまっただなかに投げこまれてしまった。

こうしたことや、その他もろもろのことを考えながら、わたしは機械的に往診に回った。特に気にかかる患者はいなかったが、たとえいても同じだっただろう。というのも、ふと気がつくと、フェラーズ夫人の死の謎について考えていたからだ。彼女は自分の手で命を断ったのだろうか？　もしそうだとしたら、自殺する理由を説明する書き置きを当然残したのではないだろうか？　わたしの経験では、女性はいったん自殺を決意すると、たいてい自殺に至るまでの心情を告白したいと思うものである。注目の的になりたがるのだ。

最後にフェラーズ夫人と会ったのはいつだっただろう？　一週間もたっていない。あのときの彼女の態度は——まあ、あらゆることを考慮に入れても——さほどおかしなところはなかった。

そのとき、ついきのう、彼女と会ったことをふいに思い出した。言葉は交さなかった。夫人はラルフ・ペイトンと連れだって歩いていたのだ。ラルフがキングズ・アボットに来ているとは思わなかったので、わたしはびっくりした。彼はたしか半年ほど前に、継父と決定的なけんかをしたとかで、それ以来、村で姿を見かけていなかったのだ。顔を寄せ合うようにして二人並んで歩きながら、夫人がなにごとか熱心にしゃべっていた。

先行きに対して初めて不吉な予感が胸をよぎったのは、このときだったといってもいいだろう。まだはっきりした形にはなっていなかった——ただ、事の成り行きに、漠然とした不吉な前兆を感じとったのだ。きのうのラルフ・ペイトンとフェラーズ夫人がないしょ話に余念がない様子だったことは、どうも気に食わなかった。

そんなことをつらつら考えているときに、ばったりロジャー・アクロイドに出会った。「シェパード！」彼は叫んだ。「ちょうど会いたいと思っていたんだ。恐ろしいことが起きたものだ」

「もう聞いたんだね？」

彼はうなずいた。ひどい打撃を受けたことは、一目瞭然だった。豊かな赤い頬はげっそりこけていて、ふだんは陽気で潑剌とした姿が見る影もないありさまになっている。

「きみが考える以上に厄介なことがあるんだ」彼は低い声でいった。「どうだろう、シェパード、相談したいことがあるんだが。これからいっしょに、うちに来てもらえないかな？」

「それはちょっと無理だな。まだ往診する患者が三人残っているし、十二時までに戻って、診療所に来ている患者を診なくてはならないんだよ」

「じゃあ、午後にでも――いや、それよりも今夜いっしょに食事をしよう。七時半に。都合がつくかい？」

「ああ、それならなんとかなる。何があったんだ？　ラルフのことかな？」

どうしてそんなことをいったのか、わからない――たぶん、これまでは厄介ごとというと、たいていラルフのことだったからだろう。

アクロイドは話が飲みこめない様子で、ぽかんとしてわたしを見た。そこで、何か本当にまずいことにちがいない、とわたしにもわかりかけてきた。これほど動揺しているアクロイドは、見たことがなかった。

「ラルフだって？」彼はぼんやりといった。「ああ！　いや、ラルフのことじゃない。

ラルフはロンドンにいるし――畜生！　ガネットばあさんがやって来た。こんな恐ろしい一件をしゃべらされるのは、まっぴらだ。じゃ、また今夜にな、シェパード。七時半だ」

わたしがうなずくと、彼はそそくさと立ち去った。残されたわたしは首をかしげた。ラルフはロンドンにいる？　だが、きのうの午後、彼はまちがいなくキングズ・アボットにいたのだ。ゆうべか今朝早く、ロンドンに戻ったのかもしれないが、アクロイドの態度からは、まったくちがう印象を受けた。ラルフは何カ月も屋敷に顔を見せていない、という口ぶりだった。

それ以上、その謎について考えこむ時間はなかった。情報に飢えたミス・ガネットにつかまったのだ。ミス・ガネットは姉のキャロラインとそっくりな性格だった。ただし、キャロラインのように、的確な狙いで一気に結論をひきだす能力はなかった。キャロラインはその能力のおかげで、威厳めいたものを漂わせていたのだが。ミス・ガネットは息せききって、矢継ぎ早に質問してきた。

お気の毒なフェラーズ夫人、悲しいできごとでしたわね？　何年も前から麻薬常習者だったと、みなさんいってますよ。そういう噂を広めるなんて、まったくひどい話だわ。ですけど、困ったことに、そういうとんでもない噂話にも、ちょっぴりだけ真実が含まれているものなんです。火のないところに煙は立たないと申しますからね！　アクロイド氏がそのことを知って、婚約を解消したっていう話もありますよ——つまり、婚約してたってことなんです。あたくし、確かな証拠も握ってますよ。もちろん、先生はすべてご存じでしょうね——お医者さまはいつもそうですから——だけど絶対、口外なさらないんでしょ？

そして、こんなふうにしゃべりながら、ミス・ガネットは何事も見逃すまいと鋭く光る目をわたしにじっと注いで、どういう反応を示すか観察しているのだった。幸い、長年キャロラインと暮らしてきたおかげで、表情を顔に出さない術も、当たり障りのない適当な答えを返す術も身につけていた。

この場合は、意地悪な噂話に加わらないとはごりっぱですね、とミス・ガネットをほめた。われながら、なかなか見事な反撃だった。返事に窮しているミス・ガネットが態勢を立て直さないうちに、わたしはさっさとその場を離れた。

考えこみながら家に帰ると、診察室で数人の患者が待っていた。

最後の患者の診察を終えたものと思い、昼食前にしばらく庭で過ごそうと考えていたとき、もう一人、患者が残っていることに気づいた。その女性は立ち上がり、いささか茫然として棒立ちになっているわたしの方に歩み寄ってきた。

どうして驚いたのかはわからない。ただ、ミス・ラッセルにはどこか鉄を連想させるところがあり、肉体の病気とは無縁のように感じられたのだ。

アクロイド家の家政婦は、すらりとした長身で目鼻立ちは整っていたが、近寄りがたい雰囲気の女性だった。厳しいまなざしに、ぎゅっとひき結んだ口元。わたしが雑用係のメイドかキッチン担当のメイドだったら、彼女の足音を聞いただけで逃げ出すだろう。

「おはようございます、シェパード先生」ミス・ラッセルはいった。「恐れいりますが、膝を診ていただけないでしょうか？」

一応、診察したが、正直なところ診察を終えてもよくわからなかった。ミス・ラッセルのなんとなく痛いという説明は、あまりにも説得力に欠けていて、もっと信用できない女性だったら、仮病ではないかと疑っていただろう。一瞬、フェラーズ夫人の死について何か聞きだそうとして、膝の痛みをでっちあげたのかもしれないという考えが胸をよぎった。しかしすぐに、少なくともその点については誤解だったことが判明した。彼女はその悲劇について、ひとことと触れただけで、それ以上探りを入れようともしなかったのだ。ただ、明らかに何かしゃべりたいことがあるらしく、ぐずぐずしていた。

「塗り薬をありがとうございます、先生」彼女はようやくいった。「でも、こういったものはあまりあてにしてませんけど」

わたしも効くとは思っていなかったが、医者としての義務感から反論した。結局のところ、塗ったからといって害があるわけではないし、商売道具となれば擁護しなくてはならない。

「薬というのは、どうも信用できませんわ」ミス・ラッセルはいって、ずらっと並んだ薬瓶を軽蔑したように見渡した。「薬にはものすごく害がありますもの。コカイン中毒がいい例です」

「まあ、それは極端な例でしょうが――」

「上流社会では、とてもはやっているんですよ」

ミス・ラッセルは、わたしよりも上流社会の内情に通じているにちがいない。だから、議論しようとはしなかった。

「ちょっと教えていただけますかしら、先生」ミス・ラッセルがいいだした。「実際、麻薬常習者になってしまったら、治療法はあるんでしょうか？」

こういう質問にいい加減に答えるわけにはいかない。わたしがその問題について簡単な講義をしてやると、彼女は熱心に耳を傾けていた。やはりフェラーズ夫人について情報を集めようとしているのではないか、という気がした。

「さて、たとえばヴェロナールですが――」と水を向けてみた。

しかし妙なことに、ミス・ラッセルはヴェロナールに興味がないようだった。それどころか話題を変えて、使用しても検出できない珍しい毒薬があるというのは本当か、と質問してきた。

「なるほど」わたしはいった。「あなたは推理小説の愛読者なんですね」

彼女はそれを認めた。

「推理小説の真髄は」とわたしはいった。「珍しい毒物を登場させることですね――できたら南アメリカあたりの、誰も聞いたことのないようなやつをね――どこかの名前も聞いたことのないような野蛮な種族が矢の先に塗るようなものを。その毒にやられると即死で、それを検出しようにも、西洋医学では役に立たない。そういうもののことをおっしゃっているんでしょう？」

「ええ。そういうものが、本当に存在するんですか？」

わたしは首を振った。

「残念ながらありませんね。もちろん、クラーレという南米の矢毒はありますが」

わたしはクラーレについて詳しく説明したが、彼女はまたもや興味を失ったようだった。ミス・ラッセルが薬品棚にそれを置いているかとたずねたので、置いていないと答えると、わたしに対する評価が下がったように感じられた。

彼女がもう帰らなければならないというので、診察室の戸口まで見送っていったとき、ちょうど昼食の銅鑼《どら》が鳴った。

ミス・ラッセルが推理小説を好きだとは、まったく思いがけないことだった。彼女が家政婦の部屋から出ていき、怠けているメイドを叱りつけてから、また部屋に戻って『七番目の死の謎』といった本を読みふけっている姿を想像すると、実に愉快だった。

3　カボチャを栽培する男

昼食の席で、今夜はファンリー・パークで食事をすることになったと姉に告げた。姉は文句をいうどころか、大乗り気だった。

「すばらしいじゃない」姉はいった。「これで話をすっかり聞けるわ。ところで、ラルフは何かもめごとを起こしたの？」

「ラルフ？」わたしは驚いて聞き返した。「いや、聞いてないな」

「じゃあ、どうしてファンリー・パークじゃなくて、スリー・ボアーズ館に泊まっているのかしら？」

ラルフ・ペイトンが地元の旅館に泊まっているというキャロラインの言葉には、これっぽっちも疑いを抱かなかった。姉がそうだといえば、わたしにはもう十分だった。

「アクロイドはラルフがロンドンにいる、といってたが」不意をつかれて、情報を漏らさないという大切な鉄則をつい破ってしまった。

「まあ！」キャロラインはいった。その情報を反芻しながら、鼻先をひくつかせている。「で、まだあそこにいるわ。ゆうべは女の子と出かけていたけど」

「ラルフはきのうの朝、スリー・ボアーズ館に到着したのよ」姉はいった。

それは意外でも何でもなかった。ラルフというのは、ほとんどの夜を女性と出歩いているような男だったからだ。ただ、華やかな首都から、わざわざキングズ・アボットくんだりまで、お楽しみを求めてやって来たことが解せなかった。

「バーの女と？」わたしは質問した。

「いいえ。そこが問題なのよ。彼はその女性に会うために外出したんだけど、相手が誰なのかわからないの」

（キャロラインにとって、こんなことを認めるのは、実にくやしいことなのだ）

「だけど、想像はつくわ」姉は絶対にへこたれなかった。

わたしは辛抱強く待った。

「いとこよ」

「フローラ・アクロイドのこと？」わたしは驚いて叫んだ。

もちろん、フローラ・アクロイドはラルフ・ペイトンとなんの血縁関係もない。しかしラルフは長年にわたって、事実上、アクロイドの息子として扱われてきたので、当然のように二人はいとこ同士とみなされていた。

「そう、フローラ・アクロイドよ」姉はいった。

「しかし、彼女に会いたければ、ファンリー・パークに行けばいいじゃないか」

「こっそり婚約しているのよ」キャロラインはやけにはしゃいだ声をあげた。「アクロイドさんが許してくれないから、こうして会うしかないのよ」

キャロラインの推論にはたくさんの欠陥があったが、それを指摘するのは差し控えた。わたしはさりげなく新しい隣人のことを持ちだして、話題を変えた。

隣の家、からまつ荘に、最近、よそ者が引っ越してきた。キャロラインは、その男が外国人だということ以外何もわからないので、とてもじれったく感じていた。彼女の諜報部員も、今回ばかりは役に立たなかったのだ。おそらく、その男も世間一般の人々と同じように、ミルクや野菜や骨つき肉や、たまにはタラなども食べているだろうが、そうしたものを配達している連中も、彼についての情報をまったく手に入れられないようだった。どうやら、名前はポロット氏というらしい――本名とは思えない奇妙な名前だ。彼についてひとつだけわかっているのは、カボチャの栽培に興味があることだった。

しかし、キャロラインが求めているのは、そうした情報ではなかった。どこの出身か、職業は何か、結婚しているのか、妻はどんな女だったのか、いや生きているのなら、ど

ないと思う。

んな女なのか、子供はいるのか、母親の旧姓は何か——といったことを知りたがっていたのだ。キャロラインのような人間が、パスポートの記載事項を考えだしたのにちがいない。

「ねえ、キャロライン」わたしはいった。「あの男の職業については疑いの余地がない。引退した理容師だよ。あの口髭を見てごらんよ」

キャロラインは異議を唱えた。あの男が理容師なら、髪にパーマが——あんなストレートではなく——かかっているはずだ、理容師はみなそうしている、というのだ。わたしは個人的に知っているストレートの髪をした理容師を何人かあげたが、キャロラインはどうしても納得しようとしなかった。

「まったくつかみどころのない人なのよ」キャロラインは憤懣《ふんまん》やるかたないという調子でいった。「このあいだ、園芸用具をいくつか借りたの。彼はとても礼儀正しかったけど、何ひとつ聞きだせなかったのよ。とうとう、フランス人なんですかって、ずばりとたずねたら、ちがうっていったわ——なぜかそれ以上、質問するのが気後れしちゃって」

わたしは謎の隣人にがぜん興味がわいてきた。シバの女王さながら、質問攻めにしようと乗りこんでいったキャロラインを黙らせ、手ぶらで帰らせることができるとは、よほどの人物にちがいなかった。

「たしか」とキャロラインがいいだした。「あの人、新型の真空掃除機を持っていたはずだわ――」

また何か借りに行って、さらに質問する機会を手に入れようという企みが姉の目に浮かぶのがわかった。それをきっかけに、庭に逃げだすことにした。わたしは庭いじりがけっこう好きなのだ。タンポポの根をせっせと抜いていると、すぐ近くで警告の叫びがあがり、とたんに、重たげなものが耳元をかすめて飛んでいき、わたしの足下でぐしゃりと不快な音を立ててつぶれた。カボチャだった！

わたしはむっとして顔を上げた。左手の塀越しに顔が現われた。異様なほど黒い髪に部分的に覆われた卵形の頭、一対の巨大な口髭、油断のない目。われらが謎の隣人、ポロット氏だった。

彼はたちまち、立て板に水の勢いで詫びの言葉をまくしたてた。

「これはなんと失礼なことを、どうかお許しください、ムッシュー。弁解の余地もありません。数カ月前から、カボチャを栽培していたのです。ところが今朝になったら、急にこのカボチャに腹が立ちましてね。こいつらを放りだしてやることにしたんです――ああ！　頭で考えているだけではなく、手も出てしまいました。つい、いちばん大きいやつをつかんで投げたら、塀を越えてしまいまして。ムッシュー、お恥ずかしい限りです。心からお詫びいたします」

こんなにていねいに謝罪されては、怒りをおさめるしかなかった。ともあれ、いまいましい野菜が体に当たったわけではないのだ。ただ、塀越しに大きなカボチャを投げるのが、この新しい友人の趣味ではないことを心から祈った。そんな趣味があっては、とうてい隣人として親しくつきあっていくことはできないだろう。

この一風変わった小男は、わたしの胸の内を読みとったようだった。

「いえ、ちがいます！」彼は声を張り上げた。「ご心配なく。これはわたしの習慣ではありませんから。いいですか、ムッシュー、ある男がある目的のために働いてきて、さんざん苦労を重ねたあげく、ようやく余暇と手慰みらしきものを手に入れた。しかし、いざそうなってみると、昔の多忙な日々、あれほど喜んで捨てた昔の仕事が恋しくてたまらないことに気づいた。そういうことがご想像いただけますでしょうか？」

「ええ」わたしはゆっくりと答えた。「よくあることじゃないかと思いますよ。わたしも実はその一人なんです。一年前、遺産を相続しましてね——夢を実現できるぐらいの額でした。かねがね旅行をしたい、世界を見て回りたいと願っていたんですよ。しかし、それが一年前のことですが——いまだにこうしてここにいます」

小柄な隣人はうなずいた。

「習慣の鎖というやつですな。われわれは目的を達成するために働きます。そして目的が達成されると、日々の苦労がなくなって寂しく感じるのです。しかもですな、ムッシュー、わたしの仕事というのはおもしろいものだったのです。世界でいちばん興味深い仕事でした」

「というと？」わたしは先をうながした。一瞬、キャロラインの詮索好きが乗り移ったかのようだった。

「人間性の研究ですよ、ムッシュー！」

「たしかにおもしろそうですね」わたしはお愛想をいった。

まちがいなく引退した理容師だ。理容師ほど人間性の機微に通じている人間がいるだろうか？

「それに、ある友人がいたんです――長年、わたしのそばを離れたことがなかった友人です。ときどき、ぞっとするほど馬鹿な真似をしたが、とても大切な友人だったのです。その愚かささえ、今じゃ懐かしいほどですよ。天真爛漫さ《ナイヴテ》、正直な風貌、わたしのすぐれた才能によって、彼を喜ばせ、驚かせる楽しみ――言葉ではいえないほど、何もかもが懐かしくてたまりません」

「亡くなられたのですか？」わたしは同情をこめてたずねた。

「いや、そうではありません。元気でやってますよ――ただし、地球の裏側でね。今、アルゼンチンにいるんです」

「アルゼンチンに」わたしはうらやましそうにいった。

わたしは前々から南アメリカに行ってみたいと思っていたのだ。ため息をついて目を上げると、ポロットが気の毒そうにこちらを見つめていた。彼はなかなか思いやりのある人間のようだった。

「いずれあちらにいらっしゃるんでしょう、ねえ？」彼はたずねた。

わたしは嘆息しながら首を振った。

「行こうと思えば行けたんです」わたしはいった。「一年前なら。しかし、愚かだった――いや愚かよりももっと始末に悪い――欲張ったんです。財産を実体のないものにつぎこんでしまった」

「わかります」ポロットはいった。「投機をなさった？」

わたしは悄然とうなずいたが、心中ひそかに愉快に感じないわけにいかなかった。この滑稽な小男が、大げさなほど真面目くさった面もちをしていたからだ。

「もしやポーキュパイン油田では？」いきなり彼がたずねた。

わたしは目をみはった。

「実をいいますと、あそこも考えたんですが、結局、西オーストラリアの金鉱に全額投資しました」

隣人は、わたしには測りかねる奇妙な表情を浮かべて、こちらをじっと見つめていた。

「運命ですな」やがて彼はいった。

「運命とはどういう意味です？」わたしはいらだって問い返した。

「ポーキュパイン油田と西オーストラリアの金鉱を投資対象として真剣に検討している人の隣に、住むことになったのですからね。ところで、あなたも鳶色の髪が好みなのではありませんか？」

口をぽかんと開けて相手を見つめると、小男はいきなり笑いだした。

「いやいや、頭がおかしいわけではありませんよ。ご安心ください。馬鹿げた質問をしました。というのも、ほら、さきほど申し上げた若い友人ですが、彼は世の中の女性はすべて善良で、ほとんどが美しいと考えているような男なんです。しかし、あなたはもう中年で、お医者さまですからね、この世のたいていのものが愚かしくてむなしいことをご存じでしょう。まあまあ、こうしてお隣同士になったことです。わたしのいちばん出来のいいカボチャを、ぜひとも、すばらしいお姉さまに献上させてください」

彼は身をかがめると、仰々しい身振りで大きなカボチャを差しだしたので、相手になってうやうやしく押しいただいた。

「いやまったく」と小男はご機嫌でいった。「今日はなかなか有意義でした。遠く離れたわが友といくつかの点で似ている方と、お近づきになれたのですから。ところで、ひとつお聞きしたいことがあるんですが。あなたは、この小さな村の方々を一人残らずご存じでしょう。まっ黒な髪と目をした美青年は何者なのですか？　頭をそらして、悠然とした笑みを口元に浮かべて歩いているんですが」

それだけ聞けば、すぐにわかった。

「ラルフ・ペイトン大尉にちがいありませんね」わたしはゆっくりといった。

「これまで見かけなかったように思いますが？」

「ええ、彼はしばらく村を離れていましたから。ファンリー・パークのアクロイドのご子息――というか、養子なのです」

隣人はもどかしげな身振りをした。

「ああ、気づいてしかるべきでした。アクロイド氏からしじゅう話をうかがっていたんですから」

「アクロイドをご存じなのですか？」いささか驚いてたずねた。

「アクロイド氏とはロンドンで知り合いましてね——向こうで仕事をしていた頃に。この村では、わたしの職業について黙っていてほしい、と頼んでおいたのです」

「そうだったんですか」案の定の俗物ぶりで、見え透いているだけにかえっておかしくなった。

しかし小男は大仰な作り笑いを浮かべたまま、こう続けた。

「世を忍んで暮らす方が好きな人間もいます。わたしは名声なんてほしくないのです。自分の名前がこの村でまちがった読み方をされていても、わざわざ訂正しようとも思いません」

「なるほど」どう答えたらいいのかわからなかった。

「ラルフ・ペイトン大尉ですか」とポロットは考えこみながらいった。「では、あの方が、アクロイド氏の姪御さんと、あの魅力的なマドモアゼル・フローラと婚約されているんですな」

「誰からお聞きになったんですか？」びっくり仰天してたずねた。

「アクロイド氏です。一週間ほど前でした。大変に満足そうでしたよ——こうなってくれたらいい、と前々から願っていたのでしょう。少なくとも、わたしはそんな印象を受けました。いやそれどころか、あの青年に無理やり承諾させたのではないかと思います。

だとしたら、賢明ではありませんな。若者は自分が気に入った結婚をするべきです——遺産を相続できるからと、継父を喜ばせるために結婚すべきではない」

わたしの考えは根底からくつがえされた。アクロイドともあろう人物が、理容師ふぜいに秘密を打ち明け、姪と養子の結婚問題を相談するとは思えなかった。アクロイドは低い身分の者にも情を示しはするが、非常に体面を重んじる人間なのだ。ポロットは理容師なぞであるはずがない、という気がしてきた。

困惑を隠そうとして、最初に心に浮かんだことを口にした。

「どうしてラルフ・ペイトンに目が留まったのですか？ 美青年だからですか？」

「いや、それだけじゃありません——たしかに、イギリス人にしては珍しいほど美しい青年ですが——女流作家がギリシャの神になぞらえるようなね。しかし、わたしが気になったのは、あの青年にはどうもよくわからないところがあるせいなのです」

最後の言葉をいかにも考えこむような口調でいったので、わたしはいわくいいがたい印象を受けた。まるで、彼はわたしの知らない情報をひそかにつかんでいて、それによって青年を評価しているような気がしたのだ。結局、漠然としたそういう印象だけが心に残った。というのは、そのとき、家から姉の呼ぶ声が聞こえたからだ。

わたしは家に入った。キャロラインは村から帰ってきたばかりらしく、帽子をかぶったまだった。姉は前置きなしでいきなりいいだした。

「アクロイドさんと会ったわ」

「それで？」

「引き留めたわよ、もちろん。でも、とても急いでいるらしくて、どうにかして逃げようとしていたけど」

たしかに、そのとおりだったにちがいない。アクロイドは、その日の朝、ミス・ガネットに対して感じたのと同じ気持ちを――いや、それ以上の気持ちをキャロラインに抱いたことだろう。振り切るには、キャロラインの方が手強い相手だったからだ。

「すぐにラルフのことを聞いてみたの。とても驚いていたわ。あの子がここに来ているなんて、全然、知らなかったって。わたしが見まちがえたんじゃないか、とまでいうのよ。このわたしが！　まちがえるものですか！」

「まったくだ」わたしはいった。「姉さんのことは、もっとよくわかっていそうなものだが」

「それから、ラルフとフローラが婚約していると話してくれたの」

「それはわたしも知ってる」少し得意そうに口をはさんだ。

「誰から聞いたの？」

「新しいお隣さんだよ」

キャロラインは一、二秒ほど、はためにもわかるほど心が揺れているようだった。あたかもルーレットのボールが、ふたつの数字のあいだでためらっているかのように。だが、話を横道にそらすまいと、誘惑をきっぱりと振り払った。

「アクロイドさんに、ラルフはスリー・ボアーズ館に泊まっているって教えてあげたのよ」

「キャロライン、そんなふうに見境なく何でもかんでもしゃべる癖のせいで、どれだけ迷惑をかけているか考えたことがないのかい？」

「馬鹿おっしゃい」姉はいった。「知っておいた方がいいに決まってるでしょ。わたしは人に伝えるのが義務だと思ってるの。アクロイドさんだって、とても感謝していたわ」

「それで？」まちがいなく、まだ話の続きがあった。

「彼はまっすぐスリー・ボアーズ館に行ったんじゃないかと思うわ。だけど、あそこに行っても、ラルフを見つけられなかったわね」

「そう？」

「ええ。だって、森を抜けて帰ってくると――」

「森を抜けてだって？」わたしは遮った。

キャロラインにも顔を赤らめるぐらいのたしなみはあった。

「とてもいいお天気だったもの」と声を張り上げた。「ちょっと遠回りしようと思ったのよ。森の紅葉が、ちょうど見頃でしょ」

一年のどの季節だろうと、キャロラインは森にこれっぽっちも関心を持ったことなどない。ふだんは足が濡れ、さまざまな不快なものが頭に落ちてくる場所としか考えていなかった。いや、姉が地元の森に足を運んだのは、優秀なマングースの本能のなせるわざだった。キングズ・アボット村近くで、人目を避けて若い女性と話せる場所といったら、森しかなかったのだ。しかも、森はファンリー・パーク屋敷に隣接していた。

「ふうん」とわたしはいった。「それで？」

「今いったみたいに、森を抜けて帰ってくると、人声が聞こえたのよ」

キャロラインは言葉を切った。

「で？」

「一人はラルフ・ペイトンだった――すぐにわかったわ。もう一人は女性だったの。もちろん、立ち聞きするつもりはなかったのよ――」

「そりゃそうだろうね」わたしは露骨な皮肉の合の手を入れた――だが、キャロラインには通じなかった。

「だけど、聞こえてきてしまうものはしょうがないわ。女の方が何かいって——まったく聞きとれなかったけど、それに対してラルフがこんなふうに答えたの。とても腹を立てているようだったわ。〝ねえ、きみ、継父《ちち》がわずかなはした金で、ぼくを廃嫡しかねないってことが、頭に入ってないんじゃないのか？　継父はこの数年、ぼくにうんざりしてるんだよ。あとちょっとで、堪忍袋の緒が切れかねない。ぼくらには金が必要だろ、ねえ。継父がぽっくりいってくれたら、ぼくは大金持ちになれるんだ。とことんケチなやつだけど、金はうなるほど持ってるんだから。遺言を書き換えられたくないんだよ。ここはぼくに任せてくれ、心配はいらないから〟このとおりの言葉だったわ。はっきり覚えてる。だけど、わたしったらちょうど運悪く、枯れ枝か何かを踏んでしまったものだから、二人は声をひそめて、遠ざかってしまったの。もちろん、あとを追いかけるわけにはいかないから、女が誰なのか見届けられなかったのよ」

「それは残念だったね」わたしはいった。「だが、姉さんのことだ、スリー・ボアーズ館にすぐさま駆けつけ、気分が悪くなったとかいって、バーに入ってブランデーを一杯飲んだんだろ。で、バーの女の子が二人とも働いているのを確認したんじゃないのかい？」

「あれはバーの女の子じゃなかったの」キャロラインはためらいもせずに答えた。「実をいうと、フローラ・アクロイドじゃないかと思うんだけど、ただ――」

「それだと、筋が通らない」わたしも同意した。

「だけど、フローラじゃないとすると、いったい誰だったのかしら?」

たちまち、姉は近所に住んでいる独身女性の名前をずらずらあげ、いちいちラルフの相手の可能性はあるかないか、理由をとうとうと並べたてはじめた。

彼女がひと息ついた隙に、わたしは患者がどうのといいわけをつぶやくと、家をこっそり抜けだした。

わたしはスリー・ボアーズ館に行くつもりだった。その頃にはラルフ・ペイトンも戻っているだろうと思ったからだ。

わたしはラルフをよく知っていた――おそらく、キングズ・アボット村の誰よりも。というのも、わたしはそもそも彼の母親を知っていたので、他の人間がとまどうような彼の性格もかなり理解していたのだ。彼はある意味で、遺伝の犠牲者だった。母親の致命的な飲酒癖こそ受け継がなかったが、意志が薄弱だったのだ。今日、新しい友人がいみじくも指摘したように、ラルフは並はずれたハンサムだった。上背は六フィートあり、完璧に均整がとれ、スポーツ選手のように身のこなしはゆったりと優雅だった。母親譲りの黒髪と黒い瞳に、いまにも笑みがこぼれそうな浅黒い美しい顔。ラルフ・ペイトンは生まれながらにして、何の努力もせずに人を魅了することができた。放縦で浪費癖があり、世の中のどんなものに対しても敬意を示さなかったが、それでも愛すべき若者で、友人たちはみな彼に傾倒していた。

あの青年に何かしてやれることがあるだろうか？　あるだろうとわたしは考えた。

スリー・ボアーズ館を訪ねると、ペイトン大尉はちょうど帰ってきたところだといわれた。わたしは階段を上がって、いきなり彼の部屋に入っていった。

一瞬、これまで耳にしたり目にしたりしたことを思い出して、歓迎されないかもしれないと思ったが、心配は無用だった。

「おや、シェパード先生！　よく来てくださいました」

彼は片手をさしのべ、陽気な笑みに顔を輝かせながら、わたしを出迎えてくれた。

「このいまいましい土地で、お会いしてうれしいのは先生だけですよ」

わたしは眉をつりあげた。

「この村がどうかしたのかい？」

彼は苦々しげな笑い声をあげた。

「話せば長いんですよ。いろいろとうまくいかないんですよ、先生。それより、一杯いかがですか？」

「ありがとう。ごちそうになるよ」

ラルフはベルを鳴らして戻ってくると、椅子にどさりとすわりこんだ。

「単刀直入にいうと、どうしようもなく困ったことになってるんです」彼は憂鬱そうにいった。「実際、これからどうしたらいいか、見当もつかない状態です」

「どうしたんだね？」わたしは同情をこめてたずねた。

「とんでもない継父《ちち》のせいです」

「お継父《とう》さんが何かしたのかい？」

「まだしてませんけど、これからやりかねないんです」

ベルが鳴り、ラルフは飲み物を注文した。係の者が行ってしまうと、ラルフはまた安楽椅子にうずくまるようにすわり、眉をひそめた。

「本当に――重大なことなんだね？」わたしはたずねた。

彼はうなずいた。

「今度ばかりは、ぼくも困り果てました」真剣な口調でいった。

いつになく重苦しい口調に、嘘をいっているのではないことがわかった。ラルフをここまで真剣にさせるとは、よくよくのことだった。

「実際のところ」と彼は言葉を続けた。「この先どうなるのかまったくわからないんです……わかるもんか」

「わたしに力になれることがあれば……」遠慮がちに申しでた。

だが、彼は決然として首を振った。

「ご親切に、先生。でも、先生を巻きこむわけにはいきません。自分一人で立ち向かわなくちゃいけないことなんです」

しばらく黙りこんでから、さっきとは少しちがう口調で繰り返した。

「そう――自分一人で立ち向かわなくてはならないんだ……」

4　ファンリー・パークでの夕食

I

ファンリー・パークの玄関ドアのベルを鳴らしたのは、七時半少し前だった。執事のパーカーが、感嘆するほどすばやくドアを開けてくれた。

とても気持ちのいい夜だったので、わたしは歩いていった。広々とした四角い玄関ホールに入ると、パーカーがコートを脱がせてくれた。ちょうどそのとき、アクロイドの秘書のレイモンドという感じのいい青年が、アクロイドの書斎に行こうとして、両手に書類を抱えてホールを通りかかった。

「こんばんは、先生。お食事にいらしたんですか？　それとも、往診ですか？」

あとの質問は、わたしがオークのチェストに黒いかばんをのせていたせいで出たのだろう。

いつお産が始まってもおかしくない患者がいるので、緊急の呼びだしに備えて準備をしてきたのだ、と説明した。レイモンドはうなずいて去りかけたが、肩越しにこういった。

「応接間にお入りください。場所はおわかりですね。ご婦人方はすぐ下りてきます。ぼくはこの書類をアクロイドさんのところに持っていかなくちゃならないんですが、先生がお見えになったことを伝えておきますよ」

レイモンドが現われると、パーカーが奥へひっこんだので、わたしは玄関ホールに一人きりになった。ネクタイを直し、ホールにかかっている大きな鏡をちらりとのぞいてから、正面にあるドアにまっすぐ歩いていった。それが応接間のドアだということはわかっていた。

ちょうどドアのノブを回しかけたとき、中から物音が聞こえた――窓を引き下ろして閉める音だろう、と思った。いわば無意識にその音を聞いていたので、そのときはたいして注意も払わなかった。

ドアを開けて、部屋に入った。そのとたん、ドアから出てこようとしたミス・ラッセルとあわや鉢合わせしそうになった。わたしたちはお互いに謝りあった。

このとき改めて家政婦をじっくりと観察して、かつてはさぞ美しかっただろうと思った——いや、それをいうなら、いまだになかなかのものだった。黒髪には白いものも目立っておらず、今のように顔が上気していると、厳格な表情もやわらいで見えた。

頭のどこかで、彼女は外にいたのかもしれない、と思った。まるで走ってきたかのように、息を切らしていたからだ。

「少し早めに着いてしまったようです」わたしはいった。

「あら！　そんなことありませんわ。もう七時半を回ってますもの、シェパード先生」

彼女はちょっと言葉を切った。「あの——先生が今夜お夕食にいらっしゃるとは存じませんでした。アクロイドさまが何もおっしゃっていなかったので」

わたしが食事に招かれたことが、なぜか彼女は気に入らないのだろうと漠然と感じたが、理由は見当もつかなかった。

「膝はどうですか？」とたずねた。

「相変わらずです、ありがとうございます、先生。そろそろ失礼しないと。セシル・アクロイド夫人はすぐこちらにいらっしゃいますわ。わたしは——お花がちゃんと活けられているか点検しに来ただけなんです」

ミス・ラッセルは足早に部屋を出ていった。わたしは窓辺に歩み寄りながら、彼女は部屋にいたことをどうしてあんなにむきになって弁解したのだろう、と首を傾げた。そのとき、ちょっと注意深く考えてみれば、とっくにわかっていたはずのことに気づいた。すなわち応接間の窓は、押し開けてテラスに出るようになっている縦長のフランス窓だったのだ。したがって、さっき聞いた音は、窓を引き下ろして閉める音であるはずがなかった。

暇つぶしに、それに何よりも辛い考え事から気をそらしたくて、あれは何の音だったのだろう、とあれこれ推測を巡らしてみた。

暖炉に石炭をくべる音？　いや、まったくそういう音ではなかった。書き物机の引き出しを閉める音？　いや、それでもない。

そのとき、シルヴァー・テーブルと呼ばれる家具に目が留まった。持ち上げられる蓋《ふた》がついていて、蓋にはめられたガラス越しに、中におさめた品物が見えるようになっている。わたしはテーブルに近づいて、中をのぞきこんだ。古い銀器がいくつか、チャールズ一世のものだったというベビーシューズの片方、中国の翡翠人形、それにたくさんのアフリカ先住民の道具や工芸品。翡翠の人形をもっとよく見ようとして、蓋を持ち上げたとき、指が滑って、蓋が落ちた。

すぐに、さっき聞いた音だということがわかった。あれはこのテーブルの蓋を、そっと慎重に閉めた音だったのだ。さらに一、二度蓋を上げ下げしてみて、はっきりと確信した。それから、飾り物をもっと詳しく調べようと、蓋を開けた。

そうやって蓋を開けたシルヴァー・テーブルにかがみこんでいると、フローラ・アクロイドが部屋に入ってきた。

フローラ・アクロイドを好きではない人間は多いが、その美しさは賞賛しないわけにいかなかった。それに友人たちには、彼女はとても感じよくふるまっていた。まず最初に目を奪われるのは、抜けるように白い肌と見事な金髪だろう。正真正銘、北欧系の淡い金色の髪だった。瞳はブルー――ノルウェーのフィヨルドの海を思わせる深い碧色。肌はクリームのようになめらかで、頬にほんのりと薔薇色がさしている。肩は少年のように角張っていて、腰はほっそりとしている。くたびれた医者にとって、これほど見事な健康美に輝く女性を目にすることは、まさに一服の清涼剤だった。

まぎれもない本物のイギリス娘――わたしの考え方は古いのかもしれないが、こういう純血種にまさるものはなかなかないと思う。

フローラはわたしと並んでシルヴァー・テーブルをのぞきこみ、チャールズ一世がそのベビーシューズをはいたかどうか疑わしい、という異説を口にした。

「だいたい」とフローラは続けた。「誰かが着たり使ったりしたものだからと大騒ぎするのは、まったく馬鹿馬鹿しいわ。今、使っているわけでも着ているわけでもないんですもの。ジョージ・エリオットが『フロス河の水車場』を書いたというあのペン――結局、ただのペンでしょ。本当にジョージ・エリオットが好きなら、『フロス河の水車場』の廉価版を買って読めばいいのよ」

「ああいう時代遅れの小説は読んだことがないんだろうね、フローラさん？」

「あら、そんなことないわ、シェパード先生。わたし、『フロス河の水車場』は大好きです」

それを聞いてとてもうれしくなった。最近の若い女性が読んでおもしろいという小説には、はっきりいって鳥肌が立つからだ。

「まだお祝いをいってくださらないんですね、シェパード先生」フローラがいった。

「お聞きになってません？」

彼女は左手をさしだした。薬指には、見事なひと粒の真珠が輝いていた。

「ラルフと結婚することになったんです」とフローラは続けた。「伯父はとても喜んでるわ。ほら、これで、わたしはずっとアクロイド家の一員でいられますものね」

わたしは彼女の両手をとった。

「よかったね。お幸せを祈ってます」

「ひと月前に婚約したんですけど」とフローラは冷めた声で続けた。「発表したのはついきのうなんです。伯父はクロス・ストーンズに手を入れて、わたしたちの住まいにしてくださるといってるわ。ですから、農場経営のまねごとをしてみようかと思っているんです。実際には、冬じゅうハンティングをして、初夏の社交シーズンはロンドンで暮らし、そのあとはヨットセーリング、というふうに過ごすつもりですけど。わたし、海が大好きなんです。それに、もちろん、教区の仕事にもとても興味がありますから、母の会には欠かさず出席するつもりよ」

ちょうどそのとき、セシル・アクロイド夫人が遅れた詫びを並べ立てながら入ってきた。

こんなことをいって申し訳ないが、わたしはアクロイド夫人が大嫌いだ。彼女はいつもネックレスをじゃらじゃらさせ、歯と骨ばかりが目立つ、実に不快な女性だった。その非情そうな小さな青い目は、どんなに熱心にしゃべっているときでも、常に冷然と相手を値踏みしていた。

フローラを窓辺に残して、わたしは夫人に歩み寄っていった。彼女は関節と指輪しか感じられないような手をさしだして握らせると、ぺらぺらしゃべりはじめた。

フローラの婚約をお聞きになりましたかしら？　どこから見ても似合いの夫婦だわ。若い二人はひと目で恋に落ちてしまったんですって。完璧な組み合わせですよ、彼は黒髪に浅黒い肌、娘は金髪に白い肌ですから。

「母親としてどれほど安心したか、言葉ではいえないぐらいですわ、シェパード先生」

夫人はため息をついた——母心を強調したかったのだろうが、その目は抜け目なくわたしを観察していた。

「ちょっと考えていたんですけど。先生は義兄《あに》のロジャーの古いお友だちでいらっしゃるでしょう。義兄は先生の判断をとても信頼しているんですのよ。わたしは自分の考えなんてとうていロにできませんけど——セシルの後家という立場ではね。といっても、いろいろ面倒なことがありますでしょ——財産贈与のこととか、何やかやと。ロジャーはまちがいなくフローラに財産を譲ってくれるとは思いますけど、ほら、あの人はお金のことになると少々変わったところがありますからね。実業家として成功した人間だと、それが普通だという話ですけど。ねえ、どうでしょう、先生から、その件について義兄に打診していただけないかしら。フローラは先生をとても慕っていますのよ。たった二年のおつきあいですけど、わたしたち、先生をとても古くからのお友だちのように感じてますわ」

またも応接間のドアが開き、雄弁をふるっていたセシル・アクロイド夫人は言葉を切った。邪魔が入ってうれしかった。他人の問題に干渉するのは嫌いだったし、フローラへの財産譲渡の件で、アクロイドとわたりあうつもりなど毛頭なかったのだ。もう少しで、夫人にそういうふうに答えざるをえないところだった。

「ブラント少佐はご存じですわね、先生？」

「ええ、もちろん」

ヘクター・ブラントを知らない人間はめったにいないだろう——少なくとも名声だけでも耳にしているはずだ。彼は想像もつかないような土地で、誰よりも多くの猛獣を仕留めてきた男だった。彼の名前を出すと、人々はこう答えたものだ。「ブラント——あの猛獣狩りの名人のことじゃないかね？」

彼とアクロイドとの交友関係は、以前からわたしにはいささか不可解だった。二人の男には、まったく共通点がなかったからだ。ヘクター・ブラントは、おそらくアクロイドよりも五歳ほど年下だろう。二人は若い頃に知り合い、その後、まったくちがう生き方を選んだのだが、友情は続いたのだ。一年おきぐらいに、ブラントはファンリー・パークで二週間ほど過ごした。来客は屋敷の玄関ドアを入るなり、数えきれないほどたくさんの角《つの》といっしょに飾られた巨大な動物の頭に、ガラス玉の目でにらまれて立ちすくむのだが、それは、二人の変わらぬ友情の証だった。

ブラントは、独特のゆったりした静かな足どりで部屋に入ってきた。彼は中背で、たくましく、がっちりした体つきの男だった。顔は陽に灼けてマホガニーのような色で、妙に表情がなかった。その灰色の目は、常に、はるか遠くで起きていることを眺めているような印象を与えた。口数は少なく、たまに何かいうときは、言葉を無理やりひっぱりだしているかのように途切れ途切れにしゃべった。

今、ブラントはいつものようにぶっきらぼうに「こんばんは、シェパード先生」というと、暖炉の真ん前に立ち、ティンブクトゥで起きているとても興味深いものを眺めているかのように、わたしたちの頭越しに視線を向けた。

「ブラント少佐」とフローラが声をかけた。「このアフリカの品について教えてくださいませんか？　こういったもののことは、よくご存じでしょう」

ヘクター・ブラントは女嫌いだという噂を耳にしたことがあったが、今はほとんどいそいそと、シルヴァー・テーブルのフローラのそばに近づいていった。二人は肩を並べてテーブルをのぞきこんだ。

セシル・アクロイド夫人がまたぞろ財産譲渡の件を持ちだすといけないと思って、わたしは急いで、新種のスイートピーについての話題をだした。その朝の《デイリー・メール》紙に書かれていたので、新種のスイートピーが作られたことを知っていたのだ。夫人は園芸については何も知らなかったが、最新の話題に通じていると思われたがる女性だったし、彼女も《デイリー・メール》を購読していた。おかげで、アクロイドと秘書が姿を見せるまで、わたしたちはきわめて知的な会話を続けることができた。その直後に、パーカーが食事の用意が調ったことを知らせた。

テーブルのわたしの席は、セシル・アクロイド夫人とフローラにはさまれていた。ブラントは夫人の向かい側で、その隣にジェフリー・レイモンドがすわった。ディナーは陽気とはいえなかった。アクロイドは明らかに何かに気をとられているようだった。げっそりした顔をして、ほとんど食事に手をつけなかった。アクロイド夫人、レイモンド、わたしがどうにか会話をつないだ。フローラは伯父の憂鬱な気分に感化されているようだったし、ブラントはまたいつものように寡黙になっていた。

II

食事がすむなり、アクロイドはわたしの腕をとり、書斎に連れていった。

「コーヒーが出されたら、あとはもう邪魔が入らない」彼は説明した。「レイモンドに、誰も来させないようにといいつけておいた」

わたしは相手に気づかれないように、さりげなくアクロイドを観察した。明らかに、何かのことでひどく興奮しているようだった。しばらく部屋を行ったり来たりしていたが、パーカーがコーヒーのトレイを運んでくると、暖炉の前の安楽椅子に沈みこむようにすわった。

書斎は居心地のいい部屋だった。壁の一面は書棚に埋め尽くされている。椅子は大きく、濃紺の革張り。窓辺には大きなデスクがあり、きちんと整理されファイルされた書類が置いてある。丸テーブルの上には、さまざまな雑誌やスポーツ新聞がのっていた。

「また最近になって、食後に胃が痛むようになってね」アクロイドは自分でコーヒーを注ぎながら、淡々といった。「いつもの薬をもう少しもらいたいんだが」

どうやら、アクロイドは医学的な問題でわたしに相談している、という印象を与えたがっているようだった。そこで、こちらも話をあわせた。

「そうじゃないかと思ってた。薬なら持ってきてるよ」

「ありがたい。今、渡してもらえるかな」

「玄関ホールのかばんに入っている。とってこよう」

アクロイドはわたしを引き留めた。

「わざわざ行くことはない。パーカーにとってきてもらおう。先生のかばんを持ってきてもらえるかな、パーカー？」

「かしこまりました」

パーカーは部屋を出ていった。わたしが口を開こうとすると、アクロイドは片手をあげて制した。

「まだだ。待ってくれ。わたしがひどく神経過敏になっていて、なかなか冷静になれずにいるのがわかるだろう？」

いわれるまでもなく、よくわかった。だから、とても不安な気持ちになっていたのだ。ありとあらゆる不吉な予感が胸をよぎった。

アクロイドがすぐにまたいった。

「窓がちゃんと閉まっているか、確認してもらえないかな？」

多少驚いたものの、立ち上がって窓辺に歩いていった。フランス窓ではなく、普通の上げ下げ窓だった。窓にはどっしりしたブルーのヴェルヴェット製カーテンがかけられていたが、窓そのものは上部が開いていた。

わたしが窓辺にいるあいだに、パーカーがわたしのかばんを手に再び部屋に入ってきた。

「これでいい」わたしはいうと、アクロイドの方に戻っていった。

「掛け金をかけてくれたかね？」

「ああ、かけたよ。どうしたっていうんだ、アクロイド？」

ちょうどドアが閉まって、パーカーの姿は見えなくなった。さもなければ、こんな質問はしなかっただろう。

アクロイドはすぐに答えようとしなかった。

「地獄にいるんだ」彼は少し間を置いてから、のろのろといった。「いや、あんな薬のことなどどうでもいい。パーカーがいたから、いっただけだ。使用人というのはまったく好奇心が強いからね。こっちに来てすわってくれ。ドアも閉まっているだろうね？」

「ああ。誰にも聞こえないよ。安心してくれ」

「シェパード、この二十四時間、わたしがどんな思いを味わってきたかは誰にもわからないだろう。自分の家ががらがらと崩れ落ちるのを目の当たりにする、まさしくそういう経験をしたんだ。ラルフの一件はまさにとどめの一撃だった。しかし、今はそのことに触れないでおこう。問題はもうひとつの——もうひとつの方なんだ！　どうしたらいいか皆目見当もつかない。しかも、早急に決心しなくてはならないんだ」

「何があったんだね？」

アクロイドはさらにしばらく黙りこんでいた。話を切りだすのを妙に躊躇《ちゅうちょ》しているようだった。ようやく彼が口を開いてたずねた質問は、まったく意外なものだった。そんなことをたずねられようとは、思ってもみなかった。

「シェパード、アシュレー・フェラーズが亡くなったときに診察したのはきみだったね?」

「ああ、そうだ」

次の質問をするのは、彼にとってさらに努力を必要とするらしかった。

「疑ったことはなかったのかな——ちらりとでも頭をよぎったことは——その、彼が毒を盛られたのではないかと?」

わたしはしばらく押し黙った。それから、どう答えるか腹を決めた。ロジャー・アクロイドはキャロラインとはちがうのだ。

「正直にいおう。そのときはまったく不審に思わなかったんだが——実は、姉のくだらないおしゃべりを聞いているうちに、初めてその疑いが頭に浮かんでね。それ以来、その疑いを振り払えずにいるんだ。ただ、いっておくが、そういう疑惑を抱いたからといって、何か根拠があるわけじゃないよ」

「彼は毒殺されたんだ」アクロイドはいった。

沈んだ重苦しい声だった。

「誰に?」わたしは鋭くたずねた。

「奥さんにだ」

「どうしてわかる?」

「彼女が自分で話してくれた」

「いつ?」

「きのうだ！ なんてことだ！ きのうか！ もう十年も前のような気がするよ」

わたしが無言のままでいると、アクロイドは続けた。

「わかっているね、シェパード、これは内密の話なんだ。他言はしないでほしい。きみのアドヴァイスがほしいんだ――こんな重荷には、一人じゃ耐えられない。さっきいったように、どうしたらいいのか途方に暮れているんだよ」

「最初から話してもらえないか?」わたしはいった。「まだ事情がよくのみこめないんだが。どうしてフェラーズ夫人はそんな告白をしたのかな?」

「こういうわけなんだよ。三カ月前、わたしはフェラーズ夫人に結婚を申し込んだ。彼女は断わった。もう一度申し込むと、承諾してくれたものの、一年の喪が明けるまで婚約を公表しないでほしい、といわれた。きのう、わたしは夫人を訪ねて、ご主人の死から一年と三週間たったから、そろそろ婚約を発表しても異論はなかろう、といった。実はこの数日、彼女の様子がなんだかおかしいことに気づいていたんだが、いきなり、わっと泣き崩れてしまってね。彼女は——すべてを告白した。粗暴な夫への憎しみ、わたしに対する愛が募っていったこと、そして——とうとう恐ろしい手段をとってしまったこと。毒だ！　なんてことだ！　冷血にも殺人を犯したとは！」

アクロイドの顔には、嫌悪と恐怖が刻まれていた。フェラーズ夫人もそれを見たにちがいなかった。アクロイドは、愛のためにすべてを許すことができるタイプの寛容な恋人ではなかった。基本的に善良な市民なのだ。彼の中の健全で慎重で、法を順守する精神のせいで、その告白を聞いたとたん、フェラーズ夫人に対する気持ちがすっかり醒めてしまったにちがいなかった。

「そう」とアクロイドは低く抑揚のない声で続けた。「夫人はすべてを告白した。どうやら、すべてを知っていた人物がいたらしい——そいつは彼女を脅迫して大金をまきあげていたんだ。その心労で、彼女は頭がどうかなりそうだったんだ」

「そいつは何者なんだ？」

ラルフ・ペイトンとフェラーズ夫人が話しこみながら並んで歩いている光景が、ふいに浮かんだ。二人の頭はくっつかんばかりに近々と寄せられていた。わたしは一瞬、不安に胸が疼くのを感じた。もしかしたら——いや！　それは絶対にありえない。その午後、ラルフがわたしを屈託なく歓迎してくれたことを思い出した。馬鹿げた想像だ！

「その男の名前はいおうとしなかった」アクロイドはのろのろといった。「実をいうと、それが男だといったわけでもないんだ。だがむろん――」

「当然だよ」わたしは賛成した。「男にちがいない。それで、疑わしい人物はいないのかい？」

答える代わりに、アクロイドはうめき声をもらして、両手で頭を抱えこんだ。

「そんなはずはない。そんなことを考えることすら、正気の沙汰じゃない。いや、わたしの頭をかすめた根拠のない疑惑など、きみに話すつもりはないんだ。ただ、これだけはいっておこう。彼女の口ぶりから、問題の人物は、実はわたしの家庭内にいるんじゃないかという気がしたんだ――だが、まさかそんなはずがない。彼女の言葉を誤解したにちがいない」

「夫人にはどういったんだ？」わたしはたずねた。

「何がいえる？　もちろん、それがわたしにとって激しいショックだったことは、一目瞭然だっただろう。問題は、この件に関して、わたしの果たすべき義務は何かだ。わかるだろう、フェラーズ夫人はわたしを事後従犯にしてしまったのだ。わたしよりも先に、彼女はそのことに気づいたと思う。こちらは茫然自失の体だったからな。彼女は二十四時間くれといった――そして、それまでは何もしないでほしい、とわたしに約束させた。

しかも断固として、彼女を脅迫していたろくでなしの名前を教えようとしなかった。わたしが直接そいつのところに乗りこんでいって、ぶちのめすんじゃないかと恐れたんだろう。そうなったら、夫人の罪も明るみに出て、ただではすまなくなるからな。二十四時間以内に連絡すると、彼女はいっていた。なんてことだ！　誓ってもいい、シェパード、まさかあんなことをするつもりだったとは、これっぽっちも思わなかったんだ。自殺なんて！　しかも、そこまで追いつめたのは、このわたしなんだよ」

「いや、それはちがうよ」わたしはいった。「あまり大げさに考えない方がいい。夫人の死は、あなたの責任じゃない」

「問題は、これからどうするべきかということだ。気の毒な女性は亡くなった。過去の事件をほじくり返す必要があるのかな？」

「わたしもそれに賛成だね」

「だが、もうひとつ重要なことがある。彼女を死まで追いつめた悪党、彼女を殺したも同然のその男をどうやってつかまえたらいいか、ということだ。そいつは最初の犯罪を知り、けがらわしいハゲタカのようにそれに食らいついた。夫人は罰を受けた。だが、その男に罪を償わせなくてもいいのかね？」

「なるほど」わたしはゆっくりといった。「その男を見つけだしたいんだね？　そうなると、いろいろなことを世間に知られてしまうぞ、わかってるだろう」

「ああ、そのことは考えたよ。それで、どうしたものかと迷いに迷っているんだ」

「その悪党が罰せられるべきだという考えには賛成だが、その代償も考えるべきだよ」

アクロイドは立ち上がって、行ったり来たりしはじめた。やがて、また椅子にぐったりとすわりこんだ。

「どうだろう、シェパード、このまま放っておくというのは。フェラーズ夫人から何もいってこなければ、すんだことはこのままそっとしておこう」

「夫人から何かいってくる、というのはどういう意味だね？」わたしは興味しんしんでたずねた。

「どこかに、あるいは、何らかの方法で、夫人はわたしに書き置きを残したにちがいないという気がするんだ——亡くなる前に。証拠はないが、きっと何か残されているはずだ」

わたしは首を振った。

「手紙も伝言も、一切残されていなかったんだろう？」わたしはたずねた。

「シェパード、わたしは絶対残したと確信している。それに、自ら死を選んだことで、すべてを明るみに出したがっていたんじゃないか、という気がするんだ。自分を絶望の淵に追いつめた男に復讐するためだけにでも。わたしが死に際に付き添っていてやれたら、その男の名前を告げ、どんなことがあってもつかまえてくれ、と頼んだにちがいない」

彼はわたしを見た。

「きみは勘というものを信じないのかね?」

「いや、信じるよ、ある意味では。あなたのいうように、彼女から手紙でも来れば——」

わたしは言葉を切った。ドアが音もなく開き、パーカーが手紙を何通かのせた盆を持って入ってきた。

「夕方の郵便物でございます」パーカーは盆をアクロイドに差しだした。

それからコーヒーカップを集めて、部屋を出ていった。

わたしはいっとき気をそらされたが、またアクロイドに注意を戻した。彼は石と化したかのように、身じろぎもせずにブルーの細長い封筒を見つめていた。別の手紙は床に落ちていた。

「彼女の筆跡だ」彼はささやくようにいった。「ゆうべ、出かけてポストに投函したにちがいない、あの——あの直前に——」

封筒を破り開けると、ぶ厚い手紙をとりだした。それから、きっと顔を上げた。

「たしかに窓を閉めてくれたね？」

「もちろんだよ」わたしは驚いていった。「なぜ？」

「今夜はずっと、誰かに見張られ、偵察されているような妙な気がしてるんだ。おや何だろう――」

彼はすばやく振り向いた。わたしも振り向いた。二人とも、ドアの掛け金がごくかすかな音を立てた気がしたのだ。わたしはドアまで行って、開けてみた。外には誰もいなかった。

「神経のせいだ」アクロイドはひとりごちた。

彼はぶ厚い手紙を開いて、低い声で読みはじめた。


愛する、愛するロジャー――命は命をもって償うしかない。わたしにもそれがわかりました――今日の午後、あなたのお顔にそれを読みとりました。ですから、わたしに残された唯一の道を選ぶことにします。この一年、わたしの人生を生き地獄にした人物への罰は、あなたにお任せします。今日の午後は、その名前を申し上げませんでしたが、今はそれを手紙に書くつもりです。わたしには気にかけなければならない子供も近い親戚もいませんから、世間に知られることはご心配いりません。ロジャー、愛する愛するロジャー、あなたに対しても申し訳ないことをしてしまうところでしたが、どうか許してください。いざとなると、結局できなかったのですから……

便箋をめくりかけたまま、アクロイドは黙りこんだ。

「シェパード、申し訳ないが、これはわたし一人で読まなくちゃならない」彼は動揺しているようだった。「これはわたしに、わたし一人に宛てて書かれたもののようだからね」

手紙を封筒に戻すと、テーブルの上に置いた。

「あとで、一人になって読むよ」

「いや、今読んでくれ」わたしは衝動的に叫んだ。

アクロイドはいささか驚いたように、わたしを見つめた。

「失礼」わたしは赤くなっていった。「読んで聞かせてくれという意味じゃないんだ。でも、わたしがここにいるあいだに、最後まで読んでくれ」

アクロイドは首を振った。

「いや、あとにするよ」

だが、自分でも理由がはっきりわからないまま、わたしは読むように勧めた。

「せめて、その男の名前だけでも読んでくれ」

ところでアクロイドはもともと頑固だった。何かをするように勧められれば勧められるほど、絶対にするものか、という気持ちになった。わたしの説得はむだに終わった。

その手紙は九時二十分前に運ばれてきた。わたしが彼のもとを辞したのは、ちょうど九時十分前で、手紙はまだ読まれていなかった。わたしはドアのノブに手をかけたままためらい、振り返って、やり残したことがないだろうかと考えた。何も思いつかなかった。首を振ると、部屋の外に出てドアを閉めた。

パーカーがすぐ目の前に立っていたので、びっくりした。彼はばつが悪そうな顔をしていたので、ひょっとして、ドアの前で立ち聞きしていたのかもしれないと思った。

肉のついた、やけに気どった、脂ぎった顔。それに、目がきょときょとしていて、どう見てもうさんくさかった。

「アクロイドは邪魔されたくないといっている」わたしはひややかにいった。「きみにそう伝えるように頼まれた」

「かしこまりました。その――ベルが鳴ったように思ったものですから」

あまりにも白々しい嘘だったので、わたしはあえて返事もしてやらなかった。パーカーに玄関ホールに案内され、コートを着せかけてもらうと、わたしは夜の中に歩み出た。月は雲で覆われ、あたりは真っ暗で、ひっそりと静まりかえっていた。

屋敷の門を通り抜けたとき、ちょうど村の教会の鐘が九時を打った。村の方角へと左に曲がったとたん、反対方向からやって来た男とあわやぶつかりそうになった。

「ファンリー・パークはこの道でいいんですかね？」見知らぬ男はしゃがれた声でたずねた。

わたしは彼を眺めた。目深に帽子をひきおろし、コートのえりを立てている。顔はほとんど、いやまったく見えなかったが、若い男らしかった。その声は粗野で教養がなかった。

「そこが門番小屋ですよ」わたしはいった。

「それはどうも、旦那」彼は言葉を切ってから、こうつけ加えたが、いうまでもないことだった。「このあたりは初めてなもんでね」

男は歩きだし、わたしが振り向いたときには門を通り抜けていくところだった。

奇妙なことに、彼の声は知り合いの誰かの声を思い出させた。しかし、それが誰なのか、どうしても思いつけなかった。

十分後、わたしは自宅に帰り着いた。キャロラインはどうしてこんなに早く帰宅したのかと、好奇心をむきだしにしてたずねた。姉を満足させるために、その夜のできごとについて少々でっちあげなくてはならなかったが、彼女にはそんな見え透いたごまかしなど見抜かれているのではないかと、不安になった。

十時になると、あくびをしながら立ち上がり、そろそろ寝ようといった。キャロラインはしぶしぶ同意した。

金曜の夜だった。金曜の夜は、時計のゼンマイを巻くことにしている。わたしがいつものようにゼンマイを巻いているあいだに、キャロラインは使用人がキッチンをちゃんと戸締まりしたか確認した。

わたしたちが二階に上がっていったのは、十時十五分過ぎだった。階段を上りきったとき、階下の玄関ホールで電話が鳴った。

「ベイツ夫人だわ」すぐにキャロラインがいった。

「たぶんそうだ」わたしは憂鬱になっていった。

わたしは階段を駆け下りて、受話器をとった。

「なんだって？」わたしはいった。「なんだと？　もちろん、すぐ行く」

わたしは二階に駆け上がると、かばんをつかみ、外科用の薬品や包帯などをもう少し詰めこんだ。

「パーカーが電話してきたんだ」キャロラインに叫んだ。「ファンリー・パークから。ついさっき、ロジャー・アクロイドが殺されているのが発見されたそうだ」

5 殺人

ただちに車を出して、急いでファンリー・パークをめざした。車を飛び降り、せっかちにドアベルのひもを引っ張った。なかなか応えがなかったので、もう一度鳴らした。やがて、チェーンがカチャカチャ鳴って、ドアが開いた。動揺の気配もない無表情な顔つきで、パーカーが立っていた。

わたしは彼を押しのけるようにして玄関ホールに入っていった。

「彼はどこだ？」わたしは語気荒くたずねた。

「何のことでしょうか？」

「ご主人だよ。アクロイドだ。そこにぼうっと立って、わたしを見てるんじゃない。警察には連絡したのか？」

「警察でございますか？　警察とおっしゃったので？」パーカーは幽霊を見るような目つきで、わたしを見つめている。

「どうしたんだ、パーカー？　きみの話じゃ、ご主人が殺されて――」

パーカーは息を呑んだ。

「ご主人さまが？　殺された？　まさか、そんなこと！」

今度はわたしが目をみはった。

「きみはつい五分ほど前に電話してきて、アクロイドが殺されているのを発見したといわなかったか？」

「わたしがですか、先生？　いいえ！　めっそうもない。そんなことをしようとは夢にも思いません」

「いたずら電話だというのか？　アクロイドは無事なのか？」

「失礼ですが、先生、電話をかけてきた人物は、わたしの名前を使ったのですか？」

「わたしが聞いた言葉を正確に教えてやろう。〝シェパード先生ですか？　ファンリー・パークの執事のパーカーでございます。すぐに来ていただけるでしょうか、先生。アクロイドさまが殺されたのです〟」

パーカーとわたしは、ぼんやりと顔を見合わせた。

「実にたちの悪い冗談ですよ、先生」やがて、ショックもあらわな声で執事はいった。

「まったく、そんなことをいうとは」

「アクロイドはどこにいる？」わたしはいきなりたずねた。

「まだ書斎だと存じますが。ご婦人方はお休みになられましたし、ブラント少佐とレイモンドさんはビリヤード室です」

「ちょっとのぞいて、彼の顔を見ていこう」わたしはいった。「邪魔されたくないのは知っているが、こんな常軌を逸した悪ふざけをされて、不安になってきた。彼が無事だということを自分の目で確認したいんだ」

「おっしゃるとおりです、先生。わたしもなんだか不安になってまいりました。よろしかったら、部屋の入口までごいっしょさせていただけると――」

「いいとも」わたしはいった。「さあ行こう」

わたしはパーカーをあとに従えて、右手にあるドアを入り、小さな控えの間を横切った。ここには狭い階段があり、アクロイドの寝室に上がれるようになっていた。わたしは書斎のドアをノックした。

応答はなかった。ノブを回したが、ドアには鍵がかけられていた。

「拝見させてください、先生」パーカーがいった。

体格の割に機敏な身のこなしで、パーカーは片膝をつき鍵穴に片目をあてがった。

「やはり鍵がさしこまれています、先生」彼は立ち上がりながら報告した。「内側からです。アクロイドさまがご自分で鍵を締めて、眠りこんでしまわれたにちがいありません」

わたしはかがんで、パーカーの言葉を確認した。

「大丈夫そうだな」とわたしはいった。「とはいえ、パーカー、やはりご主人を起こそう。彼自身の口から無事だと聞くまでは、安心して家に帰れない気がするんだ」

そういいながら、わたしはドアのノブをガチャガチャいわせて叫んだ。「アクロイド、アクロイド、ちょっといいかな」

だがそれでも、答えはなかった。わたしは振り向いた。

「家じゅうの人間を心配させたくないんだが」とためらいながらいった。

パーカーは控えの間を戻って、わたしたちが入ってきた玄関ホールとの境のドアを閉めた。

「これでもう大丈夫だと思います、先生。ビリヤード室は家の反対側ですし、キッチンやご婦人方の寝室もそうですから」

わたしはわかったとうなずいた。それから、もう一度、力いっぱいドアをたたき、床にしゃがみこむと、鍵穴に向かってわめかんばかりの声でいった。

「アクロイド、アクロイド！　シェパードだ。入れてくれ」

それでも——しんとしたままだった。鍵のかかった室内からは、物音ひとつ聞こえなかった。パーカーとわたしは顔を見合わせた。

「いいかい、パーカー、わたしは——いや、二人で、このドアを壊して中に入ろう。わたしが責任を負うよ」

「先生がそうおっしゃるのでしたら」パーカーは、あまり気乗りしない様子でいった。

「ぜひそうしたいんだ。アクロイドのことが本当に心配になってきた」

狭い控えの間を見回すと、重いオークの椅子が目に留まった。パーカーとわたしで、それを両側から抱え上げ、ドアに向かって突進した。一度、二度、三度と錠前に椅子をたたきつけた。三度目で鍵がはずれ、わたしたちはよろめくように部屋に躍りこんだ。

アクロイドは、わたしが部屋を出たときと同じように、暖炉の前の安楽椅子にすわっていた。頭は横に倒れていて、上着の襟のすぐ下に、金属をよりあわせて作った、きらきら光るものがはっきりとのぞいていた。

パーカーとわたしは進み出て、ぐったりした体をのぞきこんだ。執事がひゅっと息を鋭く吸いこむのが聞こえた。

「背後から刺されています」彼はささやいた。「ああ恐ろしい！」

彼はハンカチーフで額の汗をぬぐうと、短剣の柄にそろそろと手を伸ばしかけた。

「それに触ってはだめだ」わたしは厳しくいった。「すぐに警察に電話をかけてきてくれ。起こったことを報告するんだ。それから、レイモンドとブラント少佐に知らせてほしい」

「承知しました、先生」

パーカーは汗のにじんだ額をぬぐいながら、急いで立ち去った。

やるべきことはほとんどなかったが、わたしはそれをすませた。死体の位置は変えないように、そして、短剣にも触れないように注意した。短剣を抜いても、何にもならなかった。アクロイドは明らかにしばらく前にこときれていたからだ。

そのとき、外から若いレイモンドの声が聞こえてきた。恐怖をありありとにじませながらも、信じられないといいたげな口調だった。

「なんだって？　ああ！　まさか！　先生はどこなんだ？」

レイモンドは勢いよく戸口から飛びこんできて、そのまま蒼白になって棒立ちになった。片手でその体を押しのけるようにして、ヘクター・ブラントが部屋に入ってきた。

「なんてことだ！」レイモンドがブラントの背後でいった。「じゃあ、本当だったんだ」

ブラントは椅子までまっすぐ進んできた。死体にかがみこむと、パーカーと同じように短剣の柄に手を伸ばしそうに見えたので、わたしは片手で彼を制止した。

「何も動かしてはなりません」と説明した。「警察にこのままの状態で見せなくてはなりませんから」

ブラントはすぐさま納得してうなずいた。相変わらず無表情だったが、その仮面のような顔の下に、かすかな感情がうごめくのを見た気がした。ジェフリー・レイモンドもわたしたちのところにやって来て、ブラントの肩越しに死体をのぞきこんだ。

「恐ろしいことだ」レイモンドは押し殺した声でいった。

彼はまた冷静さをとり戻していたが、いつもかけている鼻眼鏡をはずして磨いたとき、その手は震えていた。

「物盗りでしょうね」彼はいった。「どうやって侵入したんだろう？　窓からかな？　何か盗られたんだろうか？」

秘書はデスクに近づいていった。

「押しこみ強盗だと思うのかね？」わたしはゆっくりといった。

「他に考えられますか？　自殺の可能性はないんでしょう？」

「こんなふうに自分を刺すことはできないよ」わたしはきっぱりと断言した。「殺人にまちがいない。しかし、動機は何だったのだろう？」

「ロジャーには敵などという者はいなかった」ブラントが静かにいった。「泥棒にちがいない。しかし、何を狙っていたんだろう？　どこもひっかき回されていないようだが」

ブラントは部屋を見回した。レイモンドは相変わらずデスクの上の書類を調べている。

「何もなくなっていないようだし、引き出しも漁られた形跡はないですね」ようやく秘書はいった。「わけがわからないな」

ブラントはかすかに顎をしゃくっていった。

「そこの床に手紙が落ちてるぞ」

わたしは視線を向けた。今夜もっと早い時刻にアクロイドが落とした場所に、三、四通の手紙がころがったままになっていた。

しかしフェラーズ夫人の手紙が入っていたブルーの封筒は、消えていた。わたしがそういおうとして口を開きかけたとき、ドアベルの音が屋敷じゅうに鳴り響いた。玄関ホールで小声でしゃべりあう声が聞こえ、やがてパーカーが地元警察の警部と巡査を案内してきた。

「こんばんは、みなさん」警部は挨拶した。「心からお悔やみ申し上げます！　アクロイドさんのようにりっぱな紳士がこんなことになるとは。執事の話だと殺されたということですが、事故とか自殺の可能性はまったくないんですか、先生？」

「まったくありません」わたしはいった。

「ふうむ！　それはあいにくですな」

警部はやって来て、死体をのぞきこんだ。

「動かしましたか？」鋭くたずねた。

「死亡を確認した以外は――すぐにすみましたが――死体には手を触れていません」

「なるほど！　しかも状況からすると、殺人者は逃げおおせたわけだ――とりあえずはね。さて、最初から聞かせていただきましょう。誰が死体を発見したんですか？」

わたしは状況を丁重に説明した。

「電話の伝言とおっしゃいましたか？　執事から？」

「そんな電話はかけておりません」パーカーが力をこめて訴えた。「ひと晩じゅう、電話のそばに近づいてもおりません。他の方たちがそれを証言してくれるはずです」

「実に奇妙ですな、そうすると。パーカーの声に聞こえたのですか、先生？」

「いや――はっきりそうだとはいいかねます。パーカーだと思いこんでいたものですから」

「当然ですな。さて、あなたはここに到着して、ドアを押し破り、気の毒なアクロイドさんがこういう状態になっているのを発見した。死後どのぐらいたっているか、おわかりですか、先生？」

「少なくとも三十分は――おそらく、もっとたっているでしょう」

「ドアは内側から鍵がかかっていたとおっしゃいましたね？　窓はどうでしたか？」

「アクロイドに頼まれて、今夜早く、わたしが窓を閉めてかんぬきをかけました」

警部は窓辺に歩いていき、カーテンを引いた。

「うむ、ともかく今は開いているな」彼はいった。

たしかに窓は開いていて、下側の窓がいちばん上まで引き上げられていた。

警部は小型の懐中電灯をとりだして、窓枠に沿って外を照らし出した。

「ここから出ていったんですな」彼はいった。「しかも、入ってきたのもここだ。ほら、ごらんなさい」

強力な懐中電灯の光の中に、いくつかの足跡がはっきりと見てとれた。靴底にゴムの突起がついている靴のようだった。とりわけ鮮明につけられた足跡のひとつは室内を向いていて、もうひとつ、わずかにそれと重なっている足跡は、庭の方を向いていた。

「一目瞭然ですな。貴重品が何か紛失していませんか？」

ジェフリー・レイモンドはかぶりを振った。

「今のところは何もなくなっていません。アクロイドさんは、貴重なものをこの部屋に置いていなかったんです」

「ふうむ」警部はいった。「男は開いた窓を見つけた。よじ登って、アクロイドさんがそこにすわっているのを見た――たぶん眠りこんでいたのだろう。背後から刺したが、そこで怖じ気づいて逃げ出した。しかし、足跡をはっきり残していった。これなら、犯人を逮捕するのはたいしてむずかしくないでしょう。怪しげなよそ者が最近このあたりをうろついている、ということはありませんでしたか？」

「あっ！」わたしはだしぬけに叫んだ。

「どうしました、先生？」

「今夜、ある男と会ったんです――門を出てすぐのところで。ファンリー・パークへの道を聞かれました」

「それは何時頃でしたか？」

「ちょうど九時でした。門を出たときに教会の鐘が鳴りましたから」

「彼の人相はわかりますか？」

記憶にある限りの人相風体を伝えた。

警部は執事に向き直った。

「この人相にあてはまる人間が、やって来なかったかね？」

「いいえ、警部さん。ひと晩じゅう誰も屋敷においでになっていません」

「裏口の方はどうだ？」

「来ていないとは思いますが、聞いてきましょう」

執事はドアに向かいかけたが、警部は大きな手をあげて引き留めた。

「いや、けっこうだ。わたしが自分でたずねてみよう。だが、まず最初に、時間をもう少しはっきりさせておきたい。アクロイドさんの元気な姿が最後に目撃されたのは、いつでしたか？」

「たぶん、最後に会ったのはわたしでしょう」わたしはいった。「わたしが帰ったのは――ええと――九時十分前ぐらいでした。誰にも邪魔されたくないというので、その命令をパーカーに伝えました」

「そのとおりです」パーカーが礼儀正しく応じた。

「アクロイドさんは、九時半過ぎにはまちがいなく生きていらっしゃいましたよ」レイモンドが口をはさんだ。「ここで誰かとしゃべっている声を聞いていますから」

「誰と話していたんですか？」

「それはわかりません。もちろん、そのときは、当然シェパード先生といっしょだと思ったんです。まとめていた書類についておうかがいしたいことがあったのですが、話し声を聞き、シェパード先生と邪魔されずに話をしたいとおっしゃっていたことを思い出して、引き返しました。しかし、今うかがうと、先生はもうお帰りになったあとだったんですね？」

わたしはうなずいた。

「九時十五分には家に着いていました。そのあと電話がかかってくるまで、外出していません」

「九時半過ぎにいっしょにいたのは、誰だったのだろう？」警部はたずねた。「あなたではなかったんですね、ええと――」

「ブラント少佐です」わたしはいった。

「ヘクター・ブラント少佐ですか？」聞き返した警部の声には、尊敬の念がこめられていた。

ブラントは無言でうなずいた。

「以前、こちらにいらっしゃるのをお見かけしてますよ」警部はいった。「そのときはご挨拶もしなかったが、去年の五月にここに滞在していらしたでしょう」

「六月です」ブラントは訂正した。

「そうでした、六月だった。ところで、さきほど申し上げたように、今夜九時半にアクロイドさんといっしょだったのは、あなたではありませんか？」

ブラントはかぶりを振った。

「夕食のあとは、まったく顔をあわせていない」と答えた。

警部はまたレイモンドに向き直った。

「会話の断片が聞こえませんでしたか、どうです？」

「ひとこと、ふたこと耳に入りました」秘書はいった。「それに、アクロイドさんといっしょにいるのはシェパード先生だとばかり思っていたので、そのやりとりは実に奇異に感じられたんですが。覚えている限り正確に申し上げると、アクロイドさんがこうおっしゃっていたんです。〝最近、とても物入りなので〟それから〝残念ながらあなたの要求に応じることはできかねる……〟もちろん、すぐに立ち去ったので、それ以上のことは聞いていません。しかし不思議だったんですよ、相手がシェパード先生なら――」

「自分のために借金を申し込むわけがないし、他人のために寄付を頼むこともない」わたしはあとをひきとった。

「金の無心か」警部は頭をひねった。「それは重要な手がかりかもしれない」彼は執事の方を向いた。「パーカー、きみは今夜、玄関から誰も屋敷に入れなかったといったね？」

「そのとおりでございます」

「では、アクロイドさん本人が、その見知らぬ人間を招じ入れた可能性が高そうだな。しかし、よくわからない――」

警部はしばらく物思いにふけっているようだった。

「ひとつ、はっきりしていることがある」ようやく沈思黙考からさめて、彼はいった。「九時半にはアクロイドさんはちゃんと生きていた。彼が生きていたことがはっきりわかるのは、その時刻が最後ということだ」

パーカーが遠慮がちに咳払いしたので、警部はすぐに視線を向けた。

「なんだね？」鋭くたずねた。

「失礼ですが、警部さん、そのあとでフローラさまがアクロイドさまとお会いになっています」

「ミス・アクロイドが？」

「ええ、そうです。十時十五分前ぐらいだと思います。そのあとで、アクロイドさまは今夜もう誰にも邪魔されたくないとおっしゃっている、とフローラさまがわたしに伝えてくださったのです」

「アクロイドさんが彼女に頼んで、きみに伝言させたのか？」

「いえ、そういうわけではございません。ソーダとウイスキーのトレイを運んでまいりましたら、フローラさまが部屋からちょうど出ていらしたのです。で、わたしを引き留め、伯父さまはもう誰にも邪魔されたくないそうだ、とおっしゃったのです」

警部は、これまでよりも注意深い目つきで執事を眺めた。

「きみはすでにアクロイドさんから、邪魔されたくないということを聞いていたのだろう？」

パーカーはしどろもどろになった。両手は震えていた。

「え、ええ、そうです、警部さん。たしかに、そのとおりです」

「それなのに、そういう行動をとったんだね？」

「忘れていたのです。その、つまり、あの時刻にはいつもウイスキーとソーダをお持ちして、他にご用がないかうかがう習慣になっておりました。で、考えまして——いえ、何の考えもなく、いつものとおりにしてしまいまして」

パーカーの不審なほどの狼狽ぶりにわたしが気づいたのは、このときからだった。彼は全身がぶるぶる震えていた。

「ふうむ」と警部はいった。「すぐにミス・アクロイドと会わなくてはならないな。とりあえず、部屋はこのままにしておこう。ミス・アクロイドの話を聞いてから、また戻ってくればいい。いちおう、用心のために窓を閉めて、かんぬきをかけていこう」

それだけの手段を講じると、警部は先頭に立って廊下に出ていき、わたしたちはぞろぞろとそのあとに続いた。警部はちょっと足を止め、狭い階段の方にちらりと視線を向けると、肩越しに巡査に命令した。

「ジョーンズ、きみはここに残っていたまえ。誰もあの部屋に入れるんじゃないぞ」

パーカーがうやうやしく口をはさんだ。

「失礼ですが、警部さん、玄関ホールに通じるドアに鍵をかければ、こちらには誰も入れません。あの階段は、アクロイドさまの寝室とバスルームに通じているだけなんです。お屋敷の他の部分とは行き来できないようになっています。以前は通り抜けられるドアがあったのですが、アクロイドさまがふさいでしまわれました。私室を完全に独立させたいとおっしゃられまして」

状況をはっきりさせ、位置関係を説明するために、屋敷の右翼の簡単な見取り図をつけておく。狭い階段はパーカーの説明どおり、二室をひとつにつなげた広々とした寝室と、付属のバスルームとトイレに通じていた。

警部はひと目で位置を把握した。わたしたちが広い玄関ホールに出ると、警部は背後

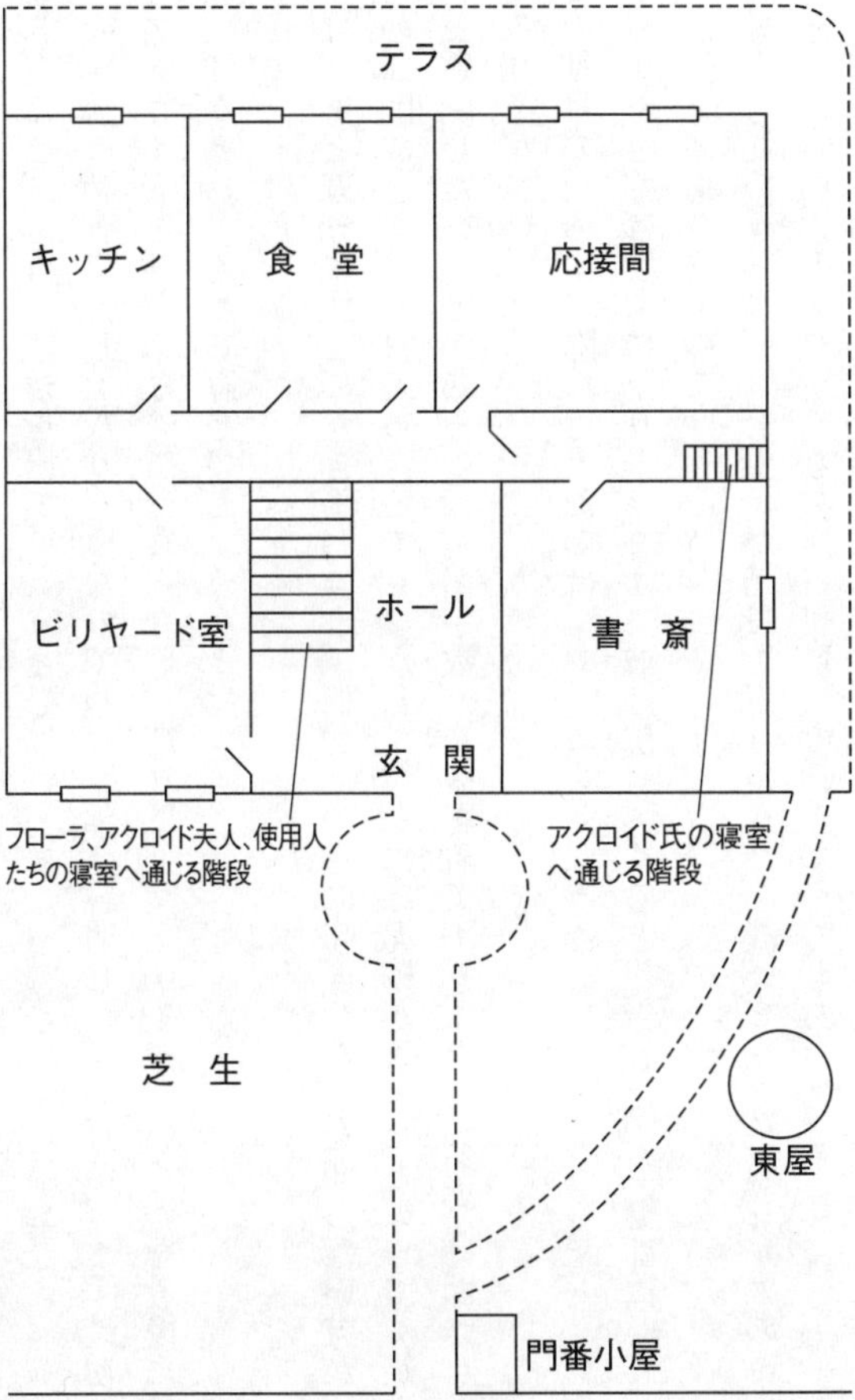
テラス
キッチン
食　堂
応接間
ビリヤード室
ホール
書　斎
玄　関
フローラ、アクロイド夫人、使用人たちの寝室へ通じる階段
アクロイド氏の寝室へ通じる階段
芝　生
東屋
門番小屋

のドアに鍵をかけ、その鍵をポケットにしまった。それから巡査に低い声でいくつか指示を与えると、巡査は屋敷を出ていこうとした。

「この靴跡の調査で忙しくなりそうなのでね」警部は説明した。「だが、まず最初にミス・アクロイドと話をしなくてはならない。彼女は伯父上が生きているのを最後に見た人物ですからな。もうご存じでしょうか？」

レイモンドは首を振った。

「では、あと五分は伏せておきましょう。伯父上の身に起きたことを知らない方が、わたしの質問にきちんと答えられるでしょうし。彼女には泥棒が入ったといってください。二、三質問したいことがあるので、お手数だが服を着て下りてきていただけないかと聞いてみてください」

この役目のために二階に行ったのは、レイモンドだった。

「フローラさんはすぐに下りてきます」彼は戻ってくると報告した。「警部にいわれたように伝えてありますので」

五分もしないうちに、フローラが階段を下りてきた。淡いピンク色のシルクのキモノをまとっていた。不安そうでもあり、興奮しているようでもあった。

警部は一歩進み出た。

「こんばんは、ミス・アクロイド」彼は丁重にいった。「盗みに入ろうとした者がいるようなので、お力を貸していただきたいのです。この部屋は――ビリヤード室ですか？こちらに来て、おすわりください」

壁際に置かれたゆったりしたソファに落ち着き払ってすわると、フローラは警部を見上げた。

「どういうことなのかよくわからないんですけど。何が盗まれたんですか？　何をお聞きになりたいのかしら？」

「実はですね、ミス・アクロイド、こちらのパーカーが、あなたが伯父上の書斎から十時十五分前に出てくるのを見た、といっているのです。それにまちがいありませんか？」

「ええ、そうよ。伯父におやすみの挨拶をしに行ったんです」

「そして、時刻もそのとおりですか？」

「ええ、きっとそのぐらいだったと思いますけど、はっきりとはわかりません。もっとあとだったかもしれないわ」

「伯父上はお一人でしたか、それとも誰かといっしょでしたか？」

「一人でした。シェパード先生はお帰りになってました」

「ところで、窓が開いているか閉まっているか、お気づきになられましたか？」

フローラはかぶりを振った。

「わかりません。カーテンが閉まってましたから」

「たしかに。そして、伯父上にいつもと変わった様子はなかった？」

「と思います」

「どういうやりとりがあったのか、できたら正確に教えていただけますか？」

フローラは記憶をたぐるように、ちょっと考えこんだ。

「部屋に入っていって、こういいました。〝おやすみなさい、伯父さま、お先に休ませていただきます。今夜は疲れてしまったので〟伯父がうむ、というような返事をしたので――かがんで伯父にキスすると、伯父はその服は似合うとか何とかいってくれました。それから、忙しいのでもう行ってくれというので、部屋を出ました」

「伯父上は誰も来させないように、とわざわざあなたに頼みましたか？」

「ああ！　ええ、忘れてました。伯父は〝もう今夜は用がないから部屋に来るには及ばない、とパーカーに伝えてくれ〟といいました。ドアのすぐ外でパーカーに会ったので、伯父の言葉を伝えたんです」

「なるほど」

「何が盗まれたのか、教えていただけません？」

「まだはっきりと——わからないのです」警部はためらいがちに答えた。

警戒の色が娘の目にありありと浮かんだ。彼女はいきなり立ち上がった。

「どういうことですか？　何か隠していますね？」

いつもどおりの控え目な物腰で、ヘクター・ブラントが彼女と警部のあいだに割って入った。フローラが片手を伸ばしかけると、ブラントはそれを両手で包みこみ、小さな子供をなだめるかのように軽くたたいた。フローラはブラントの揺るぎない岩のような態度に慰めと安心を見出したらしく、彼にすがるような視線を向けた。

「悪い知らせなんです、フローラさん」彼は静かに切りだした。「全員にとって悪い知らせです。伯父上のロジャーが——」

「え？」

「あなたにはショックだろうと思います。絶対に。気の毒なロジャーが亡くなったのです」

フローラは恐怖で目を大きく見開くと、ブラントから身をひいた。

「いつですか？」かすれた声でたずねた。「いつ？」

「あなたが部屋を出た直後じゃないかと思います」ブラントは沈んだ声でいった。

フローラは片手を喉にあてがい、小さな悲鳴をあげて倒れかけたので、わたしは急いで走り寄って抱きとめた。気を失っていたので、ブラントといっしょに二階に運び、ベッドに寝かせた。それから、ブラントにセシル・アクロイド夫人を起こして、この知らせを伝えるように頼んだ。フローラはまもなく意識をとり戻したので、わたしは母親を連れていって、娘のためにとるべき処置を教えた。それから、また急いで階下に下りていった。

6　チュニジアの短剣

キッチンに通じるドアから出てきた警部と、ばったり会った。

「お嬢さんの具合はどうですか、先生？」

「無事に意識をとり戻しました。母親に付き添ってもらっています」

「それはよかった。使用人たちに質問をしてきたところなんですよ。今夜、裏口には誰もやって来なかったと口を揃えています。あなたにうかがった不審な男は、人相があいまいでしたな。もう少しはっきりしたことを教えていただけませんか？」

「それができないんです」わたしは残念そうにいった。「暗かったし、その男はコートの衿を高く立てていたうえ、帽子を目深にかぶっていたんですよ」

「なるほどね」警部はいった。「顔を隠したがっていたようですな。ご存じの人物じゃないというのは確かですか？」

わたしは知らないと答えたものの、あまり歯切れはよくなかった。その見知らぬ男の声を、どこかで聞いた覚えがあるという印象をぬぐえなかったのだ。わたしはそのことをためらいがちに警部に説明した。

「粗野な教養のない口調だとおっしゃいましたね？」

わたしは同意したが、粗野というのも、わざと誇張した演技かもしれないと思いついた。警部が考えているように、その男が顔を隠したいと思っていたら、同じように声も作ろうと考えただろう。

「もう一度、書斎にいっしょに来ていただけますか、先生？　一、二点、お聞きしたいことがあるんです」

わたしは不本意ながら承知した。デイヴィス警部は控えの間のドアの鍵を開け、通り抜けると、また鍵をかけた。

「邪魔をされたくありませんから」彼はむっつりといった。「それに、立ち聞きもされたくないんです。脅迫についてお訊きしたいのですが」

「脅迫！」わたしは心底、驚いて叫んだ。

「パーカーの想像力の産物ですか？　それとも、実際に根拠のあることなんですか？」

「パーカーが脅迫について聞いたというなら」とわたしは考え考えいった。「このドアの外で、鍵穴に耳をくっつけて立ち聞きしていたんでしょうね」

デイヴィス警部はうなずいた。

「ありそうなことです。実は、今夜、パーカーが何をしていたのか、少し聞いてみたんです。正直にいって、彼の態度が気に入らなかったんです。あの男は何かを知ってます。彼に質問を始めると怯えてしまって、脅迫などという話を持ちだしてきたんです」

わたしは瞬時に心を決めた。

「その問題について聞いてくださってよかった」わたしはいった。「はっきり申し上げるべきかどうか、迷っていたんですよ。すでに、すべてをお話しする決心はついていましたが、ふさわしい時機を待つつもりでした。こうなったら、今お話しした方がよさそうですね」

それから、わたしがこれまでに書いてきたような今夜の出来事をすっかり語って聞かせた。警部はときどき質問をはさみながら、熱心に耳を傾けた。

「聞いたこともないような突拍子もない話だ」わたしが語り終えると、彼はいった。「それに、その手紙は影も形もなくなっていたんですね？　それは残念だ——実に残念だな。これで捜し求めていたもの——殺人の動機が判明しましたな」

わたしはうなずいた。

「そうですね」

「アクロイドさんは、家庭内の誰かが関与していることを匂わせたとおっしゃいましたね？　もっとも、家庭内の人間というのは弾力的な解釈ができますな」

「パーカー自身がその脅迫者だとは思いませんか？」わたしはたずねてみた。

「その可能性はおおいにありますね。あなたが出てきたとき、彼がドアの前で立ち聞きをしていたのは明らかだ。それから、ミス・アクロイドと鉢合わせしたときも、書斎に入ろうとしていた。彼女がいなくなるまで待っていたとしたらどうでしょう。彼はアクロイドさんを刺し殺し、ドアに内側から鍵をかけた。窓を開け、外に出て、まえもって開けておいた裏口に回った。どう思いますか？」

「ひとつだけ矛盾する点がありますね」わたしはのろのろと口を開いた。「もしアクロイドが当初の予定どおり、わたしが帰ったあとに手紙を読み続けたとしたら、ここにすわりこんで一時間もあれこれ考えこんでいなかったでしょう。すぐさまパーカーを呼びつけて、その場で問いただし、大騒動になっていてもおかしくなかった。いいですか、アクロイドは癇癪持ちだったのです」

「そのときは手紙を読む時間がなかったのかもしれない」と警部はいった。「九時半過ぎには誰かといっしょだったことはわかっています。その訪問者があなたと入れ違いに現われ、彼が帰ったあとに、ミス・アクロイドがおやすみの挨拶をしにやって来たら――

——ええ、アクロイドさんは十時近くまで、その手紙を読むことができなかったでしょう」

「では、わたしにかかってきた電話は？」

「パーカーなら、それもやってのけたでしょう——たぶん、ドアに鍵をかけ、窓を開くことを思いつく前ですね。それから考え直して——あるいはパニックに襲われて——何も知らないといいはることにした。それだけのことでしょう、まちがいなく」

「そうですねえ」いささか納得がいかなかった。

「ともかく、電話の件は交換台に問い合わせればわかるでしょう。もしこの屋敷からかけられたものなら、パーカー以外の人間がかけたとは思えません。きっと、彼が犯人ですよ。しかし、それは伏せておいてください——まだ彼を警戒させたくないですからね、すべての証拠をつかむまでは。やつが高飛びしないように見張っていることにしますよ。警察は、あなたの会った謎の人物に関心を持っていると思わせておきましょう」

警部はデスクの前の椅子にまたがるようにすわっていたが、立ち上がり、安楽椅子の中の身動きしない姿に歩み寄った。

「この凶器は手がかりになるはずです」といって、顔を上げた。「きわめて珍しい品だ——外見からすると、骨董品のようですな」

かがみこんで、短剣の柄を熱心に調べながら、満足そうなうなり声をあげた。それから、きわめて慎重に両手を柄の下にあてがうと、傷口から刃を抜きとった。柄の部分に触れないように短剣を運んでいき、マントルピースに飾られていたどっしりした陶器のマグに入れた。

「やはりね」と短剣にうなずきかけた。「見事な芸術品だ。そうざらにある品じゃありません」

たしかに美しい品だった。先細りのすんなりした刃、金属をからみあわせた珍しい細工の凝った柄。警部は指先でそっと刃に触って、切れ味を確かめ、その鋭さに顔をしかめた。

「いやはや、たいした刃だ」警部は叫んだ。「子供でもやすやすと人に突き立てられるだろう――バターを切るみたいに簡単に。持ち歩くには危険なおもちゃですな」

「もう遺体を正式に調べてもいいですか？」わたしはたずねた。

「どうぞ」

警部はうなずいた。

わたしは詳細に死体を調べた。

「どうですか？」作業を終えると、警部がたずねた。

「専門用語は省きますよ。専門的な説明は検死のときまでとっておきましょう。背後に立った右ききの人間が加えた凶行で、ほぼ即死だったにちがいありません。しかし、死人の顔の表情からすると、一撃をまったく予想していなかったと推測されます。殺人者が何者かさえ知らずに絶命したかもしれませんね」

「執事というのは、猫のように足音を忍ばせて歩き回れますからね」デイヴィス警部はいった。「この事件にはさほど謎はなさそうです。短剣の柄をごらんなさい」

わたしは見た。

「先生にはよくわからないかもしれないが、わたしには明瞭に見えるんです」彼は声をひそめた。「指紋がね！」

その言葉の効果を楽しむかのように、警部は数歩さがった。

「ええ」わたしは穏やかにいった。「そのようですね」

どうして無知だと思われたのか、理解に苦しむ。わたしは推理小説も読むし新聞も読んでいる、そこそこの能力のある男なのだ。短剣の柄に足の指の跡がついていたら、まったく話はちがう。それなら、最大級の驚きと畏怖をあらわにしただろう。

わたしが驚かなかったので、警部はいらだたしく感じたようだった。陶器のマグをとりあげると、ビリヤード室にいっしょに行ってほしい、といった。

「この短剣について、レイモンドさんに聞いてみたいと思いましてね」警部は説明した。

玄関ホールとの境のドアにまた鍵をかけ、ビリヤード室に入っていくと、ジェフリー・レイモンドがいた。警部は証拠物件をさしだしてみせた。

「これを見たことがありますか、レイモンドさん?」

「ああ――たしか――ブラント少佐がアクロイドさんに贈った骨董品だと思います。モロッコ――いや、チュニジアのものです。では、それが犯行に使われたんですか? 実に意外だな。ありそうもないことに思えますが、同じ短剣はふたつとないでしょうからね。ブラント少佐を呼んできましょうか?」

答えを待たずに、レイモンドは急いで部屋を出ていった。

「感じのいい青年ですね」警部がいった。「正直で純真な男のようだ」

わたしは同意した。ジェフリー・レイモンドがアクロイドの秘書になってから二年になるが、いらだったり、癇癪を起こしたりしたところは一度も見たことがなかった。しかも、わたしの知る限りでは、きわめて有能な秘書だった。

ほどなく、ブラントを連れてレイモンドが戻ってきた。

「思ったとおりでした」レイモンドは興奮していった。「チュニジアの短剣ですよ」

「ブラント少佐はまだ現物を見てませんよ」警部が反論した。

「書斎に入ったとたんに、目に留まった」寡黙な男がいった。

「じゃあ、すでに気づいていたんですね？」

ブラントはうなずいた。

「ひとこともおっしゃらなかったじゃないですか」警部は怪しむようにいった。

「タイミングが悪かった」ブラントはいった。「間の悪いときによけいなことをいうと、いろいろとまちがいが起きるのでね」

少佐は警部の視線を平然として受け止めた。

警部はついにうなり声を発して、視線をそらした。彼は短剣をブラントの目の前に突きつけた。

「これがその短剣だということは確かですか、少佐？　同一のものだと断言できますか？」

「まちがいなく。疑問の余地はない」

「この――ええと――骨董品はふだん、どこにしまわれていたんですか？　ご存じですか、少佐？」

答えたのは秘書だった。

「応接間のシルヴァー・テーブルの中ですよ」

「なんだって？」わたしは叫んだ。

みんながいっせいにわたしを見た。

「どうしたのです、先生？」警部がうながすようにいった。

「いえ、何でもありません」

「どうぞ、おっしゃってください」警部がまたうながした。

「本当にどうでもいいことなんですが」とわたしは弁解がましくいった。「今夜、夕食にやって来たとき、応接間でシルヴァー・テーブルの蓋が閉まる音を聞いたんです」

警部の顔にはあからさまな疑いが浮かんだが、何かに気づいた表情もちらりとよぎった。

「どうしてシルヴァー・テーブルの蓋の音だとわかったのですか？」

仕方なく、わたしは詳細を説明した——冗長で退屈な説明で、できることならしないですませたかった。

警部はわたしが語り終えるまで、じっと耳を傾けていた。

「中身をのぞいたとき、短剣はいつもの場所にありましたか？」彼はたずねた。

「わかりません。はっきりと見た記憶はありません——しかし、むろん、ずっとそこにあったのでしょう」

「家政婦を呼んだ方がよさそうだな」警部はいって、ベルのひもを引いた。

数分後、パーカーに呼ばれたミス・ラッセルが部屋に入ってきた。

「シルヴァー・テーブルのそばには近づいていないと思います」警部に質問されて、彼女は答えた。「お花をすべて取り替えたかどうか確認していましたので。ああ！ そうだわ、今思い出しました。シルヴァー・テーブルは開いてました——開けておく理由もないので、通りすがりに蓋を閉めました」

彼女は挑みかかるように警部を見た。

「なるほど」と警部はいった。「そのとき、この短剣がテーブルに入っていたかどうかわかりますか？」

ミス・ラッセルは落ち着き払って凶器を眺めた。

「たしかなことはわかりません。立ち止まってじっくり見たわけではありませんし。みなさんがもうじきおみえになることがわかっていたので、早く部屋から出たかったんです」

「わかりました」警部はいった。

警部はもっと彼女に質問をしたいのか、やや躊躇していたが、ミス・ラッセルはあきらかにその言葉を、ひきとってもいいという意味に解釈して、さっさと部屋を出ていった。

「なかなか手強い女性ですな」彼女を見送りながら、警部はいった。「さてと。そのシルヴァー・テーブルは窓の真ん前にあった、とおっしゃっていましたね、先生？」

レイモンドがわたしに代わって答えた。

「ええ、左手の窓の前です」

「そして窓は開いていた？」

「どちらの窓も少し開いてました」

「となると、この問題については、これ以上検討する必要もなさそうですね。何者かが——とりあえず何者かが、とだけいっておきますが——好きなときにあの短剣を手に入れることができた。つまり、それを手に入れた時刻は、まったく問題にならないわけだ。朝になったら警察署長とまたうかがいます、レイモンドさん。それまで、このドアの鍵は預かっておきますよ。メルローズ署長に、このままの状態で犯行現場を見せたいので。署長は食事に招かれて州の反対側に行ってましてね、たぶん、今夜は向こうに泊まると思いますので……」

警部がマグをとりあげるのを見守った。

「これを慎重に包まなくては」彼はいった。「いろいろな意味で、重要な証拠物件になりそうだからな」

数分後、二人でビリヤード室から出ていくと、レイモンドがくぐもった笑い声をあげた。

彼がわたしの腕に手をかけたので、その視線を追った。デイヴィス警部は小さな手帳をパーカーに渡して、意見を求めているようだった。

「ちょっとみえすいてますね」連れはつぶやいた。「じゃあ、パーカーが容疑者なんですか？　われわれの指紋も、デイヴィス警部に進呈しましょうか？」

名刺受けのトレイから名刺を二枚とると、シルクのハンカチーフでふき、一枚をわたしに渡し、もう一枚を自分で手に持った。それから、にやっと笑って、名刺を警部に差し出した。

「おみやげです」彼はいった。「ナンバー1　シェパード先生。ナンバー2　ぼく。ブラント少佐のものは、朝にご用意しておきますよ」

若さというのは、回復力に富んだものだ。友人であり雇い主である男がむごたらしく殺されても、ジェフリー・レイモンドはそういつまでも落ち込んだ気分ではいなかった。たぶん、本来はそうあるべきなのだろう。わたしにはよくわからない。とうの昔に、立ち直る力をなくしてしまっていたからだ。

家に帰ったのはとても遅かった。キャロラインはもう寝ているだろうと期待していたが、甘かった。

姉は温かいココアを用意して待ちかまえていた。そして、わたしがそれを飲むあいだに、その晩の出来事をひとつ残らず聞きだしてしまった。脅迫の件には一切触れなかったが、殺人の件については仕方なく話した。

「警察はパーカーを疑っているんだ」わたしはそういうと、立ち上がって、二階の寝室にひきとろうとした。「彼はとても不利な状況みたいだよ」

「パーカーですって!」姉はいった。「馬鹿馬鹿しい! あの警部はとんでもないまぬけだわ。パーカーなんて! 冗談でしょ」

その不可解な発言をきっかけに、わたしたちは二階に上がっていった。

7　隣人の職業を知る

翌朝は、申し訳ないが大急ぎで往診を片付けた。それほど重症の患者はいない、というのがいいわけだった。家に戻ってくると、キャロラインが玄関ホールまで出迎えに現われた。

「フローラ・アクロイドが来てるの」彼女は興奮を抑えかねたようにささやいた。

「なんだって？」

わたしは努めて驚きが顔に表われないようにした。

「あなたにどうしても会いたいといってるの。三十分も前から待ってるわ」

キャロラインが先に立って、わが家の小さな居間に歩いていき、わたしはあとに続いた。

フローラは窓辺のソファにすわっていた。喪服姿で、不安そうに両手をもみしぼっている。その顔を見て、わたしは衝撃を受けた。血の気がすっかり失せていたのだ。しかし、口を開いたとき、彼女の態度はきわめて冷静で、しっかりしていた。

「シェパード先生、助けていただきたくてうかがったんです」

「もちろん、助けますとも」キャロラインが口をはさんだ。

フローラが、キャロラインの同席を心から望んでいるとは思えなかった。わたしと二人だけで話せるなら、その方がはるかにうれしかったにちがいない。しかし、時間をむだにしたくなかったらしく、キャロラインの前だったがさっそく話を切りだした。

「いっしょに、からまつ荘に行っていただけますか？」

「からまつ荘に？」わたしは驚いて問い返した。

「あの風変わりな小男に会いに？」キャロラインが大きな声でいった。

「ええ。あの方がどういう人か、ご存じでしょう？」

「引退した理容師だろうと想像していたんだが」

フローラの青い瞳がまん丸に見開かれた。

「まあ、あの人はエルキュール・ポアロですよ！ 誰のことをいっているのかご存じでしょう――あの私立探偵ですよ。すばらしい仕事をなさってきたんですって――まるで小説に登場する探偵みたいに。一年前に引退して、こっちに住むようになったんです。ムッシュ伯父は彼の正体を知ってましたけど、誰にもいわないと約束していたんです。

ー・ポアロが、人にわずらわされずに静かに暮らしたがっていたからです」

「なるほど、そういう人物だったのか」わたしは考えこみながらいった。

「彼の評判はお聞きになったことがありますよね、もちろん？」

「わたしは、キャロラインに時代遅れの人間だといわれているんでね。今初めて、聞きました」

「まあ、驚いた！」キャロラインがいった。

姉が何をいいたかったのかわからない――おそらく、自分が真実を見抜けなかったことを指しているのだろう。

「彼に会いに行きたいというのかい？」わたしはゆっくりといった。「でも、どうして？」

「もちろん、この殺人事件を捜査してもらうためでしょ」キャロラインがきっぱりといった。「少しは頭を働かせなさい、ジェームズ」

頭が働かなかったわけではない。キャロラインが、わたしの胸の内を常に察しているとは限らないのだ。

「デイヴィス警部を信頼していないのかな？」わたしは続けた。

「当然、してないでしょ」キャロラインがいった。「わたしだって、信用してませんもの」

　これでは誰だって、殺されたのはキャロラインの伯父だと考えるだろう。

「それにこの事件を引き受けてくれるかどうか、わからないでしょう？」わたしはたずねた。「ほら、彼は仕事を引退したというし」

「おっしゃるとおりです」フローラはあっさりいった。「だから、説得しなくちゃならないでしょうね」

「賢明なことをしているという自信があるのかい？」わたしは重々しくたずねた。

「もちろん、あるに決まってるでしょ」キャロラインがいった。「よかったら、わたしがいっしょについていってあげるわ」

「わたし、できたら先生にいっしょに行っていただきたいんです、ミス・シェパード。それでよろしければ」フローラはいった。

　場合によっては、単刀直入にいった方がいいことを彼女は知っていた。遠回しないい方では、とうていキャロラインに通じなかった。

「というのも」とフローラはその率直な言葉を如才なく補足した。「シェパード先生はお医者さまですし、伯父の遺体を発見したわけですから、ムッシュー・ポアロに詳しいことを説明できますでしょ」

「そうね」キャロラインはしぶしぶいった。「わかりますよ」

わたしは部屋を一、二度行ったり来たりした。

「フローラさん」と重々しい口調で切りだした。「わたしの忠告を聞いてほしいんだ。その探偵は、この事件に引き込まない方がいいと思う」

フローラはさっと立ち上がった。みるみるうちに頬が紅潮した。

「どうしてそんなことをおっしゃるのかは、わかってます」彼女は叫んだ。「だけど、だからこそ、ムッシュー・ポアロに頼まなくてはと思うんです。先生は怖がってるんだわ！　だけど、わたしはちがいます。ラルフのことは、誰よりもよく知っていますから」

「ラルフですって！」キャロラインはいった。「ラルフがこれとどういう関係があるの？」

わたしもフローラも、姉の言葉に注意を向けなかった。

「ラルフは弱い人間かもしれません」フローラは先を続けた。「これまでは愚かなことをしてきたかもしれません――悪いことだって――だけど、人を殺すような人間じゃないわ」

「いや、もちろんだよ」わたしは声を張り上げた。「彼がやったなんて、まったく思ってない」

「じゃあ、どうしてゆうべ、スリー・ボアーズ館に行ったんですか？」フローラが問いつめた。「伯父が亡くなっているのが発見されたあと――家に帰る途中で？」

一瞬、口がきけなくなった。宿屋を訪れたことは、誰にも知られたくなかったのだ。

「どうしてそのことを知ったんだね？」わたしは逆に問い返した。

「今朝、あそこに行ったんです。ラルフがあそこに滞在していると、使用人から聞いて――」

わたしは彼女の言葉を遮った。

「彼がキングズ・アボットにいることを知らなかったのかい？」

「ええ。びっくりしました。わけがわからなくて。で、宿屋に行って、彼を呼びだしてもらったんです。先生もたぶん同じことをお聞きになったんでしょうけど、彼はゆうべ九時頃に外出して――そして――それきり戻ってないといわれました」

フローラは傲然とわたしの目を見つめたが、わたしの表情から答えらしきものを読みとったかのように、いきなりまくしたてはじめた。

「でも、そうしちゃいけない理由はないでしょう？　どこに行くのも彼の自由なんですから。ロンドンへ戻ったのかもしれないわ」

「荷物を残して？」わたしは穏やかに指摘した。

フローラはドシンと足を踏みならした。

「そんなこと、気にしてなんかいません。簡単に説明がつくにちがいないわ」

「それで、エルキュール・ポアロに会いに行きたいのかい？　このまま放っておいた方が、いいんじゃないかな？　警察はラルフをまったく疑っていないんだよ。まるっきり別の手がかりを追っているんだ」

「いいえ、そうじゃないんです」フローラは叫んだ。「警察はまちがいなく、彼を疑ってるわ。クランチェスターから、今朝、刑事がやって来たんですよ——ラグラン警部という、すごく感じの悪い、イタチそっくりの小男です。その刑事は今朝、わたしよりも先にスリー・ボアーズ館に行ってるんです。旅館の人が、彼が来たことも、何を質問したかも、全部教えてくれました。あの刑事、ラルフが犯人だと思っているんだわ」

「だとしたら、昨夜とは捜査方針が変わったんだな」わたしは考えこんだ。「では、その刑事は、パーカーが犯人だというデイヴィスの説を信じていないんだろうね」

「まさかパーカーだなんて」姉がいって、軽蔑したように鼻を鳴らした。

フローラが近づいてきて、片手をわたしの腕に置いた。

「ああ！　シェパード先生、すぐにムッシュー・ポアロのところに行きましょう。彼なら真相を探りだしてくれるわ」

「ねえフローラさん」とわたしはやさしく彼女の手に自分の手を重ねた。「真実を知りたいと、本気で思っているのかい？」

フローラはわたしをじっと見つめ、厳粛な面もちでうなずいた。

「先生はそうじゃないのかもしれませんけど、わたしは本気です」彼女はいった。「ラルフのことは先生よりもよく知っていますから」

「もちろん、彼がやったんじゃないわ」キャロラインがいった。姉はさっきから大変な努力を払って、黙っていたのだった。「ラルフは浪費家かもしれないけど、気持ちのやさしい子ですよ。それに礼儀もちゃんと心得ているし」

礼儀正しい殺人者ならたくさんいる、とキャロラインにいいたかったが、フローラの前なので控えた。この娘の決意が固い以上、わたしは折れるしかなかった。わたしたちはすぐに席を立ち、姉がお得意の「もちろん」で始まるご託宣をこれ以上乱発しないうちに、逃げだした。

わたしたちが訪ねていくと、大きなブレトン帽をかぶった老メイドが、からまつ荘の玄関ドアを開けた。ムッシュー・ポアロは在宅のようだった。

わたしたちは、堅苦しいほど几帳面《きちょうめん》に整えられた小さな応接間に通された。そして、ものの一分もしないうちに、きのう知り合いになったばかりの友人が現われた。

「これは先生《ムッシュー・ル・ドクトゥール》」彼はにこやかに挨拶した。「マドモアゼル」

彼はフローラにお辞儀をした。

「たぶん」とわたしは切りだした。「昨夜起きた悲劇については、お聞き及びでしょうね」

彼は沈痛な顔つきになった。

「たしかに聞いております。恐ろしいことです。マドモアゼルには心からお悔やみ申し上げます。わたしでお役に立つことがありましょうか？」

「フローラさんは」とわたしはいった。「あなたに——その——」

「犯人を見つけてほしいんです」フローラがきびきびといった。

「なるほど」小男はいった。「しかし、それは警察の仕事ではありませんか？」

「警察も過ちを犯すかもしれません」フローラはいった。「今だって、まちがえかけているんです。わたしはそう思ってます。お願いです、ムッシュー・ポアロ、助けていただけませんか？　もし——お金の問題であれば——」

ポアロは片手を上げた。

「いや、そのことはご心配なく、マドモアゼル。ただ、お金のことはどうでもいい、というわけではありませんよ」彼の目が一瞬、きらりと光った。「お金は、わたしにとって重要なものですし、これまでもずっとそうでした。しかし、わたしがこの件にのりだすにあたっては、お嬢さんに、ひとつはっきりと理解していただかねばならないことがあるのです。わたしは最後まで徹底的にやる、ということです。よろしいですか、優秀な猟犬は、臭いを追うことを決してあきらめません！　やっぱり地元の警察に任せた方がよかった、と思うかもしれませんよ」

「わたしは真実を知りたいんです」フローラが、まっすぐにポアロの目を見つめながら答えた。

「真実を洗いざらいですか？」

「ええ、洗いざらい」

「では、お引き受けしましょう」小男は静かに答えた。「そして、その言葉を後悔しないことを祈ってます。さて、最初からすっかり話していただけますか？」

「シェパード先生に話していただいた方がいいと思います」フローラはいった。「わたしよりも、詳しくご存じですから」

というわけで、わたしはこれまで書きつづってきた事実をひとつ残らず、慎重に言葉を選びながら話した。ポアロは熱心に耳を傾け、ところどころで質問をはさんだが、ほとんど天井をにらみながら黙ってすわっていた。

前夜警部といっしょにファンリー・パークを出るところで、話をしめくくった。

「じゃあ、今度は」と話し終えると、フローラがいった。「ラルフについて話してください」

わたしは躊躇したが、彼女の有無をいわせぬ視線に押し切られて口を開いた。

「ゆうべ、家に帰る途中、この宿屋——スリー・ボアーズ館——に寄ったのですね？」わたしが話を終えると、ポアロはたずねた。「ところで、その理由は正確にいうと何だったのですか？」

わたしは少し考えこみ、入念に言葉を選んだ。

「青年に伯父上の死を伝えるべきだと思ったのです。ファンリー・パークを出たあと、わたしとアクロイド以外には、彼がこの村にいることを誰一人知らないかもしれない、と気づいたのです」

ポアロはうなずいた。

「まさしく。では、あそこに行った動機は、それだけだったのですか？」

「それだけの理由です」わたしはぎこちなく答えた。

「もしや——なんというか——この若者《ス・ジュノンム》についてご自身を納得させるためではなかった

のですか？」

「納得させる？」

「先生《ムッシュ・ル・ドクトウール》、とぼけていらっしゃるが、わたしのいいたいことは百も承知でしょう。ペイトン大尉がひと晩じゅう宿にいたと知ったら、あなたはほっとしたのではないかと申し上げておるのです」

「そんなことはありません」わたしはきっぱりといった。

小柄な探偵は、わたしに重々しく頭を振ってみせた。

「ミス・アクロイドのように、わたしを信用しておいでではないんですな」彼はいった。

「ま、それはそれでけっこうです。今、検討しなくてはならないのは――説明が必要な状況なのに、ペイトン大尉が姿をくらましているということです。この問題が深刻であることを隠すつもりはありません。もっとも、実に簡単に説明できることかもしれませんがね」

「わたしもずっとそういってたんです」フローラは期待をこめていった。

ポアロはその問題については、もう触れようとはしなかった。そのかわり、地元警察にさっそく出向きたいといいだした。フローラには家に帰った方がいいと勧めたが、わたしにはいっしょに警察に行ってもらい、事件の担当刑事に紹介してほしい、というのだ。

わたしたちはポアロのいうとおりにした。警察署の外に、ひどくうんざりした顔つきのデイヴィス警部がいた。そばには署長のメルローズ大佐と、フローラの言葉を借りるとイタチそっくりな刑事が立っている。それがクランチェスターのラグラン警部だということは、ひと目でわかった。

メルローズ大佐のことはよく知っていたので、ポアロを紹介して、事情を説明した。署長は見るからに不機嫌になり、ラグラン警部は今にも癇癪を爆発させそうに見えた。だがデイヴィスは上司のいらだちを目の当たりにして、多少とも溜飲が下がったようだった。

「この事件は明白そのものです」ラグラン警部はいった。「素人にでしゃばっていただく必要はまったくない。どんな鈍い人間にだって、ゆうべの成り行きはわかりそうなものなのに、十二時間もむだにするべきじゃなかったですな」

ラグランは気の毒なデイヴィスに悪意のこもった視線を投げつけたが、彼は顔色ひとつ変えずにそれを受け止めた。

「むろん、アクロイドさんのご遺族が、必要と思われる手段をおとりになるのは当然のことです」メルローズ署長がいった。「しかし、警察としては、どんな形であれ公式な捜査を邪魔されるわけにはいかないんです。当然、ムッシュー・ポアロのご高名は存じてますよ」彼は礼儀正しくつけ加えた。

「警察は手柄を宣伝できないのでね、残念ながら」ラグラン警部がいった。

険悪な雰囲気を救ったのはポアロだった。

「実は、わたしは仕事を引退した身なのです」彼はいった。「二度と事件を引き受けるつもりはありませんでした。とりわけ、世間に名前が出ることを恐れているものですから。というわけで、万一事件の解決に何かお役に立てたとしても、どうかくれぐれも名前を出さないでいただきたいのです」

ラグラン警部の顔がこころなしか明るくなった。

「あなたのすばらしい成功については、いろいろと耳にしています」態度を和らげて、署長がいった。

「たしかに、多くの経験をしてきました」ポアロは静かにいった。「しかし、大半の成功は、警察の助力があったからこそ手に入れられたものです。イギリスの警察には、心から敬服しております。ラグラン警部がわたしのお手伝いを許してくだされば、実に名誉な、ありがたいことだと存じます」

警部の顔つきはいっそう愛想よくなった。

メルローズ署長が、わたしをわきにひっぱっていった。

「わたしの聞くところによれば、あの小男は実際、たいした手柄を立てているらしいな」彼はささやいた。「当然、スコットランドヤードの助けを借りる羽目にはなりたくないんだ。ラグランはやけに自信まんまんだが、わたしは全面的に彼に賛成できない。だって、わたしは——ほら——関係者を彼よりもよく知っているからな。この男は名声を求めているわけじゃないんだろう？　でしゃばらずに、われわれに協力してくれそうかね？」

「ラグラン警部にいっそうの名誉を与えるでしょうね」わたしはもったいぶって答えた。

「さて、さて」とメルローズ署長は声を高めて陽気にいった。「これまでの経過を説明しなくてはなりませんな、ムッシュー・ポアロ」

「おそれいります」とポアロ。「友人のシェパード先生の話によると、執事に嫌疑がかかっているとか？」

「まったくのはったりですよ」ラグラン警部がすぐさまいった。「こういう上流階級の使用人はすぐおどおどするので、何でもないのにうさんくさく見えてしまうものなんです」

「指紋はどうでしたか？」とわたしは水を向けた。

「パーカーのものとはちがいます」彼はうっすらと笑うと、つけ加えた。「それに、あなたのものでも、レイモンドさんのものでもなかったですよ、先生」

「ラルフ・ペイトン大尉の指紋はどうでしたか？」ポアロが静かにたずねた。

彼があえて果敢に難局に挑もうとしていることに、ひそかに賞賛の念を覚えた。警部の目にも、尊敬が浮かぶのが見てとれた。

「さっそく、核心に触れてきますね、ポアロさん。ごいっしょに仕事をするのはきっと楽しいでしょうな。その若い紳士の身柄を確保しだい、指紋をとるつもりでいます」

「どう考えても、きみはまちがっているよ、警部」メルローズ署長が激した口調になった。「ラルフ・ペイトンのことなら、子供の頃からずっと知っているんだ。彼は殺人を犯すような人間じゃない」

「かもしれません」警部はそっけなくいった。

「不利な証拠があるんですか？」わたしは質問した。

「ゆうべ九時ぴったりに外出した。ファンリー・パークの近くで九時半頃に目撃されている。それ以来、ふっつり姿が消えた。財政的にかなり逼迫《ひっぱく》していたらしい。ここにあるのは彼の靴——ゴムの突起がついた靴です。ほぼそっくりな靴を二足所有していたんですな。これから、屋敷の靴跡とこれを突き合わせてみるつもりです。巡査に現地に行かせ、足跡がいたずらされないように見張らせています」

「すぐに行こう」メルローズ署長がいった。「よかったら、先生とムッシュー・ポアロもいっしょにいらっしゃいませんか？」

わたしたちは承知して、全員で署長の車に乗りこんで屋敷に向かった。警部は一刻も早く足跡をとりたいらしく、門番小屋で降ろしてくれといった。私道を半分ほど進んだところで、道が右手に分かれ、テラスとアクロイドの書斎の窓に通じていたのだ。

「警部といっしょに行きますか、ムッシュー・ポアロ？」署長がたずねた。「それとも、書斎を調べますか？」

ポアロは後者を選んだ。パーカーが玄関ドアを開けた。彼はとりすました、うやうやしい態度で、昨夜の動揺からは立ち直っているようだった。

メルローズ署長はポケットから鍵をとりだし控えの間へ通じるドアを開け、わたしたちを書斎に案内した。

「ムッシュー・ポアロ、遺体を運びだしただけで、ここは昨夜のままになっています」

「それで、死体が発見されたのは――どこですか？」

できるだけ正確に、わたしはアクロイドの位置を教えた。その安楽椅子は、まだ暖炉の前に置かれていた。

ポアロは歩いていって、その椅子にすわりこんだ。

「あなたが話していたブルーの封筒ですが、部屋を出たときはどこにありましたか？」

「アクロイドが、右手のその小さなテーブルに置いていました」

ポアロはうなずいた。

「それ以外は、すべて元のままですか？」

「ええ、そう思います」

「メルローズ署長、はなはだ申し訳ないが、ちょっとこの椅子にすわっていただけますか？ ありがとうございます。さて、先生《ムッシュー・ル・ドクトゥール》、短剣が刺さっていた正確な位置を示していただけますか？」

わたしがそうするあいだ、小男は戸口に立っていた。

「では、短剣の柄は入口からはっきり見えたわけだ。あなたもパーカーもすぐにそれに気づきましたか？」

「ええ」

ポアロは窓辺に近づいた。

「あなたが遺体を見つけたときは、当然、電気がついていたんですね？」肩越しに質問した。

わたしはそうだと答え、熱心に窓枠の足跡を調べている彼のそばに近づいていった。

「このゴムの突起の跡は、ペイトン大尉の靴と同じ模様ですね」彼は静かにいった。

それから、彼はまた部屋の真ん中に戻ってきた。彼はあたりを見回し、敏捷な熟練した視線で、部屋じゅうのすべてのものを順に観察していった。

「あなたは観察力が鋭いですか、シェパード先生？」ようやく彼は質問した。

「だと思いますが」驚いて答えた。

「暖炉では火が燃えていたようです。あなたがドアを破って、アクロイド氏が亡くなっているのを発見したとき、火はどんなふうでしたか？　消えかけていましたか？」

わたしは困ったように笑った。

「それが——お答えできませんな。気づきませんでした。たぶんレイモンドかブラント少佐なら——」

向かいにいる小男は、かすかな笑みを浮かべて首を振った。

「常に体系的な手法によって、物事を進めなくてはなりません。あなたにこんな質問をしたのは、わたしの判断がまちがっていました。誰でも、得意とする分野があるものです。患者の外見についてなら、先生は詳しく話してくださるでしょう——ひとつも見逃さずに。デスクの上の書類について情報を手に入れたければ、レイモンド氏が見るべきことはすべて見ているでしょう。暖炉の火について知りたければ、そうしたものに配慮するのを仕事にしている人間に聞かなくてはならない。失礼——」

彼はすばやく暖炉に近づくと、ベルを鳴らした。

まもなく、パーカーが現われた。

「お呼びでしょうか」彼はためらいがちにいった。

「入りたまえ、パーカー」メルローズ署長はいった。「こちらの紳士がきみに質問したいことがおありだそうだ」

パーカーは尊敬のこもった視線をポアロに向けた。

「パーカー」小男はいった。「ゆうべシェパード先生とドアを破って、ご主人が亡くなっているのを発見したとき、火の状態はどうだったかね？」

パーカーは間髪を入れずに答えた。

「とても小さくなっていました。ほとんど消えかけておりました」

「ほう！」ポアロはいった。その声は勝ち誇っているように聞こえた。彼は先を続けた。「ではパーカー、あたりを見回してみてくれ。この部屋はそのときとまったく同じかね？」

執事の視線は移動していき、窓辺で止まった。

ロジャー・アクロイドの書斎

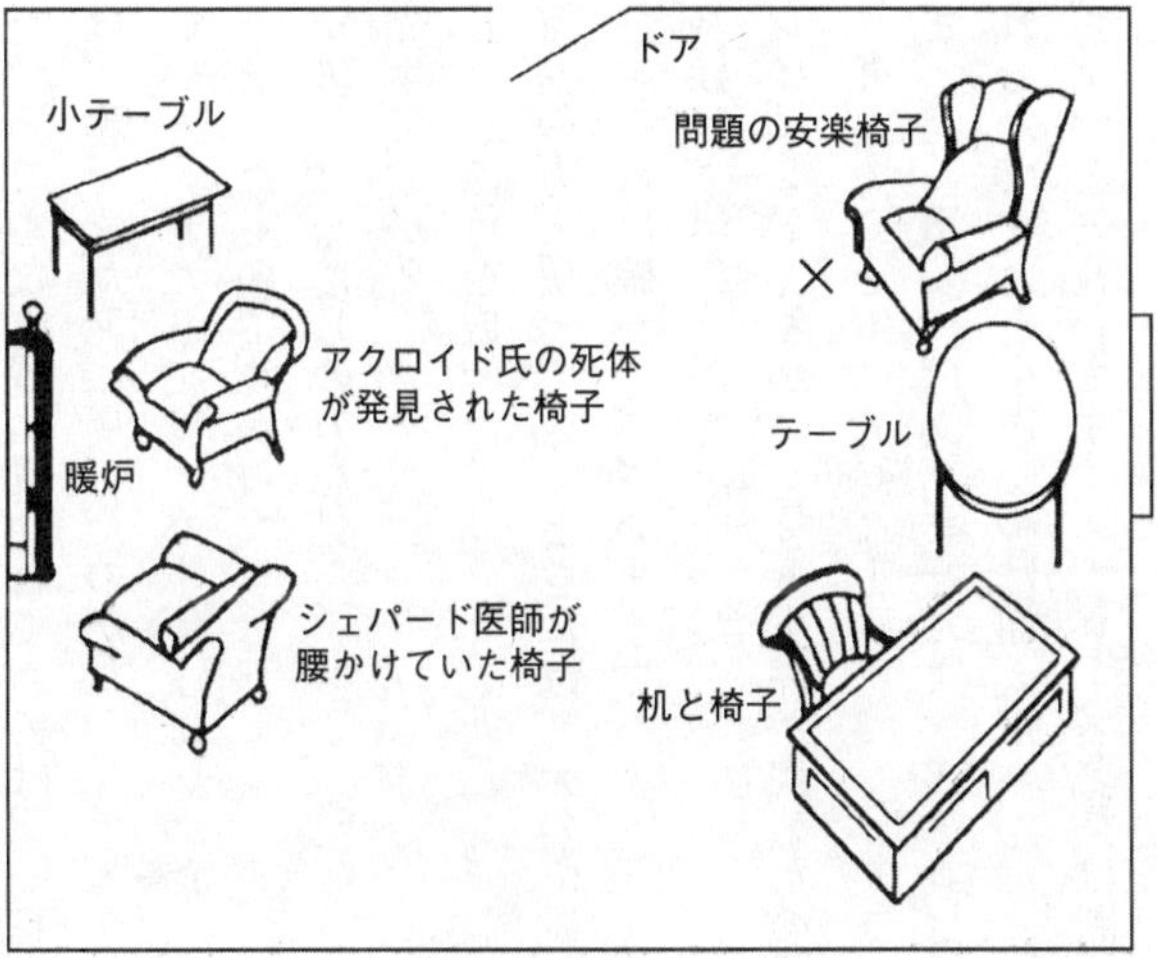

「カーテンは引いてありましたし、電気がついておりました」

ポアロはなるほどとうなずいた。

「他にはあるかな？」

「はい、この椅子がもう少し引き出されていました」

彼はドアを入って左側に、窓とのあいだに置かれた大きな安楽椅子を指示した。問題の椅子に×をつけて、部屋の見取り図を添付しておこう。

「どんなふうだったのか見せてくれ」ポアロがいった。

執事は問題の椅子を壁からたっぷり二フィート離し、座面がドアに向くようにした。

「それは奇妙だな《ヴォアラ・ス・キ・エ・キュリウー》」ポアロはつぶや

いた。「こんな位置に置かれていては、椅子にすわろうという人間はいないだろうに。では、誰がまた元に戻したのかな？　きみかね？」

「いいえ、わたしでは」パーカーはいった。「だんなさまの姿を見て、すっかり動転してしまったものですから」

ポアロはわたしの方を見た。

「先生ですか？」

わたしは首を振った。

「警察の方と戻ってきたときには、元の位置に戻っていました」パーカーが口をはさんだ。「それは確かでございます」

「奇妙だ」ポアロがまたいった。

「レイモンドくんかブラント少佐が戻したのでしょう」わたしは意見をいった。「たいして重要なことじゃないでしょう？」

「まったく重要ではありませんよ」ポアロはいった。「だからこそ、非常に興味をそそられるんです」と小声でつけ加えた。

「ちょっと失礼します」メルローズ署長は断って、パーカーといっしょに部屋を出ていった。

「パーカーは本当のことをいっていると思いますか？」わたしは質問した。

「椅子のことなら、本当でしょう。その他のことはわかりませんが。先生《ムッシュー・ル・ドクトゥール》、こうした事件に何度もぶつかっていると、あなたにもおいおいわかりますよ。どの事件も、ひとつの点で似ていることにね」

「どういう点ですか？」わたしは興味をそそられてたずねた。

「関係者全員が、何か隠しているということです」

「わたしもですか？」微笑みながら、たずねてみた。

ポアロはわたしをじっと見つめた。

「あなたもだと思います」彼は静かにいった。

「しかし――」

「このペイトンという青年について、ご存じのことをすべて話してくれましたか？」わたしが赤くなると、ポアロはにっこりした。「いやいや！　ご心配なく。無理に聞きだそうとはしませんから。いずれ、時がくればわかるものなのです」

「その体系的な手法というのを教えていただけますか」わたしは狼狽を隠そうとして、あわてていった。「たとえば、暖炉の火のこととか」

「ああ！　実に簡単なことですよ。あなたがアクロイド氏の家を出たのは――九時十分前だった、そうですね？」

「ええ、そうだと思います」

「そのとき窓は閉められて鍵がかけられ、ドアには鍵がかかっていなかった。死体が発見された十時十五分過ぎには、ドアに鍵がかかり、窓は開いていた。誰が開けたのでしょう？　明らかに、それができたのはアクロイド氏本人だけです。開けたのはふたつのうち、どちらかの理由からです。まず、部屋が耐えられないほど暑くなった。しかし、火はほとんど消えかけていましたし、ゆうべはぐっと冷えこみましたから、それが理由ではありえない。もうひとつは、窓を開けて誰かを中に入れた。しかも、そうやって入れたからには、その相手は親しい人物にちがいありません。というのも、その直前に、アクロイド氏はまさにその窓が閉まっているかどうか不安を口にしていたのですからね」

「実に単純ですね」わたしはいった。

「事実を体系的に整理すれば、すべては単純になるのです。現在問題になっているのは、昨夜九時半にアクロイド氏といっしょにいた人間が何者かということです。あらゆる点から、それは窓から入れてもらった人物であることを示唆している。ただし、そのあとでミス・アクロイドは生きているアクロイド氏と会っていますが、その訪問者が何者か判明するまでは、謎の解決に迫ることはできないのです。その人物が去ったあと、窓が開けっ放しになっていて、殺人者の侵入を許したのかもしれない。あるいは、同じ人物が二度目に戻ってきたのかもしれない。おや！　署長が戻ってきた」

メルローズ署長は意気揚々と部屋に入ってきた。

「ようやく、電話のかけられた場所がわかりました」彼はいった。「ここからじゃありませんでした。昨夜、十時十五分に、キングズ・アボット駅の公衆電話から、先生のお宅にかけられたのです。そして、十時二十三分に、リヴァプール行きの夜間郵便列車があの駅を出発しているんですよ」

8　ラグラン警部の自信

わたしたちは互いに顔を見合わせた。

「むろん、これから駅で聞き込みをするんでしょうね？」わたしはいった。

「当然しますが、結果についてはあまり期待していません。あの駅がどんな場所だか、ご存じでしょう」

たしかにそうだった。キングズ・アボットは小さな村だが、その駅はとても重要な乗換駅になっていたのだ。おもな急行がここで停車し、操車場に入れられて再編成され、整備された。駅には二、三カ所に公衆電話ボックスがあった。夜の十時頃には、十時十九分に到着して十時二十三分に出発する北行きの急行に接続するため、上りと下りの各駅停車が三本も相次いで到着した。駅全体が騒然としていて、ある特定の人物が電話をかけていたり、急行に乗りこんだりするところを目撃されている可能性は、ほとんどなかった。

「しかし、そもそもなぜ電話をしたんですかな？」メルローズ署長がいった。「そこがどうも妙に感じられるんだ。筋道が通らない気がします」

ポアロは、書棚の上の陶器の置物をていねいにまっすぐ置き直した。

「きっと何か理由があったんですよ」彼は肩越しにいった。

「しかし、どんな理由ですか？」

「それがわかれば、すべてが解明されるでしょう。この事件はきわめておもしろく、きわめて興味深いですな」

最後の言葉には、いわくいいがたい響きがあった。ポアロは彼独特の視点から事件を眺めているようだったが、わたしには彼が何を見ているのかわからなかった。

ポアロは窓辺に近づき、外を眺めた。

「門の外で身知らぬ男に会ったのは、九時だったとおっしゃいましたね、シェパード先生？」

顔をこちらに向けずに、彼は質問を発した。

「ええ」わたしは答えた。「教会の鐘が九時を打つのが聞こえましたから」

「その男が屋敷に――たとえば、この窓まで来るのに、何分ぐらいかかるでしょうね？」

「せいぜい五分でしょう。私道から右に分かれる小道を歩いて、まっすぐここまで来れば二、三分しかかかりません」

「しかし、それをするには、その道のことを知っていなくてはなりません。どう説明がつけられますかね？――彼は以前、ここに来たことがあった――屋敷の周辺について知っていた」

「たしかに」メルローズ署長がいった。

「アクロイド氏のところに先週、見知らぬ客が来たかどうか調べられるでしょうか？」

「レイモンドくんならわかるでしょう」わたしはいった。

「あるいはパーカーが」メルローズ署長はいった。

「あるいは、その二人ともが《ウ・トゥ・レ・ドゥ》」ポアロは意見をいって、にっこりした。

メルローズ署長はレイモンドを探しに行き、わたしはもう一度ベルを鳴らしてパーカーを呼んだ。

メルローズ署長はすぐに若い秘書を従えて戻ってくると、ポアロに紹介した。ジェフリー・レイモンドは、相変わらず潑剌として、屈託がなかった。ポアロと知り合いになれて、驚くと同時に喜んでいるように見えた。

「ご近所にお忍びで住んでいらっしゃるとは、思ってもみませんでしたよ、ムッシュー

・ポアロ。お仕事ぶりを拝見できるのは、実に光栄です——あれ、これはどういうことですか？」
それまでポアロはドアのすぐ左に立っていたが、いきなり横に移動した。わたしが背中を向けていたあいだに、すばやく安楽椅子を引き出して、パーカーが示した位置に移動させていたらしかった。

「この椅子にすわらせて、血液検査をするとでもおっしゃるのですか？」レイモンドが陽気にたずねた。「どういうおつもりなんですか？」

「ムッシュー・レイモンド、昨夜、アクロイド氏が死んでいるのを発見されたとき、この椅子は引き出されていたのです——こんなふうに。何者かがそれを元に戻しました。あなたがやったのですか？」

秘書は毛筋ほどもためらわずに答えた。

「いいえ、とんでもない。椅子がその位置にあったことすら覚えていませんが、あなたがそうおっしゃるなら、そうだったのでしょう。ともかく、元の場所に戻したのは、別の誰かですよ。そのせいで、手がかりがだいなしになったんですか？　残念だな！」

「いいえ、些細なことです」探偵はいった。「まったくどうでもいいことです。本当にお聞きしたかったのは、実はこういうことなのです、ムッシュー・レイモンド。この一週間に、見知らぬ人間がアクロイド氏に会いに来ましたか？」

秘書は眉を寄せてしばらく記憶をたどっていた。そのあいだに、パーカーがベルに応えて部屋に現われた。

「いいえ」ようやくレイモンドはいった。「誰も思い出せません。きみはどうかな、パーカー？」

「なんのことでしょうか？」

「この一週間ぐらいのあいだに、きみの知らない人間がアクロイドさんに会いに来たかな？」

執事は少し考えこんだ。

「水曜日に、若い男が来ましたが」とやっと口を開いた。「〈カーティス・アンド・トラウト〉社の人間だったと記憶しております」

レイモンドはいらだたしげに片手を振って、その答えを一蹴した。

「ああ！　そうそう、覚えてるよ。しかし、こちらの紳士が聞いているのは、そういうたぐいのことじゃないんだ」彼はポアロに向き直った。「アクロイドさんは録音機《ディクタフォン》を買うことを検討されていたんです」と説明した。「それがあれば、限られた時間で、もっとたくさんの仕事をこなせるようになりますからね。会社はセールスマンを寄越したんですが、無駄足になった。アクロイドさんは購入の決断を下せなかったんです」

ポアロは執事の方を向いた。

「その青年の外見を説明してもらえるかな、パーカー」

「金髪で、背が低かったです。大変に身だしなみがよく、ブルーのサージのスーツを着ていました。年の割には、実に押し出しのりっぱな青年でした」

するとポアロはわたしの方を向いた。

「門の外で会った男は、背が高かったんですね、先生？」

「ええ」わたしは答えた。「六フィートぐらいあったと思いますよ」

「それでは、まったく話になりませんね」ベルギー人は断定した。

「ありがとう、パーカー」

執事はレイモンド先生に話しかけた。

「たった今、ハモンド先生がおみえになりました。ぜひとも、お役に立ちたいので、あなたにご相談したいとおっしゃっておられます」

「すぐに行きます」青年はいって、急いで部屋を出ていった。ポアロは問いかけるように署長を見た。

「一家の弁護士ですよ、ムッシュー・ポアロ」

「若いムッシュー・レイモンドは、忙しくなりそうですな」ポアロはつぶやいた。「なかなか有能そうですね、あの青年は」

「アクロイドさんも、非常に能力のある秘書だと考えていましたよ」

「ここに来てから——何年ぐらいでしょう？」

「まだ二年そこそこでしょう、たぶん」

「細かい点まで配慮して、仕事をこなしているようですな。それはまちがいない。息抜きにはどういうことをしてるんでしょう？　スポーツ《ル・スポール》にのめりこんでいるとか？」

「個人秘書には、そういう時間はあまりないんですよ」メルローズ署長は笑いながらいった。「レイモンドはたしかゴルフをします。それに夏はテニスも」

「コースには行きませんかね——わたしがいってるのは、馬を走らせるコースのことですが」

「競馬場ですか？　いや、彼は競馬には関心がないと思いますね」

ポアロはうなずくと、興味を失ったように見えた。ゆっくりと書斎を見回した。

「ここで見ておくべきことは、すべて拝見したと思います」

わたしも部屋を見回した。

「あの壁がしゃべれたら」とわたしはつぶやいた。

ポアロは首を振った。

「口だけでは十分じゃないですよ。目と耳も持っていなくてはなりません。しかし、こうした無生物が」――彼はそういいながら、書棚の上を触った――「常に黙っていると高をくくらない方がいい。わたしには、ときどき語りかけてくれます――椅子、テーブル――彼らなりのメッセージがあるんです！」

彼はドアに向かった。

「どんなメッセージですか？」わたしは叫んだ。「今日はどんなことをあなたに伝えてきたんですか？」

ポアロは肩越しに振り返ると、片方の眉を問いかけるように持ち上げてみせた。

「開いた窓。鍵のかかったドア。一見、ひとりでに移動した椅子。その三つすべてに、わたしは〝なぜ？〟とたずねましたが、答えは返ってきません」

ポアロは頭を振り、胸をそらすと、まばたきしながらこちらを見た。あまりにも尊大な態度で、滑稽に感じるほどだった。実際、この男は探偵として優秀だったのだろうか、という疑問が胸をよぎった。たまたま幸運が重なったせいで、名声が高まっただけなのではないだろうか？

メルローズ署長の胸にも同じ思いが去来したらしく、署長は顔をしかめた。

「他にごらんになりたいものはありますか、ムッシュー・ポアロ？」署長はそっけなくたずねた。

「よろしかったら、凶器が盗まれたシルヴァー・テーブルを拝見できますかな？　それ以上は、お言葉に甘えることはいたしません」

わたしたちは応接間に向かったが、途中で巡査が署長を待ちかまえていた。署長は声をひそめて何か話しあったあとで、失礼すると断って立ち去り、わたしたち二人だけになった。わたしはポアロにシルヴァー・テーブルを見せた。ポアロは蓋を一、二度、上げ下げしてから閉めると、フランス窓を押し開け、テラスに出た。わたしも彼についていった。

ラグラン警部がちょうど屋敷の角を回って、こちらに近づいてくるところだった。厳しい顔つきだったが、満足そうだった。

「ああ、ここにいらしたんですか、ムッシュー・ポアロ。やはり、これはたいした事件じゃなさそうですよ。残念ではありますがね。ちゃんとした青年が悪い道にそれてしまって」

ポアロは沈んだ顔になり、とても穏やかにたずねた。

「残念ながら、わたしはあまりお役に立てなかったようですね？」

「また次の機会がありますよ」警部は慰めるようにいった。「こんな静かな片田舎では、毎日殺人事件が起こるわけじゃありませんが」

ポアロの目には賞賛の色が浮かんでいた。

「実にすばやいお仕事ぶりですな」彼はいった。「実際、どのように解決なさったのですか、うかがってもよろしいですか？」

「かまいませんとも」警部はいった。「まずはじめに——体系的な方法です。わたしは常々、口を酸っぱくしていってるんです——体系的な方法が大切だと！」

「なるほど！」ポアロはいった。「それは、わたしの標語でもありますよ。体系的方法、秩序、それに灰色の細胞です」

「細胞？」警部はびっくりして問い返した。

「小さな灰色の脳細胞のことです」ベルギー人は説明した。

「ああ、当然ですね。ええ、誰もがそれを働かせるでしょう」

「たくさん働かせる人もいれば、ほとんど働かせない人もいます」とポアロはつぶやいた。「それに、質の差もありますね。さらに、犯罪心理というものもあります。それを研究しなくてはなりません」

「ははあ！」警部はいった。「心理分析とかいうやつに、かぶれておいでなんですね？

だが、わたしは無骨な人間ですが――」

「ラグラン夫人はそれに同意なさらないでしょう、それは確信しています」ポアロはお辞儀をしながらいった。

ラグラン警部は一瞬あっけにとられたが、お辞儀を返した。

「よく、おわかりにならなかったようですね」警部は大きなにやにや笑いを浮かべながらいった。「言葉のちがいというものは大きいものですな。わたしがいったのは、仕事のやり方についてなんです。まず、体系的な方法。アクロイドさんが生きているのを最後に目撃したのは、姪のミス・フローラ・アクロイドで、九時四十五分でした。これが第一の事実、そうでしょう？」

「警部がそうおっしゃるなら」

「ええ、そうですよ。十時半過ぎの時点で、こちらの先生の話では、アクロイドさんは死後三十分以上たっていた。それにまちがいありませんね、先生？」

「ええ」わたしはいった。「三十分か、それ以上です」

「大変けっこう。すると、犯罪が行われた時刻をきっかり十五分間に絞ることができます。家じゅうの人間のリストを作って、九時四十五分から十時までのあいだに、どこにいて、何をしていたのか、それぞれの名前のところに書きこんでみました」

警部はポアロに一枚の紙を渡した。わたしは彼の肩越しにのぞきこんだ。きちんとした筆跡で、以下のように書かれていた。

ブラント少佐——レイモンド氏といっしょにビリヤード室。（レイモンド氏の証言あり）
レイモンド氏——ビリヤード室。（右記参照）
セシル・アクロイド夫人——九時四十五分、ビリヤードの試合を見物。九時五十五分、二階の寝室へ。（レイモンド氏とブラント少佐が階段を上がっていくのを見ていた）
ミス・フローラ・アクロイド——伯父の書斎からまっすぐ二階に。（パーカー、部屋係のメイドのエルシー・デイルの証言あり）

〈使用人〉
パーカー——食器室に。（家政婦のミス・ラッセルの証言あり。彼女はパーカーと話をするために九時四十七分にここに来て、少なくとも十分間はいっしょにいた）

ミス・ラッセル――右記のとおり。九時四十五分には、部屋係のメイドのエルシー・デイルと二階で話をしている。

アーシュラ・ボーン（雑用係のメイド）――九時五十五分まで自室。そのあと使用人部屋に。

クーパー夫人（コック）――使用人部屋。

グラディス・ジョーンズ（見習いメイド）――使用人部屋。

エルシー・デイル（部屋係のメイド）――二階の寝室に。ミス・ラッセルとミス・フローラ・アクロイドに目撃されている。

メアリー・スリップ（キッチンメイド）――使用人部屋。


「コックはこちらに七年勤めていて、雑用係のメイドは一年半、パーカーは一年ちょっとです。他の連中は新入りです。パーカーにちょっとうさんくさいところがある以外は、全員ちゃんとしているように見えました」

「実に完璧なリストですな」ポアロはいいながら、それを返した。「パーカーが殺人をしたのではないことは、確かでしょう」彼は真剣な口調でつけ加えた。

「姉もそういってます」わたしは口をはさんだ。「姉のいうことは、いつも当たるんですよ」二人とも、わたしの言葉には注意を払わなかった。

「これによって事実上、家庭内の人物は容疑者からはずされます」警部はいった。「さて、非常に重要なことを申し上げましょう。門番小屋の女性——メアリー・ブラック——がゆうべカーテンを引いていたときに、ラルフ・ペイトンが門から入ってきて、屋敷の方に歩いていくのを目撃したんです」

「それはまちがいないんですか？」わたしは鋭くたずねた。

「ええ、確かです。彼の顔をよく知っていますから。彼はとても急いで歩いていき、右手の小道に曲がったということです。あの道はテラスに通じる近道なんです」

「で、それは何時だったのですか？」ポアロが顔色ひとつ変えずにたずねた。

「ちょうど九時二十五分でした」警部は重々しくいった。

沈黙が広がった。それから、警部がまた口を開いた。

「これで明白です。ぴたりと符合します。九時二十五分に、ペイトン大尉は門番小屋を通り過ぎるのを目撃されている。九時半かそこらに、ジェフリー・レイモンドは、書斎で何者かに金を無心され、断わっているアクロイドさんの声を聞いた。それから何が起きたのでしょう？　ペイトン大尉は同じ経路で立ち去る——窓からね。がっかりし、腹を立てながら、テラスをぐるっと歩いていく。応接間の開いている窓までやって来る。

それが九時四十五分ぐらいでしょう。ミス・フローラ・アクロイドは伯父におやすみの挨拶をしている。ブラント少佐、レイモンドさん、セシル・アクロイド夫人はビリヤード室にいる。応接間は空っぽだ。こっそり忍びこみ、シルヴァー・テーブルから短剣をとりだし、書斎の窓に戻っていく。窓によじ登り、そして——まあ、この先は詳しく話すまでもないでしょう。それから、窓から抜けだして、立ち去る。ただ宿屋に戻る勇気はなかった。駅に向かい、そこから電話を——」

「なぜですか？」ポアロが小声でたずねた。

わたしはその言葉に驚いた。小男は身をのりだしていた。目は異様な緑にきらめいている。

一瞬、ラグラン警部はその質問にたじろいだようだった。

「どうしてそんなことをしたのか、正確なところはわかりかねます」彼はようやくそういった。「しかし、殺人者というのは、おかしな真似をするものです。警察にいると、いろいろ耳に入ってきますよ。最高に頭の切れる殺人者でも、ときには愚かな過ちをしでかすことがあります。それより、こちらにいらっしゃい。足跡をお見せしましょう」

わたしたちは警部のあとについてテラスの角を曲がり、書斎の窓まで歩いていった。ラグラン警部に命じられて、巡査が地元の宿屋で押収してきた靴をとりだした。

警部はそれを足跡の上に置いた。

「同じです」彼は自信たっぷりにいった。「いや、実際にこの足跡をつけた靴ではありませんよ。それはペイトンがはいていってしまったのでね。これはそれと同じ型の靴ですが、もう少し古いのです——突起がすり減っているのがわかるでしょう？」

「ゴムの突起のある靴をはいている人など、たくさんいるんじゃゃないですか？」ポアロが質問した。

「むろん、そうです」警部はいった。「他のもろもろの事実がなければ、足跡もさほど重視しなかったでしょう」

「実に愚かな青年ですな、ラルフ・ペイトン大尉は」ポアロが考えこむようにいった。「自分がここに来ていた証拠を、これほどたくさん残していくなんて」

「ああ！　そこなんですが」と警部は説明した。「ご存じのように、乾燥した晴れた夜でしたから、テラスにも砂利道にも、足跡はひとつも残っていないんです。しかし不運にも、私道から分かれる小道に、最近、湧き水が出るようになりましてね。そこをごらんなさい」

数フィート先で、テラスから砂利敷きの小道に出られるようになっていた。その小道を少し行くと、地面が沼地のようにぬかるんでいるところがあった。そのぬかるみの前後にはは足跡がいくつかついていて、その中にはゴム突起のある靴跡も見てとれた。

ポアロは警部と並んで、小道をもう少し先まで歩いていった。

「女性の足跡にお気づきでしたか？」彼はいきなりいいだした。

警部は笑った。

「もちろんです。しかし、この道はさまざまな女性が歩いています――男性ばかりではなく。屋敷への近道として、よく利用されていますから。すべての足跡を調べるのは不可能でしょう。結局のところ、実際に重要なのは窓枠に残っている足跡なのです」

ポアロはうなずいた。

「これより先に行ってもむだです」私道が見えてくると、警部はいった。「ここから先はまた砂利敷きになっていて、地面がとてつもなく固くなっていますから」

もう一度ポアロはうなずいたが、目は庭にある小さな離れにじっと注がれていた――しゃれた東屋《あずまや》のような建物だった。小道の先のやや左にあり、砂利敷きの小道がそこまで通じていた。

警部が屋敷の方に戻っていってしまうまで、ポアロはぐずぐずしていた。それから、わたしを見た。

「あなたは友人のヘイスティングズの代わりに、神がおつかわしになったにちがいありません」彼は目をきらめかせた。「かたときも、わたしのそばを離れないんですからね。どうでしょう、シェパード先生、あの東屋を調べてみませんか？　興味をそそられているんです」

彼は建物に近づいていって、ドアを開けた。内部はほとんど真っ暗だった。丸太造りの椅子がふたつほど、クロッケーのセット、畳んだデッキチェアが何脚か置いてあった。新しい友人の姿を見て、わたしは仰天した。四つん這いになって、床を這い回っていたのだ。ときどき、不満そうに首を振っている。ようやく、彼はしゃがみこんでつぶやいた。

「何もありませんでした。まあ、期待どおりにはいかないものです。しかし、非常に重要なものだったでしょうから——」言葉を途切らせ、体をこわばらせた。それから、丸太造りの椅子のひとつに片手を伸ばし、椅子の横の方から何かをつまみあげた。

「それ、何ですか？」わたしは大声でたずねた。「何を見つけたんです？」

彼はにっこりすると指を開き、手のひらにのせたものを見せてくれた。白い木綿の端切れだった。

わたしはそれをつまんで、しげしげと眺めてから、また彼に返した。

「これは何だと思いますか、ねえ、わが友よ？」彼は鋭くわたしを見すえながらたずねた。

「ハンカチーフの切れ端ですかね？」わたしは肩をすくめながら、意見をいってみた。

彼はまた飛びつくようにして、羽軸のついた羽根を拾い上げた──見たところ、ガチョウの羽根のようだった。

「では、これは？」ポアロは勝ち誇ったように叫んだ。「これをどう思いますか？」

わたしはただぼうっと見つめているばかりだった。

ポアロは羽根をポケットにしまうと、改めて白い布の切れ端を眺めた。

「ハンカチーフの切れ端ですか」彼は考えこんだ。「もしかしたら、先生のおっしゃるとおりかもしれません。ただし、覚えておいてください──まともなクリーニング屋はハンカチーフに糊をつけません」

ポアロはわたしに得意満面でうなずきかけると、切れ端をていねいに財布にしまった。

9　金魚の池

わたしたちはいっしょに屋敷まで引き返した。警部の姿はなかった。ポアロは屋敷に背を向けてテラスで足を止め、ゆっくりと左右を見渡している。

「美しい敷地《ユンヌ・ベル・プロプリエテ》ですな」と感に堪えぬようにいった。「相続するのはどなたでしょう？」

彼の言葉は、わたしにとってちょっとした衝撃だった。おかしなことだが、その瞬間まで、相続の問題はまったく頭に浮かばなかったのだ。ポアロはわたしをじっと見つめていた。

「今そのことに気づいたのですね」しばらくして、彼はいった。「これまで考えたことがなかった――そうなのでしょう？」

「ええ」わたしは正直に答えた。「考えておけばよかった」

ポアロはまたも興味深げにわたしを見つめた。

「それはどういう意味なのか、と首を傾げさせられました」彼は考えこむようにいった。わたしが口を開きかけると、「ああ！　いいですよ」と彼は続けた。「むだですから《イヌユティル》！　あなたは本心を語ろうとしないでしょう」

「誰もが何か隠しているものです」とポアロの言葉を引用して、にっこりしてみせた。

「そのとおりです」

「まだそれを信じていらっしゃるんですか？」

「前にもましてね、わが友よ。しかし、エルキュール・ポアロに隠し事をするのは、たやすいことではありません。探りだすコツを身につけてますからね」

しゃべりながら、彼はオランダ式庭園の階段を下りていった。

「少し歩きましょう」肩越しに声をかけた。「今日はとても気持ちがいい日です」

わたしはあとについていった。彼は先に立って、イチイの生け垣に囲まれた左手の小道を進んでいった。両側には左右対称に花壇が作られ、その真ん中を小道が通っている。突き当たりは石敷きの円形の休憩所で、ベンチと金魚池があった。ポアロはそこまで行かずに、樹木の多い斜面を登っていく小道に折れた。ある場所まで来ると、木立が途切れていてベンチが置かれていた。そこにすわると、すばらしい田園風景が一望でき、真下に石敷きの休憩所と金魚池を見下ろせた。

「イギリスは大変に美しい国ですね」ポアロは風景をあちこち眺めながらそういって、にっこりした。「それに、イギリスの女性も美しい」と低い声でいった。「しっ、わが友よ、下にいる絵のように美しい女性をごらんなさい」

ようやく、わたしはフローラがいることに気づいた。わたしたちがついさっき歩いていた小道を進みながら、歌の一節をハミングしている。足どりは歩くというより踊っているかのようで、黒い服にもかかわらず、全身が喜びではちきれんばかりだった。いきなり爪先立ちになってくるりと回ったので、黒い布地がふわっとなびいた。と同時に、頭をのけぞらせて、高らかに笑いはじめた。

そうしているあいだに、一人の男が木立のあいだから進みでてきた。ヘクター・ブラントだった。

彼女ははっとしたように目をみはり、表情がわずかに変化した。

「びっくりしましたわ——姿が見えなかったので」

ブラントは何もいわずに、無言のまましばらく彼女をじっと見つめていた。

「あなたのすてきなところは」とフローラはいくぶん嫌味をこめていった。「陽気な会話ができるところですね」

その言葉に、ブラントの陽に灼けた顔が赤くなったように思えた。口を開いたとき、彼の声はいつもとちがって聞こえた――妙に謙虚な響きがあった。

「ずっと話し下手なんだ。子供の頃から」

「それはずいぶん昔のことですね」フローラは真面目くさっていった。

わたしはその声に笑いがにじんでいるのを聞きとったが、ブラントは気づかなかったようだ。

「ああ」彼はあっさり認めた。「そうだね」

「メトセラぐらい長生きしたら、どんな気分かしらね？」フローラがたずねた。

今度こそ、そういいながら含み笑いをしているのは明らかだったが、ブラントは自分の考えしか頭にないようだった。

「悪魔に魂を売り渡した男のことをご存じかな？　見返りに、また若返らせてもらうのだが。それを題材にしたオペラがある」

「ファウストのことかしら？」

「そう、そいつだ。おかしな物語だ。だができるものなら、そうしたいと思う人間はいるだろうね」

「あなたがしゃべっているのを聞くと、関節痛に悩むおじいさんみたいだわ」フローラは半ばいらだち、半ば面白がりながらいった。

ブラントはしばらく黙っていた。それから、フローラから視線をそらして遠い目になると、近くの木の幹に向かって、そろそろアフリカに戻る頃合いだといった。

「また新しい冒険旅行にお出かけになるんですか――狩猟に？」

「おそらく。いつもそうなんだ――その、つまり、獲物を撃っている」

「玄関ホールに飾ってある獣の頭は、あなたが仕留めたんでしょう？」

ブラントはうなずいた。それから、顔を真っ赤にして、いきなり、つっかえつっかえいいだした。

「そのうち、上等な毛皮をどうかな？　よかったら、手に入れてこよう」

「まあ！　お願いします」フローラは叫んだ。「本当ですか？　忘れたりしません？」

「忘れないとも」ヘクター・ブラントはいった。

ブラントは急に雄弁になって、つけ加えた。

「去るべきときがきたんだ。こういう生活はわたしには向かない。洗練されたマナーも身につけていないし。粗野な人間だから、社交界では役に立たない。誰もが口にするような愛想ひとつ、いえたためしがない。そうとも、もう潮時なんだ」

「でも、すぐには行ってしまわれないんでしょ」フローラが叫んだ。「だめです――こんなことがあったのに。ああ！　お願い。もしあなたがいなくなってしまったら――」

フローラはわずかに顔をそむけた。

「わたしにいてほしいと？」ブラントがたずねた。

控え目だが、きわめて率直な口調だった。

「わたしたちみんなが――」

「あなたの気持ちをたずねているんだ」ブラントは大胆にもいった。

フローラはゆっくりと振り返って、少佐の目を見つめた。

「わたし、あなたにいていただきたいわ。もし――もしそれでお気持ちが変わるなら」

「まるっきり事情が変わってくるよ」ブラントはいった。

一瞬、沈黙が落ちた。二人は金魚池のほとりの石造りのベンチにすわった。どちらも、次に何をいったらいいのか途方に暮れているようだった。

「今日は――とても気持ちのいい朝ですね」とうとうフローラがいった。「あの、わたし、幸せに感じないわけにいかないんです――こんなことがあったにもかかわらず。ひどい話でしょう？」

「ごく自然なことだよ。伯父上とは、二年前まで一度も会ったことがなかったのだろう？　心の底から嘆くわけにはいかないよ。悲しんでいるふりをするより、はるかにいい」

「あなたとお話していると、なんだかとっても心が慰められますわ。物事を単純にしてくださるんですもの」

「物事なんて、おおむね単純なものだ」猛獣の狩猟家はいった。

「常にそうとは限らないわ」フローラはいった。

その声がとても低かったので、ブラントは顔を回して、（おそらく）アフリカの海岸かどこかを見ていた視線をフローラに戻した。どうやら彼はフローラの口調の変化に、自分なりに推測を巡らしたらしい。というのも、一、二分して、いささか唐突にいいだしたからだ。

「ねえ、あの青年のことなら、心配する必要はないよ。警部はまぬけだ。誰もがわかってるよ――彼が犯人だと考えるなんて、実に馬鹿げた話だと。外部の人間の仕業だよ。押し込みとか。それ以外に考えられない」

フローラは彼の顔を見た。

「本気でそう思っていらっしゃるの？」

「あなただってそう思っているんじゃないかね？」ブラントは即座に問い返した。

「わたしは――ええ、もちろん、そうです」

またも沈黙が広がった。と、フローラがいきなりまくしたてはじめた。

「わたしが――今朝、どうしてこんなに幸せな気分でいるのか、お話しするわ。ひどく冷たい女だと思われるかもしれませんけど、打ち明けたいんです。弁護士さんが――ハモンド先生がいらしたせいなんです。遺言について話してくださいました。ロジャー伯父さまは、わたしに二万ポンド残してくださったんです。考えてみてください――二万ポンドもですよ」

ブラントは驚いた顔になった。

「それがそんなに重要なことなのかな？」

「重要なことかですって？　ええ、これですべてが変わるといってもいいぐらいよ。自由――人生――もう頭を絞って、お金を節約したり、嘘をついたりしなくても――」

「嘘をつく？」ブラントは聞きとがめた。

フローラは一瞬、ぎくりとしたようだった。

「ほら、おわかりでしょ」彼女はあやふやな口ぶりでいった。「裕福な親戚がくれるお古に、感謝するふりをしたりってことです。去年のコートやスカートや帽子にね」

「女性の服のことはよくわからないが、あなたはいつもとてもすてきな装いをしていると思うが」

「でも、いろいろ苦労しているんです」フローラは低い声でいった。「不愉快な話はやめにしましょう。とっても幸せなんですから。わたしは自由なんです。何をするのも自由。たとえしなくても――」

彼女はいきなり言葉を切った。

「何をしないんだね？」ブラントがすぐさまたずねた。

「忘れました。たいしたことじゃないわ」

ブラントはステッキを持っていたが、それを池に突っ込んで、何かをつついた。

「何をしていらっしゃるの、ブラント少佐？」

「光るものが沈んでいる。何だろう――金のブローチのように見えたが。ああ泥をかき回したので、見えなくなってしまった」

「たぶん王冠かもしれないわ」フローラがいった。「メリザンドが水の中に見たみたいな」

「メリザンド」ブラントは考えこんだ。「オペラの登場人物だったかな？」

「ええ、オペラにずいぶんお詳しいんですね」

「ときどき人に連れていってもらうので」ブラントは悲しげに答えた。「滑稽な娯楽だ――先住民がトムトムをたたいているよりも、うるさい大騒ぎをして」

フローラはふきだした。

「メリザンドのこと、思い出したよ」ブラントは言葉を続けた。「父親ぐらい年上の男と結婚するんだった」

彼は小石を金魚池に投げこんだ。それから、急に態度を変えてフローラを見た。

「フローラさん、何かわたしにできることはあるかな？　ペイトンのことでという意味だ。あなたが彼のことをどんなに心配しているか、わかってるよ」

「ありがとうございます」フローラはよそよそしくいった。「できることなんて、実際何もないんです。ラルフは大丈夫です。世界でいちばん優秀な探偵さんに頼みましたから。彼がすべてを探りだしてくれるでしょう」

さきほどから、わたしは自分たちの立場に居心地の悪さを感じていた。正確にいうと盗み聞きをしていたわけではない。下の庭園にいる二人がほんの少し顔を上げさえすれば、わたしたちが見えたからだ。しかし、わたしの相棒が腕に手をかけて制止しなかったら、とっくに、ここにいることを二人に知らせていただろう。どうやらポアロは、わたしに黙っていてほしいようだった。だが、ここにきて、彼は迅速に行動に移った。すばやく立ち上がると、咳払いをしたのだ。

「失礼をお許しください」彼は叫んだ。「マドモアゼルに過分なお褒めの言葉をいただいた以上、ここにおりますことをお知らせしないわけにはまいりません。立ち聞きする者の耳にはよい噂が入ってこないと、世間では申しますが、今回はちがうようです。このままでは汗顔の至りですので、そちらに参りまして、お詫びさせていただきます」

ポアロが急いで小道を下っていったので、わたしもすぐそのあとに続き、池のほとりで合流した。

「こちらはムッシュー・ポアロです」フローラが紹介した。「お名前はお聞きになっていらっしゃるでしょう」

ポアロはお辞儀をした。

「ブラント少佐のご高名は、かねがねうかがっております」と礼儀正しくいった。「お目にかかれてうれしく存じます、ムッシュー。実は、ぜひとも教えていただきたいことがありまして」

ブラントは問いかけるようにポアロを見た。

「アクロイド氏の元気な姿を最後に見たのは、いつでしたか？」

「夕食のときだ」

「それきり、彼に会うことも、声を聞くこともなかったのですか？」

「会うことは。声は聞いたが」

「どういうふうに？」

「テラスをぶらぶら歩いていて――」

「失礼ですが、それは何時でしたか？」

「九時半過ぎだ。応接間の窓の前を行ったり来たりしながら、煙草を吸っていた。アクロイドが書斎で話している声が聞こえて――」

ポアロは足を止めて、ちっぽけな雑草をむしった。

「テラスのあのあたりにいたのでは、絶対に書斎の声は聞きとれないでしょう」彼はつぶやいた。

ポアロはブラントの方を見ていなかったが、わたしは見ていた。すると驚いたことに、ブラントは顔を赤くした。

「角まで行ったんでね」としぶしぶ説明した。

「ほう！　なるほどね」ポアロはいった。

ごく穏やかな態度だったが、もっと詳しい説明を求めていることは伝わった。

「女性が植え込みのあいだに消えていった――そんな気がしたんだ。ちらりと白い姿が見えただけなんだが。たぶん見間違いだろう。で、テラスの角に立っていたときに、アクロイドが秘書と話している声が聞こえた」

「ジェフリー・レイモンド氏と話していたんですか？」

「ああ――そのときは、そう考えた。まちがっていたようだが」

「アクロイド氏は秘書に名前で呼びかけたんですか？」

「いや、そうじゃない」

「では、どうしてそう思ったのか、おたずねしてもよろしいでしょうか？」

ブラントは骨を折って説明した。

「当然、レイモンドだと思いこんでいたんだ。テラスに出てくる前に、彼は書類をアクロイドのところに持っていくといっていたし。他の人間だとは、まったく考えもしなかった」

「聞いた言葉を思い出せますか？」

「残念ながら。ごくありふれた、どうでもいいようなことだったよ。会話の断片を小耳にはさんだだけだし、そのときは、別のことで頭がいっぱいだったので」

「たいしたことじゃないんですが」とポアロはつぶやいた。「死体が発見されたあとで書斎に入っていったとき、椅子を壁際に戻しましたか？」

「椅子？　いや、どうしてだね？」

ポアロは肩をすくめただけで答えなかった。彼はフローラの方を向いた。

「ひとつ、あなたに教えていただきたいことがあります、マドモアゼル。シェパード先生とシルヴァー・テーブルの中の品物をごらんになっていたとき、短剣はちゃんと所定の場所にありましたか？　それとも？」

フローラはつんと顎を上げた。

「ラグラン警部にも、そのことを聞かれました」彼女は憤慨したようにいった。「警部にはもうお話しましたが、あなたにもお答えします。絶対に、短剣はありませんでした。警部は、あのときは短剣があった、そして、ラルフが夜遅くなってから、こっそり盗みだしたと考えています。だから――わたしのいうことを信じないんです。わたしがラルフを――かばうためにそういってるんだと考えているんです」

「そうではないんですか？」わたしは重々しくたずねた。

フローラは足を踏みならした。

「あなたまで、シェパード先生！　ああ！　ひどいわ」

ポアロは巧みに話題を変えた。

「あなたがおっしゃっていたことは本当ですね、ブラント少佐。池の中に光るものがある。手が届くかやってみましょう」

彼は池の縁にひざまずき、シャツを肘までめくりあげると、池の底の泥をまきあげないように、とてもゆっくりと腕を沈めていった。だが、それだけ用心したにもかかわらず、泥が渦巻いて広がり、何もとれずに腕を引き上げる羽目になった。

ポアロは悔しそうに腕についた泥を眺めた。わたしがハンカチーフを差し出すと、彼は熱のこもった礼の言葉とともに受けとった。ブラントが腕時計をのぞいた。

「そろそろ昼食の時間だ」彼はいった。「屋敷に戻った方がよさそうだ」

「ごいっしょにお昼をいかがですか、ムッシュー・ポアロ？」フローラが誘った。「母に会っていただきたいんです。母は――ラルフをとても気に入っているんです」

小男はお辞儀をした。

「喜んでご招待にあずかります、マドモアゼル」

「それから、シェパード先生も来てくださるでしょう？」

わたしは躊躇した。

「あら、お願いします！」

内心は残りたかったので、それ以上、遠慮せずに招待を受けた。

わたしたちは屋敷に戻りはじめた。フローラとブラントが並んで先を歩いていった。

「美しい髪ですな」ポアロはフローラの方に顎をしゃくりながら、小声でいった。「本物の金色だ！　二人は似合いの夫婦になるでしょうね。彼女と、あの浅黒い肌のペイトン大尉は。そう思いませんか？」

わたしはなぜそんなことをいうのだろうと彼の表情を窺《うかが》ったが、ポアロは上着の袖がほんのわずか濡れているといって、騒ぎはじめた。この男はなんとなく猫を連想させた。その緑の瞳といい、気むずかしい習性といい。

「骨折り損でしたね」わたしは同情をこめていった。「池の中にあったのは何だったんでしょう？」

「ごらんになりたいですか？」ポアロがたずねた。

わたしはまじまじと彼を見つめた。彼はうなずいた。

「わが友よ」彼はやさしく、だがとがめるようにいった。「エルキュール・ポワロはめざすものを手に入れられる確信もないのに、服を汚す危険は冒しません。そんなことをするのは、愚かで滑稽なことです。わたしは絶対に愚かな真似はしません」

「だけど、引き上げた手には何も持っていなかったじゃないですか」わたしは反論した。

「分別が必要なときもあるのです。あなたは自分の患者に洗いざらい話しますか——そうではないでしょう、先生？　あるいは、すばらしいお姉さまにも、すべてを話さないでしょう？　空っぽの手を見せる前に、持っていたものを反対側の手に滑りこませたのです。お見せしましょう」

ポアロは左手を差し出して、手のひらを開いた。そこには小さな金の指輪がのっていた。女性用の結婚指輪だった。
わたしはそれをつまみあげた。
「内側を見てごらんなさい」ポアロが命じた。
そのとおりにした。内側には細かい文字が刻まれていた。

Rより、3月13日

わたしはポアロを見たが、彼は小さなポケット鏡で自分の姿を点検するのに夢中だった。特に口髭の手入れに余念がなく、わたしには目もくれなかった。何も説明するつもりがないということなのだろう。

10　雑用係のメイド

セシル・アクロイド夫人が玄関ホールにいた。隣には、傲慢そうな顎といい、鋭い灰色の目といい、どこから見ても〝弁護士〟の干からびた小男が立っていた。

「ハモンド先生は、お昼をごいっしょしてくださいますのよ」セシル・アクロイド夫人がいった。「ブラント少佐はご存じですわね、ハモンド先生？　それに、お医者さまのシェパード先生です――やはり、かわいそうなロジャーの親しい友人でいらっしゃいます。それから、ええと――」

彼女は口ごもって、エルキュール・ポアロをとまどったように眺めた。

「こちらがムッシュー・ポアロよ、お母さま」フローラがいった。「今朝、話したでしょう」

「ああ！　そうだったわね」セシル・アクロイド夫人はあいまいな口調だった。「わかってますよ、もちろん聞いてるわ。ラルフを見つけてくださるんでしょう？」

「ムッシュー・ポアロは、伯父さまを殺した犯人を見つけてくださるのよ」フローラはいった。

「ああ！　あなたったら」母親は叫んだ。「そんなこと口にしないでちょうだい！　わたし、神経が。今朝は神経が参ってしまって、もうぼろぼろですの。あんな恐ろしいことが起きるなんて。きっと、あれは何かの事故だったにちがいないですわ。ロジャーは風変わりな骨董品を集めるのが趣味でしたから。手が滑ったか何かだったのですわ」

　全員が、その推理を礼儀正しい沈黙で受け止めた。ポアロが弁護士ににじり寄っていき、内緒話でもするように声をひそめて話しかけるのが見えた。二人は隅切窓の方に移動していった。わたしは二人のそばに近づいていった――そこでためらった。

「お邪魔ですね」といった。

「いや、全然」ポアロが温かくいった。「あなたとわたしは、この事件をいっしょに捜査しているんですからね、先生《ムッシュー・ル・ドクトゥール》。あなたがいないと、途方に暮れてしまいます。ハモンド先生から、ちょっとした情報を教えていただこうと思っていたところなんですよ」

「あなたはラルフ・ペイトン大尉のために仕事をなさっているそうですね」弁護士は用心深くいった。

ポアロはかぶりを振った。

「いえ、そうではありません。正義のために調べているのです。ミス・アクロイドに、伯父上の死を調べてほしいと頼まれたものですから」

ハモンド氏はいささか虚を突かれたようだった。

「ペイトン大尉がこの犯罪にかかわっているとは、どうしても信じられないのです」弁護士はいった。「どんなに彼に不利な状況証拠があろうとも。彼がとても金に困っていたという事実だけで――」

「とても金に困っていたのですか？」ポアロがすばやく口をはさんだ。

弁護士は肩をすくめた。

「ラルフ・ペイトンの場合、慢性的に金欠なのです」弁護士はそっけなくいった。「指のあいだから水がこぼれるように、金がなくなってしまう。しじゅう、継父に無心をしていました」

「最近もそうだったのですか？　たとえば、去年も？」

「なんともいえません。アクロイドさんは何もいってませんでしたが」

「わかりました。ハモンド先生、あなたはアクロイド氏の遺言の条項をご存じですね？」

「たしかに。今日、ここに伺《うかが》ったのも、それがおもな用件でした」

「では、わたしがミス・アクロイドのために働いているとなれば、遺言の内容を教えていただくことに異存はありませんね？」

「きわめて簡単な内容です。法律用語もありませんし、いくつかの遺贈と形見分けをして——」

「どのような？」ポアロが口をはさんだ。

ハモンド氏は少し驚いたようだった。

「家政婦のミス・ラッセルに千ポンド。コックのエマ・クーパーに五十ポンド。秘書のジェフリー・レイモンド氏に五百ポンド。それから、さまざまな病院に——」

ポアロが片手を上げた。

「なるほど！　慈善の寄付ですね。それには興味がありません」

「そうでしょうとも。セシル・アクロイド夫人には、一万ポンド相当の株式の配当金が、終生にわたって支払われます。ミス・アクロイドには現金二万ポンド。残りはすべて——この敷地と〈アクロイド・アンド・サン〉社の株式を含めて——養子のラルフ・ペイトンに譲られます」

「アクロイド氏には多額の財産があったのですね」

「莫大な財産がね。ペイトン大尉は若くして、大変な金持ちになるのです」

沈黙が広がった。ポアロと弁護士は顔を見合わせていた。

「ハモンド先生」セシル・アクロイド夫人のうち沈んだ声が暖炉の方から聞こえた。

弁護士は呼びかけに応じて立ち去った。ポアロはわたしの腕をつかむと、窓辺に連れていった。

「あのアイリスを見てごらんなさい」彼はやけに大きな声でいった。「実に見事じゃないですか。まっすぐに伸びて、目を楽しませてくれる」

同時に、腕をつかんだ彼の手に力がこめられるのを感じた。そしてポアロは低い声で、こうつけ加えた。

「本気でわたしの手伝いをしてくれますか？　この捜査に協力してもらえますか？」

「ええ、もちろん」わたしは熱心にいった。「願ったりかなったりです。わたしの毎日がどんなに古くさくて退屈か、あなたには想像もつかないでしょうよ。決まりきったことしか起こらないんですから」

「けっこう、では、これからは仲間同士ですね。さて、もう少ししたら、ブラント少佐がここに来ると思います。夫人といっしょだと、気づまりでしょうからね。ところで、いくつか知りたいことがあるんですよ――ただし、知りたがっているように思われたくないのです。おわかりですか？　つまり、質問するのは、先生の役目です」

「どういう質問をしろと、おっしゃるのですか？」わたしは心配になってたずねた。

「フェラーズ夫人の名前を持ちだしてもらいたいのです」

「それで？」

「それとなく、夫人のことを話題にしてください。ご主人が亡くなったとき、ブラント少佐がこちらにいたかどうか、たずねてみてください。わたしのいわんとすることは、おわかりでしょう。で、彼が答えるときの表情を、気づかれないように観察してください。おわかりですね《セ・コンプリ》？」

　それ以上、打ち合わせをする時間はなかった。というのも、ちょうどそのとき、ポアロが予言したように、ブラントがいつものように唐突に話の輪から離れて、こちらに近づいてきたのだ。

　わたしがテラスでも散歩しましょうと誘うと、彼は承知した。ポアロはあとに残った。

　わたしは足を止めて、遅咲きの薔薇に見入った。

「一日、二日のあいだに、すっかり事情が変わってしまいましたね」わたしはいった。

「水曜にここに来たときも、思い返してみれば、この同じテラスを行ったり来たりしたんです。アクロイドといっしょでした――元気いっぱいだった。そして今は――三日後の今は——気の毒にアクロイドは死んでしまった。フェラーズ夫人も亡くなった——夫人はご存じでしたね？　いや、もちろん知っていらっしゃるはずです」

　ブラントはうなずいた。

「今回こちらに来てから、彼女にお会いになりましたか？」

「アクロイドといっしょに家を訪問した。火曜だったかな。魅力的な女性だ——しかし、なんとなく妙なところがある女性だった。底知れないというか——本当は何を考えているのか、うかがい知れないところがあった」

　少佐の落ち着いた灰色の目をのぞきこんだ。何も読みとれなかった。わたしは先を続けた。

「以前にも、夫人と会っていらっしゃるんでしょう？」

「前回、ここに来たときに——ご主人と、この村で暮らしはじめたばかりだった」ちょっと言葉を切ってから、つけ加えた。「変だな。このあいだ会った夫人は、あの頃に比べてすっかり変わってしまっていた」

「どう——変わったのですか？」

「十歳も老けて見えた」

「ご主人が亡くなったとき、こちらに滞在していらっしゃいましたか？」できるだけさりげなく聞こえるように質問を口にした。

「いや。わたしが耳にした限りでは、いい厄介払いができたらしいな。冷酷ないい方だが、おそらく真実なのだろう」

わたしは同意した。

「アシュレー・フェラーズは、模範的な夫とはいえませんでした」わたしは慎重にいった。

「悪人だと思っていた」とブラントはいった。

「いいえ」わたしはいった。「ただ、金がありすぎたのが、かえってわざわいしただけですよ」

「ああ！　金か！　世の中の問題は、すべて金に行き着くようだな――ありすぎても困るし、なくても困る」

「あなたの場合はどちらでお困りでしたか？」わたしはたずねた。

「必要とするだけの金はあるよ。運がいいんだろう」

「まったくです」

「実をいうと、今は懐具合が寂しくてね。一年前に遺産を相続したんだが、愚かにも口車に乗って、無謀な計画につぎこんでしまったものだから」

わたしは同情して、自分自身の同じような経験を話した。

そのとき、食事を知らせる銅鑼が鳴って、わたしたち全員が昼食の席についた。ポアロはわたしをわきにひっぱっていった。

「どうでした《エ・ビャン》？」

「怪しいところはありませんね。それは確かめられました」

「何ひとつ――気にかかる点はなかったのですか？」

「ちょうど一年前に遺産を相続しています。しかし、それは問題じゃないでしょう？　遺産が入って何が悪いんですか？　あの男は公明正大で、やましいところはこれっぽっちもないと思いますね」

「そうでしょう、そうでしょう」ポアロはなだめるようにいった。「そう、興奮しないで」

駄々をこねる子供にいい聞かせるような口調だった。

わたしたちはぞろぞろとダイニングルームに入っていった。最後にこのテーブルにすわってから、まだ二十四時間もたっていないとは信じられなかった。

食後、セシル・アクロイド夫人がわたしをわきに呼んで、ソファに並んですわった。

「わたし、ちょっと傷ついてますの」彼女はつぶやき、どう見ても涙をふくには向かないハンカチーフをとりだした。「傷ついている、というのは、ロジャーがわたしを信用していなかったことにです。あの二万ポンドは、わたしに残されていいはずです――フローラではなくて。わが子の利益を守ることですもの、母親を信用して任せていただきたいわ。ようするに、信頼されていなかったんです」

「お忘れですね、アクロイド夫人」とわたしはいった。「フローラはアクロイドの実の姪で、血のつながりがあるんです。あなたが義理の妹ではなく実の妹だったら、話はちがっていたでしょうね」

「気の毒なセシルの未亡人として、わたしの気持ちも察していただきたかったですわ」夫人はいって、ハンカチーフをそっと睫毛にあてがった。「でも、ロジャーはお金のこととなると、前からとっても変わっていました――吝嗇とはいいませんけど。わたしもフローラも、とても辛い立場だったんです。かわいそうに、娘にお小遣いもくれなかったんですよ。請求書は払ってくれましたけど、それもさんざん渋ったあげく、どうして、こんなちゃらちゃらしたものをほしがるんだといって――男の方ってそんなものですけど――それにしても――あら、いおうとしたことを忘れてしまいましたわ！ああ、そうそう、自由になるお金は一ペニーたりともなかったんです。フローラはそれを恨んでいました――ええ、はっきり申し上げて、心底、恨んでいましたわ。もちろん、伯父のことは大好きでした。でも、若い女の子なら、誰だって恨みますわよ。ほんと、ロジャーはお金のことになると、とっても変わった考え方をする人だったんです。わたしが古いタオルには穴があいているといっても、新しいフェイスタオルさえ買おうとしないんですよ。おまけに」セシル・アクロイド夫人との会話ではしじゅう起きることだったが、いきなり話が飛躍した。「あんなにたくさんのお金を――いいですか、千ポンドですよ、千ポンド！――あの女に残すなんて」

「どの女ですか？」

「あのラッセルですわ。彼女はとても変わっているんです、わたし、常々いってたんですけど。でも、ロジャーは彼女の悪口には耳を貸そうとしなかったんです。とてもしっかりした女性だ、感服しているし賞賛しているといって。しょっちゅう、あの女は正直だ、自立心がある、たいした道徳観念の持ち主だとほめてばかりでした。わたしにいわせれば、あの人にはちょっとうさんくさいところがありますよ。ロジャーと結婚しようとして、必死になっていたことはまちがいありませんわね。でも、わたしはすぐにそれをあきらめさせましたけど。それであの女はずっとわたしを憎んでるんです。当然ですわ。自分の企んでいることを見抜かれたんですから」

わたしはチャンスがあれば、セシル・アクロイド夫人のおしゃべりを遮り、さっさと逃げだそうと考えはじめた。

ちょうどハモンド氏が別れの挨拶にやって来て、夫人の注意をそらしてくれた。その機会に乗じて、わたしも立ち上がった。

「検死審問のことですが」とわたしは切りだした。「どこで開きましょうか？　ここですかね、それともスリー・ボアーズ館？」

夫人は唖然とした顔で、わたしを見つめた。

「検死審問ですって？」彼女は驚愕もあらわにいった。「でも、審問なんて開く必要はありませんでしょう？」

ハモンド氏は小さな空咳をすると、つぶやいた。「避けられないですな。この状況ですと」とふたことで、きっぱりと断定した。

「でも、シェパード先生にお願いして、どうにか――」

「どうにかしようにも、わたしの力にも限界がありますので」わたしはそっけなくいった。

「ロジャーの死が事故だったら――」

「殺されたんですよ、アクロイド夫人」わたしはぶしつけにいった。

彼女は小さな悲鳴をあげた。

「事故死説など、一瞬たりとも考えられませんね」

セシル・アクロイド夫人は困り果てたようにわたしを見つめた。わたしは、不愉快なことをむやみに怖がる夫人の態度に我慢できなかった。

「もし検死審問が開かれたら――わたし――わたしは尋問に答えなくてもよろしいんでしょう？」夫人はたずねた。

「どういうことが必要になるかは、わかりかねます」わたしはいった。「レイモンドくんがあなたの負担を軽くしてくれるんじゃないかと思いますよ。彼は状況をすべて把握しているし、形式的な身元確認の証言もできるでしょうから」

弁護士は同意して、軽くうなずいた。

「何も恐れることはありませんよ、アクロイド夫人」弁護士はいった。「不愉快なことには、一切わずらわされずにすむと思いますよ。さて、お金の件ですが、当座に必要なだけありますか？」夫人がいぶかしげな顔をしたので、弁護士はつけ加えた。「つまり、手元のお金、現金ですよ。お持ちでなければ、必要なだけご用意できますよ」

「間に合うと思います」そばに来ていたレイモンドがいった。「アクロイドさんはきのう、百ポンドの小切手を現金に換えていますから」

「百ポンド？」

「ええ。使用人の給料と、今日支払わねばならない費用のために。今のところ、手つかずです」

「そのお金はどこにあるのですか？　デスクの中ですか？」

「いいえ、現金はいつも寝室に置いていらっしゃいました。正確にいうと、カラーをしまう古い入れ物の中に。おかしな思いつきですね？」

「失礼する前に、そのお金がちゃんとあることを確認した方がいいかと思いますが」弁護士はいった。

「おっしゃるとおりです」秘書は同意した。「ご案内しましょう――おっと！　忘れていた。ドアに鍵がかかっていたんだ」

パーカーにたずねると、ラグラン警部は家政婦の部屋で、補足的な質問をしているということだった。数分後、警部は鍵を手に、玄関ホールにいる一同のところに現われた。

警部がドアを開けると、わたしたちは控えの間を通って、狭い階段を上がっていった。階段を上りきったところがアクロイドの寝室だったが、ドアは開けっ放しになっていた。カーテンが閉まっていて室内は暗く、昨夜とまったく同じようにベッドカバーが折り返されている。警部がカーテンを開けて、日の光を入れた。ジェフリー・レイモンドは、ローズウッドの整理だんすの最上段の引き出しに手を伸ばした。

「そういうふうに鍵もかけない引き出しに、現金をしまっておいたんですね。あきれますな」警部が意見をいった。

秘書は顔を紅潮させた。

「アクロイドさんは使用人全員を心から信頼していたんです」熱くなっていった。

「いや、そうでしょうとも！」警部はあわてていった。

レイモンドは引き出しを開け、奥から革でできた円形のカラー入れをとりだした。蓋を開けて、厚みのある財布をひっぱりだす。

「ほら、ここに」といって、分厚い札束をとりだした。「ぴったり百ポンドあるはずです。ゆうべ、アクロイドさんはディナーのために着替えをしているときに、ぼくの目の前でカラー入れにしまったんです。もちろん、それから誰も手を触れていません」

ハモンド氏は札束を受けとり、勘定した。さっと顔を上げた。

「百ポンドとおっしゃいましたね。しかし、ここには六十しかない」

レイモンドは茫然として弁護士を見つめた。

「まさか、そんな」秘書は叫んで、はじかれたように進み出た。弁護士の手から札束をとると、声を出して数えた。

ハモンド氏のいうとおり、総額は六十ポンドだった。

「しかし——どういうことなんだ」秘書はうろたえて叫んだ。

「昨夜、アクロイドさんがディナーの着替えをしているときに、この金をしまうのを見たんですね？　すでにアクロイドさんがここから支払いをすませていた、ということはないんですか？」

「それはないはずです。こういってましたから。〝ディナーの席に百ポンドも持っていきたくない。ポケットがふくらみすぎるからな〟」

「では、いたって簡単です。昨夜そのあとで、アクロイド氏が四十ポンドを誰かに支払ったか、盗まれたか、どちらかです」とポアロがいった。

「簡単明瞭な問題ですな」警部も同意した。彼はセシル・アクロイド夫人の方を向いた。

「きのうの夜、ここに入ってきた使用人は誰ですか？」

「部屋係のメイドがベッドカバーをめくりに来たと思いますけど」

「何というメイドですか？　氏素性についてご存じですか？」

「エルシー・デイルはこちらに来てまもないんです」夫人はいった。「でも、人のいい、ありふれた田舎娘ですわ」

「この問題はきちんと解決しなくてはなりませんな」警部はいった。「アクロイドさん本人がその金を支払ったのなら、事件の謎と関連しているのかもしれない。奥さまの知る限り、他の使用人はちゃんとしていますか？」

「ええ、そう思いますけど」

「これまでに何か紛失したことは？」

「ありません」

「誰かが辞めるとか、そういうことはありませんか？」

「雑用係のメイドが暇をとることになってます」

「いつですか？」

「きのう、いいだしたんだと思いますわ」

「あなたに？」

「あら、まさか。わたしは使用人のことには一切、関わっていませんから。家事のことは、ミス・ラッセルがとり仕切っています」

しばらく警部は考えこんでいた。それからうなずくと、こういった。「ミス・ラッセルと話した方がよさそうですな。それから、デイルという娘とも」

ポアロとわたしは警部といっしょに家政婦の部屋に行った。ミス・ラッセルは、いつものように冷静にわたしたちを出迎えた。

エルシー・デイルはファンリー・パークで働くようになってから五カ月だった。仕事の覚えも早くて、とてもきちんとした、いい娘である。りっぱな推薦状もあった。人様のものに手を出すようなことは、絶対にしそうもない娘である。

雑用係のメイドはどうか？

「彼女もすばらしい娘です。物静かで、しとやかで。仕事ぶりも非の打ち所がありません」

「では、どうして辞めるんですか？」警部はたずねた。

ミス・ラッセルは唇を尖らせた。

「わたしが決めたことではないんです。きのうの午後、アクロイドさんが彼女の不始末を発見したと聞いてます。書斎の掃除はあの子の仕事なのですが、デスクの書類をごちゃごちゃにしてしまったらしくて。アクロイドさんはそれにとても立腹なさって、彼女はお暇を願い出たのです。少なくとも、あの子からはそう聞いていますが、たぶん、直接、本人におたずねになった方がよろしいでしょうね」

警部は了承した。その娘は昼食のときに給仕をしてくれたので、わたしはすでに顔を知っていた。すらりと背の高い娘で、豊かな茶色の髪をきっちりとうなじでまとめ、冷静そのものの灰色の目をしていた。家政婦に呼ばれて部屋に入ってきた娘は、背筋をぴんと伸ばして立ち、その灰色の目をわたしたちに向けた。

「アーシュラ・ボーンだね？」警部がたずねた。

「はい、そうです」

「辞めるそうだが」

「はい」

「どうしてだね？」

「アクロイドさまのデスクの書類を乱してしまったんです。とてもお怒りになられたので、お暇をいただきたいと申し出ました。アクロイドさまは、できるだけ早く出ていくようにとおっしゃいました」

「ゆうべ、アクロイドさんの寝室に入ったかね？　片付けか何かで？」

「いいえ。それはエルシーの仕事ですから。わたしはあの部屋には近づいたこともありません」

「はっきりいっておくが、いいかね、アクロイドさんの部屋から多額の現金が紛失しているんだ」

ようやく、彼女が感情をあらわにするのを目にした。顔がみるみる赤く染まった。

「お金のことなど何も知りません。わたしがとったので、アクロイドさまがクビにしたとお考えなら、まるで見当ちがいです」

「きみがとったといっているわけじゃないよ、お嬢さん」警部はいった。「そうカッカしないで」

娘はひややかに警部を見つめた。

「よろしかったら、わたしの持ち物を調べてください」彼女は軽蔑したようにいった。「でも、何も見つからないでしょうけど」

ポアロがいきなり口をはさんだ。

「アクロイド氏があなたを解雇したのは——あるいは、自分から暇を願い出たのは、きのうの午後でしたね？」

娘はうなずいた。

「その話し合いはどのぐらいかかりましたか？」

「話し合い？」

「ええ、あなたとアクロイド氏が書斎で話し合ったときのことです」

「わ、わかりません」

「二十分？　三十分？」

「そんなものです」

「もっと長くはなかった？」

「三十分以上ではなかったと思います」

「ありがとう、マドモアゼル」

わたしはしげしげとポアロを眺めた。彼はテーブルのいくつかの品を、几帳面にまっすぐ置き直していた。彼の目はきらめいていた。

「もうけっこうだ」警部がいった。

アーシュラ・ボーンは出ていった。警部はミス・ラッセルの方を向いた。

「あの娘はこちらに来てからどのぐらいですか？　推薦状の写しをお持ちですか？」

ミス・ラッセルは最初の質問に答えずに、すぐそばの書類机に近づき引き出しを開けて、新案の書類ばさみにとじられた手紙の束をとりだした。そこから一通を選びだすと、警部に手渡した。

「ふうむ」と警部はいった。「ちゃんとしているようだ。リチャード・フォリオット夫人、マービー村マービー農場。この女性はどなたですか？」

「りっぱな地主の奥さまです」ミス・ラッセルはいった。

「なるほど」と警部は手紙を返した。「もう一人に会いましょう、エルシー・デイルに」

エルシー・デイルは大柄な金髪の娘で、感じはいいが、少々おつむの足りない顔つきをしていた。わたしたちの質問にはためらうことなく答え、金の紛失に対してはおおいに気の毒がり、心配した。

「あの娘にはどこも不審な点はないと思いますね」彼女を解放すると、警部はいった。

「パーカーはどうかな?」

ミス・ラッセルは唇をすぼめたきり、返事をしなかった。

「あの男には、どこかうさんくさいところがある気がするんだ」警部は考えこみながら言葉を続けた。「ただ、彼には機会があったとは思えない。夕食直後は仕事に追われていただろうし、夜じゅう、しっかりしたアリバイがある。特別に念を入れて調べたので、それはまちがいない。いや、どうもありがとう、ミス・ラッセル。とりあえず、金の問題はこのままにしておきましょう。アクロイドさんが使ったという可能性も、十分に考えられますからね」

家政婦がそっけなく挨拶したので、わたしたちは部屋から出た。

わたしはポアロといっしょに屋敷をあとにした。

「ちょっと思ったんですが」とわたしは沈黙を破った。「アクロイドがそこまで怒ったという、あの娘が散らかしてしまった書類はどういうものだったのでしょうね? そこに謎の手がかりが潜んでいるかもしれませんよ」

「秘書の話では、デスクの上に特別重要な書類はなかったそうです」ポアロは静かにいった。

「ええ、でも――」わたしは口ごもった。

「そんな些細なことでアクロイド氏がそこまで立腹したのが、あなたの目には奇異に映るんでしょう？」

「ええ、そうなんです」

「しかし、本当に些細な問題だったのでしょうか？」

「もちろん、それがどんな書類かわかりませんよ」とわたしは認めた。「ですが、レイモンドくんがはっきりいっているように――」

「ムッシュー・レイモンドのことはとりあえず置いておきましょう。あの娘をどう思いましたか？」

「どの娘ですか？　雑用係の方ですか？」

「ええ、そちらです。アーシュラ・ボーン」

「いい子のように思えましたが」わたしはとまどいながらいった。

ポアロはその言葉を繰り返したが、わたしが〝いい子〟にわずかにアクセントを置いたのに対して、彼は〝のように〟を強調した。

「いい子のように思えた――たしかに」

それから、ポアロはちょっと口をつぐんでいたが、何かをポケットからとりだして、わたしに渡した。

「ねえ、わが友よ、お見せしたいものがあります。そこをごらんなさい」

渡された紙は、今朝、警部が作成し、ポアロに渡したものだった。彼が指さしているところを見ると、アーシュラ・ボーンの名前のわきに、鉛筆で小さな×印がついていた。

「あのときは気づかなかったかもしれませんがね、わが友よ、このリストの中に、一人だけ確実なアリバイのない者がいるんです。アーシュラ・ボーンです」

「まさかあなたは彼女が――」

「シェパード先生、わたしはあらゆることを考慮に入れるのです。アーシュラ・ボーンがアクロイド氏を殺したのかもしれない。だが、彼女がやったとなると、動機がまったく見あたりません。あなたはどう思いますか？」

彼は食い入るようにわたしを見つめた――あまりじっと見つめられて、居心地が悪くなったほどだ。

「どう思いますか？」彼は繰り返した。

「動機はまったく考えられませんね」わたしはきっぱりと答えた。

彼の視線は和らいだ。顔をしかめて、ひとりごとをつぶやいている。

「脅迫者は男性でした。となると、彼女は脅迫者でありえません。そして――」

わたしは咳払いした。

「そのことですが――」わたしは自信なさげにいいかけた。

彼はくるりと振り向いた。

「え？　何をいおうとしていたんですか？」

「別に、たいしたことじゃありません。ただ、厳密にいえば、フェラーズ夫人は手紙の中で、〝ある人物〟といっていたんです――男とは特定していませんでした。ただ、アクロイドとわたしは当然、それが男だろうと考えたんです」

ポアロはわたしの話など聞いていないようだった。また何かぶつぶついいはじめた。

「だが、結局、そういう可能性はあります――うん、まちがいなく可能です――ただ、そうなると――ああ！　考えを練り直さなくてはなりません。体系的方法、秩序、今回ほどそれらが必要になったことはありません。すべてがぴったりあてはまらなくてはならないのです――しかるべき場所におさまらなくては――さもなければ、まちがった方向にそれてしまいます」

言葉を切り、また、わたしの方を向いた。

「マービー村はどのあたりですか？」

「クランチェスターの先です」

「遠いのですか？」

「ああ！――十四マイルぐらいでしょう、たぶん」

「そこに行っていただけないでしょうか？　明日にでも？」

「明日？　ええと、日曜ですね。ええ、都合をつけられると思います。向こうで何をするんですか？」

「このフォリオット夫人に会ってほしいのです。アーシュラ・ボーンについて、探りだせる限りのことを探りだしてきてください」

「わかりました。でも――あまり気が進まない仕事ですね」

「文句をいっている場合じゃありませんよ。一人の男の命がかかっているんですから」

「気の毒なラルフ」わたしは嘆息した。「でも、あなたは彼が無実だと信じていらっしゃるんでしょう？」

ポアロはわたしをとても深刻な表情で見つめた。

「真実を知りたいですか？」

「当然です」

「では、お聞かせしましょう。わが友よ、あらゆることが、彼が有罪であるという説を指し示しているのです」

「なんですって！」わたしは叫んだ。

ポアロはうなずいた。

「ええ、あの愚かな警部は――愚かさゆえに――あらゆる証拠がラルフを指し示すようにねじ曲げています。わたしが求めているのは真実です――すると真実を探りだすたびに、それもまたラルフ・ペイトンを指し示すのです。動機も、機会も、手段も。しかし、わたしは徹底的に調べるつもりです。マドモアゼル・フローラにそうお約束しましたから。それに、あのお嬢さんはペイトン大尉の潔白を固く信じていました。これっぽっちも疑っていませんでした」

11　ポアロの訪問

　翌日の午後、マービー農場のドアベルを鳴らしたとき、いささか不安になっていた。ポアロが何を見つけてもらいたがっているのか、どうも腑に落ちなかったのだ。彼はわたしにこの仕事を任せた。なぜだ？　ブラント少佐に質問をしたときのように、表に出たくないからだろうか？　ブラントの件ではその意図も理解しやすかったが、今回は無意味のように思えた。

　こざっぱりしたメイドが現われたので、わたしの物思いは中断された。

　フォリオット夫人は在宅だということだった。わたしは広い応接間に通され、家の女主人を待ちながら、室内を興味深げに見回した。広いがらんとした部屋で、上等な古い陶器と美しいエッチングが飾られていたが、ソファカバーとカーテンはみすぼらしかった。あらゆる点で、女性向けの部屋だった。

　壁のバルトロッツィのエッチングを眺めていると、フォリオット夫人が部屋に入ってきた。長身の女性で、茶色の髪は整えてなく、愛嬌たっぷりの笑みを浮かべていた。

「シェパード先生でよろしいのかしら」彼女はためらいがちにいった。

「ええ、はじめまして」とわたしは応じた。「突然お邪魔して申し訳ありませんが、以前そちらで雇っていらした雑用係のメイドについて、いくつかお聞きしたいのです。アーシュラ・ボーンという娘です」

その名前を口に出したとたん、夫人の顔から微笑がかき消え、温かい態度は凍りついた。夫人は不安そうな、落ち着かない様子になった。

「アーシュラ・ボーンですって？」夫人はためらいがちにたずねた。

「ええ。もしやその名前にご記憶がありませんか？」

「ああ、いえ、そんなことは。ちゃんと――覚えてます」

「一年少し前にこちらを辞めてますね？」

「ええ。そう、そうでした。そのとおりですわ」

「それで、彼女がこちらで働いていたときには、満足なさっていたんですね？　ところで、どのぐらいこちらにいたのでしょう？」

「ああ！　一年か二年です――はっきり覚えてませんけど。あの子は――とても有能でした。きっとあなたもご満足いただけると思いますわ。ファンリー・パークから暇をと

ると は知りませんでした。思ってもみませんでした」

「あの娘のことで、ご存じのことを教えていただけませんか？」わたしは頼んだ。

「あの娘のことといいますと？」

「ええ、出身とか、家族のこととか――そういったことを」

フォリオット夫人の表情が、さらにひややかになった。

「まったく存じません」

「こちらに来る前は、どなたのところで働いていたんですか？」

「残念ですけど、覚えてませんわ」

今では不安の陰に、怒りが見え隠れしていた。夫人はなんとなく見覚えのある仕草で、頭をぐいっとそらした。

「こういう質問をする必要が本当にありますの？」

「いいえ、全然」驚きと謝罪の気持ちをこめていった。「こうした質問がお気に障るとは、思ってもみなかったのです。大変に失礼しました」

怒りは鎮まり、彼女はまた困惑した顔つきになった。

「あら、気に障ってなんかいませんわ。本当です。気に障るわけがないでしょう？　ただ――ちょっと奇妙に感じられただけ。それだけですわ。ちょっと変な気がしたんです」

医者をやっている利点のひとつは、相手が嘘をついていると、たいていわかるということだ。だから、他のことはさておき、フォリオット夫人の態度から質問に答えたがっていない――それもひどく嫌がっているということを、すぐに察するべきだった。夫人はすっかり落ち着きをなくし、そわそわしていた。明らかに、その陰には謎が隠されているにちがいなかった。夫人はごまかすことに慣れていない女性のようだったので、嘘をつかねばならない羽目になって、ひどく動揺してしまったのだ。子供でも、彼女の心中を見抜けただろう。

だが、これ以上、ひとこともいわないつもりであることも、明らかだった。アーシュラ・ボーンを巡る謎がどんなものであれ、フォリオット夫人からは聞きだせないだろう。

敗北感に打ちのめされながら、わたしは彼女をわずらわせたことを改めて詫び、帽子を受けとって家を出た。

二人の患者を往診してから、六時頃に家に帰ってきた。キャロラインは使ったお茶のセットを出しっぱなしにしたまま、テーブルの前にすわっていた。姉はこみあげる勝利感を抑えようとしているようだった。それはわたしがいやというほど知っている表情で、まちがいなく、情報を手に入れたか、広めたかした証拠だ。どちらだったのだろう、と思った。

「とても楽しい午後を過ごしていたのよ」キャロラインはいいだした。わたしは専用の安楽椅子にすわりこみ、暖炉で燃えさかっている暖かい炎の方に足を伸ばした。

「へえ。ミス・ガネットがお茶に来たのかな?」

ミス・ガネットはわが村の噂好きの中心メンバーの一人だった。

「はずれ。もう一度いわせてあげるわ」満足しきった様子でキャロラインはいった。

わたしはキャロラインの諜報局のメンバーをゆっくりと順番に思い返しながら、何人かの名前をあげていった。姉は名前を聞くたびに、勝ち誇ったように首を横に振った。

ついに、彼女は自分からその名前を教えてくれた。

「ムッシュー・ポアロよ! さあ、ご感想は?」

わたしの頭にはさまざまなことが浮かんだが、キャロラインの前ではいわないように気をつけた。

「どうして訪ねてきたんだろう?」わたしはたずねた。

「もちろん、わたしに会うためよ。あなたをよく知っているので、彼の魅力的なお姉さま――あら、まちがえた、あなたの魅力的なお姉さまね――とも、ぜひお近づきになりたいといわれたの。ごちゃごちゃになっちゃったけど、いいたいことはわかるでしょ」

「何を話していったんだい？」

「ご自分のことや事件について、いろいろ話してくださったわ。モーリタニアのポール皇太子は知っているでしょう──ダンサーと結婚したばかりの人よ」

「それで？」

「このあいだ《社交界の噂話》で最高におもしろい記事を読んだのよ。お相手のダンサーが実はロシアの皇女だってほのめかしていたの──ボルシェヴィキの手をかろうじて逃げた皇帝の娘の一人なんですって。で、ムッシュー・ポアロは、その二人を巻きこんだぞっとするような殺人事件の謎を解決したらしいのよ。ポール皇太子は熱烈に感謝したんですって」

「皇太子は、チドリの卵ぐらいのエメラルドのタイピンを贈ったんだろうね？」わたしはからかった。

「そのことは何もいってなかったわ。どうして？」

「なんでもないよ。話のオチはいつもそんなものかな、と思ったんだ。ともかく、探偵小説の中ではね。名探偵の部屋には、王族のクライアントから感謝のしるしに贈られたルビーや真珠やエメラルドがごろごろしているものなんだ」

「ああいう事件の内幕を聞くのは、とってもおもしろいわ」姉は悦に入っていた。

そうだろう――キャロラインにとっては。ムッシュー・エルキュール・ポアロの巧妙さには、舌を巻かないわけにいかなかった。数ある事件の中から、小さな村に住む年配女性の心をもっとも惹きつけそうなものを、寸分の狂いもなく選びだしたのだから。

「ダンサーが実は皇女だったと、教えてくれたかい？」わたしはたずねた。

「それは口外してはいけないことになっているの」キャロラインはもったいぶっていった。

ポアロはキャロラインに話すときに、どこまで事実を誇張したのだろうと思った――たぶん、事実をねじ曲げたりはしなかったのだろう。ただ、眉をつりあげたり肩をそびやかしたりして、さまざまなほのめかしをつけ加えたのだ。

「そういう話を聞かせてもらったおかげで、姉さんはすっかり彼に手なずけられて尻尾を振っているというわけだ」

「下品なことといわないで、ジェームズ。そんな低俗ないいまわしをどこで覚えてくるの？」

「たぶん唯一の外界とのつながり――患者からだろうね。不幸にも、ぼくの患者は、王族でも興味深いロシアの亡命貴族でもないからね」

キャロラインは眼鏡を押し上げて、わたしをじろじろ見た。

「ずいぶん機嫌が悪いみたいね、ジェームズ。きっと肝臓のせいだわ。今夜は青い錠剤をお飲みなさいね」

自宅での様子を見たら、わたしが医者だとは誰も思わないだろう。家庭では、キャロラインが自分の分もわたしの分も薬を処方しているのだ。

「肝臓なんてどうでもいい」わたしはいらだたしげにいった。「殺人事件のことも話したんだよね？」

「ええ、当然でしょ、ジェームズ。他に地元の話題なんてある？　わたし、ムッシュー・ポアロの勘違いをいくつか指摘してあげたのよ。とっても感謝していたわ。生まれながらに探偵になれる素質を備えている、ってほめてくれて――しかも、人間性に対してずばぬけた心理的洞察力があるって」

キャロラインは、おいしいクリームをたっぷりなめた猫のようだった。まさに喉を鳴らさんばかりだったのだ。

「灰色の脳細胞とその働きについて、さんざん話していったわ。彼の脳細胞は、一級品なんですって」

「あの男ならそういうだろうとも」わたしは苦々しげにいった。「謙遜というのは、あの人とは無縁の資質だからね」

「そんないい方しないでほしいわ、ジェームズ。ムッシュー・ポアロはラルフをできるだけ早く発見して、出頭させ、自分から進んで弁明させることがとても重要だとおっしゃってたわ。行方不明になっていることは、検死審問でとても悪い印象を与えるっていうの」

「で、それに対して姉さんはどういったんだい？」

「賛成したわ」キャロラインはえらそうな口ぶりでいった。「それに、もうみんなが、そのことで噂をしているって教えてあげたのよ」

「キャロライン」わたしは厳しい口調でたずねた。「あの日、森の中で立ち聞きしたことをムッシュー・ポアロにしゃべったのか？」

「そうよ」得意げに答えた。

わたしは立ち上がって歩き回りはじめた。

「自分のしていることがわかっているのかい？」こわばった声でいった。「姉さんは今、その椅子にのんびりとすわっているけど、ラルフ・ペイトンの首に絞首刑のロープを巻きつけたも同然なんだよ」

「あら、まさか」キャロラインは動じる様子もなかった。「あなたがムッシュー・ポアロにまだ話していないので、びっくりしたほどよ」

「注意して、口を滑らせないようにしてたんだ。あの青年を好きだからね」

「わたしだってそうだわ。だから、あなたのいってることはたわごとだというのよ。わたしはラルフがやったなんて信じてない。だから真実が彼に不利になるはずがないし、ムッシュー・ポアロにはできるだけ情報を伝えるべきじゃないかしら。ねえ、考えてごらんなさい、あの殺人の夜だって、ラルフは例の女の子と出かけていたにちがいないわ。だとしたら、彼には完璧なアリバイがあるのよ」

「完璧なアリバイがあるなら」とわたしはいい返した。「どうして出てきて、釈明しないんだ？」

「その女の子が厄介なことになるからよ」キャロラインは知ったかぶりでいった。「でも、ムッシュー・ポアロがその女の子を突き止めて、それが彼女の義務だと説得すれば、その子も自発的に名乗り出てラルフの容疑を晴らすんじゃないかしら」

「勝手にロマンチックなおとぎ話を作り上げているんだね。くだらない小説の読みすぎだよ、キャロライン。いつもそういってるのに」

わたしはまた椅子に腰をおろした。

「ムッシュー・ポアロは他にも何か聞かなかった？」わたしはたずねた。

「あの朝、あなたが診察した患者さんのことだけ」

「患者？」耳を疑いながら問い返した。

「ええ、外来の患者さん。人数や、誰が来たかって」

「姉さんはそれに答えられたのかい？」

キャロラインはときに仰天するようなことをやってのける。

「当然でしょ」姉は得意満面でいった。「この窓から、診察室に通じる小道がはっきり見えるんだもの。それに、わたしは記憶力が抜群なの、ジェームズ。はっきりいって、あなたよりもいいわ」

「たしかにそうだ」わたしは機械的に相槌を打った。

姉は指を折って名前をあげていった。

「ベネットのおばあさんでしょ、それに指を痛めた農場の青年、指から針を抜いてもらったドリー・グライス。それから定期船のアメリカ人スチュワード。ええと——これで四人ね。ええ、それと潰瘍持ちのジョージ・エヴァンス老人。そして最後に——」

キャロラインは思わせぶりに言葉を切った。

「最後に？」

キャロラインは勝ち誇ったようにクライマックスにもっていった。しかも、都合のいいことにSの音がたくさんあったので、お得意のひそひそ声の効果が増大した。

「ミス・ラッセルよ！」

椅子に背中を預けると、わたしを意味ありげに眺めた。そういう目つきでキャロラインが見るときは、とぼけることは不可能だった。

「何をいいたいのかわからないな」まるっきり嘘というわけではなかった。「ミス・ラッセルが膝が痛むといって診察を受けに来ても、おかしくないだろう？」

「膝が痛むねえ。馬鹿馬鹿しい！　あなたやわたしと同じで、膝なんてこれっぽっちも悪くないわよ。何か別の狙いがあったんだわ」

「どんな？」

それはわからない、とキャロラインは白状せざるをえなかった。

「でも、絶対に、狙いはそれだと思うわ――ムッシュー・ポアロの狙いは。あの女にはどこかうさんくさいところがあるって、彼も感じているのよ」

「きのう、セシル・アクロイド夫人がいった言葉とまったく同じだよ。ミス・ラッセルにはどこかうさんくさいところがある、といってた」

「あらそう！」キャロラインは刺のある口調でいった。「アクロイド夫人ね！　もう一人いたわ！」

「もう一人って？」

キャロラインはその言葉を説明しようとしなかった。ただ数回うなずくと、編み物をくるくると巻きとり、ディナー用の正装と呼んでいる上等なモーヴ色のシルクのブラウスに着替えて、金のロケットをつけるために、二階に上がっていった。

わたしはそのまま暖炉の火に見入りながら、キャロラインの言葉を思い返してみた。ポアロは本当に、ミス・ラッセルについて情報を手に入れるために訪ねてきたのだろうか？　それとも、あらゆることを自分の考えにあてはめて解釈したがるキャロラインが、勝手にそう思っているだけなのだろうか？

あの朝、ミス・ラッセルの態度には、疑いをかきたてるようなところはまったくなかった。少なくとも――

彼女が麻薬中毒の話題を執拗に持ちだしたことを思い出した――そこから、毒薬と毒殺に話題を向けたのだ。しかし、別にどうということはなかった。アクロイドは毒殺されたのではない。ただ、妙ではあった……

キャロラインの声が聞こえた。いささかいらだった口調で、階段の上から叫んでいる。

「ジェームズ、ディナーに遅れるわよ」

暖炉に石炭をつぎたすと、おとなしく二階に上がっていった。

家庭の平和は、どんなことをしても守るべきだ。

12　テーブルを囲んで

合同検死審問は月曜日に開かれた。

審問の詳細を報告するつもりはない。同じ内容を繰り返し書くことになるだけだからだ。警察との打ち合わせで、ごくわずかな事実しか公表されなかった。わたしは、アクロイドの死因と死亡推定時刻について証言した。ラルフ・ペイトンが欠席していることは検死医によって報告されたが、特別に強調されることもなかった。

審問後、ポアロとわたしはラグラン警部と言葉を交した。警部は非常に深刻そうだった。

「まずい状況ですな、ムッシュー・ポアロ。わたしは事件をきわめて公正に判断しようとしているんですよ。地元の人間ですし、クランチェスターで何度もペイトン大尉と会っていますから、彼を罪人にしたくないんです――だが、どこから見ても不利な状況ですよ。無実なら、どうして姿を見せないんです？　彼に不利な証拠はありますが、それだってきちんと説明がつくことかもしれない。だが、どうして釈明しようとしないんでしょう？」

警部の言葉の裏には、そのときわたしが知らなかった事情が隠されていたのだ。ラルフの人相書が、イギリスじゅうの港という港、駅という駅に手配されていたのだ。警察はいたるところで警戒の目を光らせていた。ロンドンの彼の部屋も、頻繁に立ち寄っていることが判明しているいくつかの場所も見張られていた。これだけの非常線を張られていては、ラルフが隠れたままでいるのは不可能に思えた。彼は荷物も持ちだしていなかったし、知る限りでは、金も持っていなかった。

「あの夜、駅で彼を見かけたという人間を見つけられないんです」警部は言葉を続けた。「このあたりでは彼の顔は知られていますから、誰かが気づいていてもよさそうなものなんですが。リヴァプールからもまったく情報がありません」

「リヴァプールに行ったとお考えなんですか？」ポアロが質問した。

「ええ、おそらく。駅からの電話がかかってきたのは、リヴァプール行きの急行が出発するちょうど三分前なんです——そこになんらかの関連性があるはずですよ」

「警察の捜査を攪乱させようという意図でない限りは。もしかしたら、電話はそれが狙いだったのかもしれませんよ」

「そういう考え方もできますな」警部は意気込んでいった。「本当に、それがあの電話の理由だと思いますか?」

「わが友よ」ポアロは重々しくいった。「それはわかりません。しかし、これだけは申し上げておきましょう。あの電話の説明がつけば、事件は解決されるでしょう」

「以前にもそういうことをおっしゃっていましたね。記憶にあります」わたしはいって、彼を不思議そうに眺めた。

ポアロはうなずいた。

「毎回そこに戻ってくるのです」真剣な口調でいった。

「まったく見当違いに思えますが」とわたしはきっぱりいった。

「そこまではいいませんが」と警部が異を唱えた。「しかし、こちらのムッシュー・ポアロも、少々こだわりすぎだとは思いますね。もっといい手がかりをつかんでいますよ。たとえば、短剣の指紋とか」

ポアロは何かに興奮したときの癖で、いきなりひどい外国訛でしゃべりはじめた。

「警部《ムッシュー・ランスペクトール》さん。気をつけてくださいよ、その袋の――袋の――なんていうんでしたっけ《コマン・ディール》?――突き当たりになってる小さな道のことです」

ラグラン警部はぽかんとして見つめていたが、わたしの方が頭の回転が速かった。

「袋小路のことをいってるんですね？」

「それです——袋小路はどこにも行けません。あの指紋も同様——どこにも行き着けないかもしれませんよ」

「そういうことになるとは思えませんが」警部はいった。「あれが偽物だとおっしゃっているんですか？　そういうことは本で読んだことがありますが、実際に経験したことはありませんね。しかし偽物であろうと本物であろうと——どこかには行き着くはずです」

　ポアロはただ両腕を大きく広げて、肩をすくめただけだった。

　警部はそこでさまざまな指紋の拡大写真を見せてくれ、蹄状紋や渦状紋について専門的な講釈をした。

「ねえ、いいですか」ポアロがあまりにも無関心な態度なので、警部はとうとうしびれを切らしていった。「この指紋は、あの夜、屋敷内にいた何者かによってつけられた、それは認めないわけにいかないでしょう」

「もちろん《ビヤン・ナンタンデュ》」ポアロはうなずきながらいった。

「そこで、家庭内の全員の指紋をとったんです、いいですか、老婦人からキッチンメイドにいたるまで全員の指紋を」

セシル・アクロイド夫人は老婦人と呼ばれて、いい気分はしないだろうと思った。彼女は化粧品にかなりの金をかけているにちがいなかったからだ。

「全員のです」警部はしつこく繰り返した。

「わたしのもね」わたしはそっけなくいった。

「そのとおり。誰も一致しませんでした。これでふたつの選択肢が残されました。ラルフ・ペイトンか、先生がいっていた謎の人物か。この二人を見つければ――」

「多くの貴重な時間がむだになるでしょう」ポアロが口をはさんだ。

「おっしゃる意味がわかりませんが、ムッシュー・ポアロ」

「家じゅうの人間の指紋をとったとおっしゃいましたね」ポアロはつぶやいた。「それは正確な事実ですか、警部さん《ムッシュー・ランスペクトゥール》？」

「そうです」

「誰一人見落としていませんか？」

「見落としはありません」

「生者も死者も？」

一瞬、警部は宗教的なことをいわれたのかと思って、困惑の表情を見せた。それから、のろのろと答えた。

「というと――?」

「死者ですよ、警部さん《ムッシュー・ランスペクトゥール》」警部が理解するまでに、さらに一、二分かかった。

「わたしが申し上げているのは」とポアロは落ち着き払っていった。「短剣の柄についた指紋は、アクロイド氏本人のものかもしれないということです。確認するのは簡単です。遺体はまだそのままになっていますから」

「だけど、なぜですか? それにどういう意味があるんです? 自殺をほのめかされているんではないでしょうね、ムッシュー・ポアロ?」

「おお! ちがいます。殺人者は手袋をはめていたか、手に何かを巻いていたのだと思います。犯行のあと、彼は被害者の手をとって、短剣の柄を握らせたのです」

「でも、なぜ?」

ポアロはまた肩をすくめた。

「混乱した事件をいっそう混乱させるためです」

「なるほど」と警部。「調べてみます。そもそも、どうしてそんなことを思いついたんですか?」

「あなたがご親切にも短剣を見せて、指紋に注意を向けてくださったからです。蹄状紋や渦状紋については、ろくすっぽ知りません――ね、わたしだって、知らないものは知らないと正直に告白します。しかし、指紋の位置が少し変だという気がしたのです。人を刺すなら、ああいう握り方はしないでしょう。当然、死者の右手を背後からひっぱりあげて短剣に押し当てたのでは、正しい位置に指紋を残すのはむずかしいでしょうからね」

ラグラン警部は小男をまじまじと見つめた。ポアロはいかにも無頓着な態度で、コートの袖からちっぽけなほこりを払った。

「そうですな」警部はいった。「それもひとつの考えです。ちゃんと調べてみましょう。ただし、何も出てこなくても、がっかりなさらないでくださいよ」

警部は親切な庇護者ぶった口調を、とり繕おうとしていた。ポアロは彼が立ち去るのを見送った。それから、いたずらっぽく目をきらきらさせてわたしの方を向いた。

「次回は」とポアロはいった。「彼の自尊心《アムール・プロープル》にもっと気をつけましょう。さて、これでわれわれは自由の身になりましたから、どうですか、わが友よ、家族のささやかな集まりを開きませんか?」

ポアロのいう〝ささやかな集まり〟は、半時間ほどのちに開かれた。わたしたちはファンリー・パークのダイニングルームのテーブルを囲んですわった。ポアロがなにやら怪しげな会議の議長のように、テーブルの上手についた。使用人は出席しなかったので、全部で六人だった。セシル・アクロイド夫人、フローラ、ブラント少佐、レイモンド青年、ポアロ、そしてわたし。

全員が顔を揃えると、ポアロは立ち上がってお辞儀をした。

「紳士淑女のみなさん《メッシュー・メダーム》、ある目的があってお集まりいただきました」彼は言葉を切った。「まず最初に、マドモアゼルに特別なお願いがあります」

「わたしに？」フローラがいった。

「マドモアゼル、あなたはラルフ・ペイトン大尉と婚約していらっしゃいます。彼が秘密を明かしているとしたら、あなたをおいてはいません。心からお願いします。もし彼の所在をご存じなら、出てくるように説得してください。ちょっとお待ちを」――フローラが口を開こうとしかけたのだ――「じっくり考えてからお話しください。マドモアゼル、彼の立場は日に日に危うくなっています。すぐに姿を現わしていれば、どれだけ不利な事実があっても、それを説明するチャンスがあったでしょう。しかし、この沈黙――この逃亡――は何を意味するでしょう？　まちがいなく、たったひとつのこと、罪を自覚していることとしか考えられません。マドモアゼル、心底彼の無実を信じておいでなら、手遅れにならないうちに姿を見せるように説得してください」

フローラの顔は真っ青になった。

「手遅れ！」彼女はとても低い声で繰り返した。

ポアロは身をのりだして、彼女を見つめた。

「いいですか、マドモアゼル」とてもやさしくいった。「あなたに頼んでいるのは、ポアロおじさんなんですよ。知識も経験も豊かなポアロおじさんです。あなたを罠にはめようなんて思っていませんよ、マドモアゼル。わたしを信頼して――ラルフ・ペイトンの隠れている場所を教えていただけませんか？」

娘は立ち上がり、まっすぐポアロの顔を見た。

「ムッシュー・ポアロ」彼女ははっきりとした口調でいった。「わたし、誓って申します――おごそかに誓います――ラルフがどこにいるのかまったく知りませんし、あの日――殺人のあった日も、あのあとも彼とはまったく会っていないし、連絡ももらっていません」

フローラはまたすわりこんだ。ポアロは無言でしばらく彼女を見つめていたが、やがて、カツンと鋭い音をさせて拳でテーブルをたたいた。

「けっこう《ビヤン》！　その件はそのぐらいにしましょう」彼の顔は厳しくなった。「では、このテーブルにお集まりの他の方々に申し上げます、アクロイド夫人、ブラント少佐、シェパード先生、レイモンドさん。あなたたち全員が行方不明の青年の友人であり、親しい関係にありました。ラルフ・ペイトンがどこに隠れているかご存じでしたら、教えてください」

長い沈黙が続いた。ポアロは一人一人を順番に見ていった。

「お願いします」彼は低い声でいった。「教えてください」

だが、それでも沈黙は続き、ついにセシル・アクロイド夫人がこういいだした。

「ラルフの行方不明はとても奇妙だと――これ以上ないほど奇妙だといわなくてはなりませんわ」夫人は悲しげな声でいった。「こういうときに姿を見せないなんて。何かその裏にあるんではないかと思えてきますもの。ねえフローラ、あなたたちの婚約を正式に発表しなくて、ほんとによかったと思うわ」

「お母さま！」フローラが怒って叫んだ。

「神さまの思し召しですよ」夫人はきっぱりといった。「わたしは心から神の御心を信じています――神さまがちゃんと最後の仕上げをしてくださる、とシェイクスピアの美しい一節にもありますものね（『ハムレット』より）」

「まさか、太い足首まで全能の神のせいにはしませんよね？」ジェフリー・レイモンドがたずね、屈託のない笑い声をあげた。

緊張を和らげようとしているのだろう、とわたしは思ったが、夫人は非難するように彼をにらみ、ハンカチーフをとりだした。

「おかげで、フローラは悪名を立てられたり、不愉快な思いをすることをまぬがれたのです。わたしだって、ラルフが気の毒なロジャーの死に関わっているなんて、一瞬たりとも考えていません。そんなこと、思ってもいませんわ。けれども、わたしは人を信じやすいたちなんです、子供の頃から。人を悪く思うのが嫌なんです。ただし、ラルフが幼いときに、何度か空襲にあったことは忘れてはなりませんわ。ときには、ずっとあとになってその影響が出ると申しますでしょ。そういう人たちがやった行動は、本人の責任じゃないんです。だって、自分ではどうにもできずに、自制心を失ってしまうんですもの」

「お母さま」フローラが叫んだ。「ラルフがやったと思っているんじゃないんでしょ？」

「もうそのへんで、アクロイド夫人」ブラント少佐がいった。

「どう考えたらいいのかわからないんですよ」夫人は涙混じりにいった。「すっかり動揺してしまって。財産はどうなるのかしら、もしラルフが有罪だとわかったら？」

レイモンドが勢いよく椅子を後ろに押しやった。ブラント少佐は黙ったまま、考えこむように夫人を見つめている。

「戦争神経症みたいなものなんですわ」夫人はしつこくいいはった。「それに、ロジャーがお金をたっぷりあげませんでしたし——もちろん、よかれと思ってのことですけど。みなさんはわたしの意見に反対でしょうけど、わたしはラルフが現われないのは、絶対におかしいと思います。ですから、フローラの婚約が正式に発表されていなかったことを感謝していますの」

「明日、発表するわ」フローラがきっぱりといった。

「フローラ！」母親がぎょっとして叫んだ。

フローラは秘書の方を向いた。

「《モーニング・ポスト》に婚約発表の広告を送ってください。それに《タイムズ》にも、お願いします、レイモンドさん」

「それが賢明だと信じていらっしゃるなら、フローラさん」彼は重い口調でいった。

フローラは衝動に駆られたように、ブラントの方を見た。

「あなたならわかってくださいますよね。他にどうしようもないでしょう？ こういう状況では、ラルフの味方になるしかないんです。そうしなくちゃいけないこと、わかってくださいますよね？」

フローラは探るようにブラントの顔をじっと見つめていた。ややあってから、彼は唐突にうなずいた。

アクロイド夫人は堰を切ったように、甲高い声で抗議しはじめた。フローラは顔色ひとつ変えなかった。すると、レイモンドが口を開いた。

「あなたの動機はりっぱだと思います、フローラさん。しかし、やや早計にすぎると思いませんか？　一日か二日待ってみたらどうでしょう？」

「明日、お願いします」フローラはきっぱりといった。「そんなふうに騒いでいてもむだよ、お母さま。何があっても、友人に不誠実な真似はしません」

「ムッシュー・ポアロ」涙ぐみながら夫人は訴えた。「何とかいっていただけませんか？」

「何もいうことはないでしょう」ブラントが口を出した。「彼女は正しいことをしているんだ。わたしは何が起ころうとも彼女を応援するつもりだ」

フローラは彼に片手をさしのべた。

「ありがとうございます、ブラント少佐」

「マドモアゼル」ポアロがいった。「この老人にあなたの勇気と誠実さを讃えさせてください。そして、こんなことをお願いして、くれぐれも誤解していただきたくないんですが——心からのお願いなのですが——今おっしゃった発表をせめて二日、延期していただけないでしょうか？」

　フローラはためらった。

「あなたばかりか、ラルフ・ペイトンのためにお願いしているのです、マドモアゼル。顔をしかめていらっしゃる。そんなことがありうるのだろうか、と疑っていらっしゃる。しかし、それは保証します。嘘《パ・ドゥ・ブラーグ》はつきません。あなたはこの件をわたしに任せました──でしたら、わたしの邪魔をしてはいけませんよ」

　フローラはしばらく考えこんでいたが、ようやく返事をした。

「気に入りませんけど。あなたのおっしゃるとおりにします」

　フローラはまた椅子に腰をおろした。

「さて、紳士《メッシュー》、淑女《エ・メダーム》のみなさん」ポアロが早口でいった。「では、続きをお話しします。ひとつご理解いただきたいのは、わたしは真実を突き止めようとしているということです。真実はどんなに醜悪であっても、それを追い求める者にとっては、常に興味深く美しいのです。わたしはとても年をとり、かつてのような力はないかもしれません」ここでポアロは、明らかに反論があがるのを期待していた。「あらゆる可能性をかんがみて、これはわたしが手がける最後の事件になるかもしれません。しかし、エルキュール・ポアロは失敗して終わることはありません。紳士《メッシュー》、淑女《エ・メダーム》のみなさん、はっきりと申し上げておきましょう、わたしはなんとしても真実を知るつもりです。必ずや見つけだすでしょう――みなさんがそういう態度でいても」

彼は最後の言葉を、わたしたちの顔に投げつけるかのように、挑発的に口にした。全員が少したじろいだのではないかと思う。ただし、いつものように陽気で冷静なジェフリー・レイモンドだけは別だった。

「どういう意味ですか――そういう態度でいても、というのは？」彼はかすかに眉をつりあげてたずねた。

「ああ――文字どおりの意味ですよ、ムッシュー。この部屋の全員が何かを隠していらっしゃるのです」かすかな抗議のざわめきを、ポアロは片手を上げて制した。「いえいえ、わたしは自分のいっていることを承知していますよ。それは重要ではないこと――些細なこと――で、事件に関係なさそうに思えることかもしれません。でも、何かあるはずです。みなさん全員が何か隠していらっしゃる。どうです、わたしのいうとおりでしょう？」

挑戦的な非難がましい視線で、ポアロはテーブルをひとわたり見渡した。すると、その視線の前に、全員が目を伏せた。そう、わたしも。

「答えはいただきました」ポアロはいって、奇妙な笑い声をあげ、椅子から立ち上がった。「あなた方全員にお願いします。真実を語ってください——包み隠さず」沈黙が広がった。「どなたも話してくださらないのですか？」

さっきと同じ短い笑い声をあげた。

「それは残念です《セ・ドマージュ》」そういうと、部屋を出ていった。

13　ガチョウの羽根

その夜、ポアロの求めに応じて、わたしはディナーのあとに彼の家を訪れた。キャロラインはわたしが出かけていくのを、露骨に不満そうな顔で見送っていた。いっしょについて行きたかったのだろうと思う。

ポアロは温かく出迎えてくれた。小さなテーブルにアイリッシュ・ウイスキー（わたしは大嫌いだった）のボトル、ソーダの入ったびん、グラスが用意されていた。彼は自分用にホットチョコレートをいれているところだった。のちに知ったのだが、それが彼のいちばん好きな飲み物だった。

ポアロは礼儀正しくお姉さまは元気かとたずね、実に楽しい女性だと断言した。

「姉をすっかりうぬぼれさせてしまいましたね」わたしはそっけなくいった。「日曜の午後はいかがでしたか？」

彼は笑い、目をきらめかせた。

「わたしは専門家を雇うのが好きなのです」とわけのわからないことをいったが、その意味を説明しようとはしなかった。

「ともあれ、地元の噂はすべてお聞きになれましたね」わたしはいった。「本当かどうかはともかく」

「それに、貴重な情報もたくさんいただきました」彼は静かにつけ加えた。

「どんな――」

ポアロは首を振った。

「どうして真実を話してくれなかったのですか？」と追及してきた。「こういう土地では、ラルフ・ペイトンのやっていることが、誰にも知られずにすむわけがありません。あの日たまたまお姉さまが森を通らなくても、別の誰かが通っていたでしょう」

「そうでしょうね」わたしはむっつりと答えた。「わたしの患者に興味を持たれたのはどうしてですか？」

またもや、彼は目をきらめかせた。

「たった一人だけですよ、先生。一人だけなんです」

「最後の患者ですか？」わたしはいちかばちかいってみた。

「ミス・ラッセルはきわめて興味深い研究対象ですな」ポアロははぐらかすように答え

た。

「彼女にはどこかうさんくさいところがある、という姉やアクロイド夫人の意見に、あなたも同感ですか？」わたしはたずねた。

「え？　何とおっしゃいました――うさんくさい？」

わたしはその言葉の意味をできるだけわかりやすく説明した。

「で、二人はそうおっしゃっているんですね？」

「きのうの午後、姉はそのことをいってませんでしたか？」

「かもしれません《セ・ポシーブル》」

「これといった根拠はないんですよ」わたしは断言した。

「女性というもの《レ・ファム》は驚くべき生き物なのです」とポアロは一般論を持ちだした。「彼女たちはいきあたりばったりに何かを思いつく――しかも、それが奇跡的に正しいのです。しかし、実は奇跡ではないのです。女性は無意識のうちに無数の些細なものを観察しています。しかも、本人はそのことを自覚せずに。女性たちの潜在意識は、そうした些細な事柄をひとつにまとめあげます――その結果が、いわゆる直感と呼ばれるものです。このわたしは人間心理を熟知しているので、そうしたことがわかるのです」

ポアロは偉そうに胸を張った。それがあまりにも滑稽だったので、ふきださないようにするのがひと苦労だった。それから、彼はホット・チョコレートをひと口すると、ていねいに口髭をぬぐった。

「ぜひ教えていただきたいんですが」わたしはつい口にしていた。「この事件を本当はどう思っていらっしゃるんですか？」

彼はカップを置いた。

「知りたいのですか？」

「ええ」

「わたしが見たものをあなたもごらんになってきました。わたしたちの考えは同じはずではありませんか？」

「あなたはわたしを笑っていらっしゃるんでしょうね」ぎこちなくいった。「たしかに、わたしはこの手のことに経験がありませんので」

ポアロはなだめるように、わたしに微笑みかけた。

「まるで、エンジンがどういうふうに作動するのか知りたがる子供のようですな。あなたはかかりつけの医者の視点からではなく、探偵の視点から事件を見たがっている。探偵は誰とも知り合いではないし、誰にも特別な感情を抱いていない——彼にとっては、全員が見知らぬ人間であり、ひとしく疑わしいのです」

「うまい表現ですね」

「では、ちょっとした講義をして差し上げましょう。まず最初に、あの夜、起きたことの経過を明確に把握することです──話している相手が嘘をついているかもしれないと、常に心に留めながらね」

わたしは眉をつりあげた。

「ずいぶん疑り深い態度ですね」

「だが必要です──絶対に必要なのです。さてまず──シェパード先生は八時五十分に屋敷を出る。どうして、わたしにはそれがわかりますか？」

「わたしがそういったからです」

「しかし、あなたは真実をしゃべっていないかもしれない──あるいはつけていた時計が狂っていたかもしれない。しかし、パーカーもあなたが八時五十分に帰ったといっている。そこで、その供述を受け入れて、先に進むわけです。九時にあなたは一人の男と屋敷の門のすぐ外で出会う──ここで、〝謎の人物の物語〟ともいうべきものが登場します。それが事実かどうか、どうしてわかりますか？」

「わたしがそういったからです」といいかけたが、ポアロはいらだたしげな身振りで遮った。

「おやおや！　今夜は頭があまり働かないようですね、わが友よ。あなたはそのことを知っています——しかし、わたしにわかるわけがないでしょう？　よろしい《エ・ビヤン》、謎の人物があなたの幻想ではないことは説明できます。なぜならミス・ガネットという人のメイドが、その数分前に、やはりその男に会っているからです。彼女にも、男はファンリー・パークへの道を聞いています。それゆえ、彼が実在していることがわかりました。そして、彼に関してほぼ確実なことがふたつあります——この界隈に来たのが初めてだったこと。二度も道をたずねているのだから、ファンリー・パークに行く目的が何であれ、さほど秘密にする必要はなかったということ」

「ええ」わたしはいった。「わかります」

「さて、この男についてさらに詳しいことを知るために、ちょっとした調査をしました。すると男はスリー・ボアーズ館で酒を飲み、そこにいた女性バーテンダーによれば、アメリカ訛で話し、アメリカから着いたばかりだといっていたそうです。先生はアメリカ訛があったことに気づきましたか？」

「ええ、あったような気がします」しばらく記憶をたどってみてから、わたしは答えた。「ただ、ごくかすかだったと思いますが」

「そのとおり《プレスイゼマン》。さらに、覚えておいででしょうが、東屋で拾ったこれのことがあります」

彼は羽軸のついた小さな羽根を差しだした。わたしはしげしげとそれを眺めた。すると、どこかで読んだことが思い出された。

じっとわたしの顔を見つめていたポアロは、うなずいた。

「ええ、ヘロイン、いわゆる〝スノウ〟です。麻薬常習者は管状になった羽軸にヘロインを入れて持ち歩き、鼻から吸いこむのです」

「塩酸ジアセチルモルヒネ」わたしは機械的につぶやいた。

「こうして鼻から吸引する方法は、アメリカ大陸では広く行われています。これもまた、その男がカナダか合衆国から来たという証拠です」

「東屋に注目したのは、何が理由だったんですか？」わたしは好奇心をそそられてたずねた。

「わが友ラグラン警部は、あの小道は屋敷への近道のために使われていると、当然のように考えていました。しかし、わたしは東屋を見たとたん、あそこを逢い引きに利用する人間も、同じ小道を通ることに気づいたのです。さて、その謎の男は玄関にも裏口にも現われなかったことは、ほぼ確実に思えます。では、屋敷の誰かが抜けだして、彼に会いに行ったのでしょうか？　だとしたら、あの小さな東屋ほど便利な場所はないでしょう。わたしは何か手がかりを見つけられるかもしれないと期待して、室内を調べました。そして、ふたつ見つけました、木綿の端切れと、羽根です」

「で、その木綿の端切れは？」わたしは興味しんしんでたずねた。「それはどういうことですか？」

ポアロはおやおやという表情になった。

「あなたは灰色の脳細胞を使ってませんよ」彼はそっけなくいった。「糊のきいた木綿の端切れといったら、明らかじゃないですか」

「わたしにはよくわかりませんね」わたしは話題を転じた。「ともかく、この男は誰かに会いに東屋に行った。その相手は誰だったのですか？」

「まさに、そこが問題です。セシル・アクロイド夫人と娘さんはカナダから引っ越してきたことを覚えておいでですか？」

「今日、真実を隠していると非難されたのは、そのことだったのですか？」

「かもしれません。さて、別の件にいきましょう。あの雑用係のメイドの話をどう思いましたか？」

「どの話ですか？」

「暇を願いでた件ですよ。使用人をクビにするのに、三十分もかかりますか？　その重要な書類がどうのという説明は、ありそうな話ですか? それに忘れないでください、彼女は九時半から十時まで自室にいたといってますが、その言葉を裏づける人間は誰もいないのです」

「頭が混乱してきました」

「わたしには、ますますはっきりしてきましたが。しかし、今度は先生のお考えと推理を話してみてください」

わたしはポケットから紙片をとりだした。

「いくつかの思いつきを走り書きしてみたんです」弁解するようにいった。

「いや、すばらしい——あなたは体系的方法をお持ちですね。聞かせてください」

わたしはいささか気恥ずかしくなりながら読み上げた。

「まず最初に、物事は論理的に見なくてはならない——」

「まさにヘイスティングズがいつもいっていたことです」ポアロが口をはさんだ。「しかし悲しいことに、一度も実行したことがなかった!」

「その一——アクロイド氏は九時半に誰かと話しているのを聞かれている。

その二——その夜のうちに、ラルフ・ペイトンは窓から侵入したにちがいない。靴跡が証拠である。

その三——その晩アクロイド氏は神経質になっていたから、知り合いでなければ書斎に入れなかっただろう。

その四——アクロイド氏が九時半にいっしょにいた人物は、金を要求していた。ラルフ・ペイトンが金に困っていたことはわかっている。

これらの四点から、アクロイド氏が九時半にいっしょにいた人物は、ラルフ・ペイトンであると推測される。しかし、九時四十五分までアクロイド氏が生きていたことはわかっている。それゆえ、彼を殺したのはラルフではない。ラルフは窓を開けたままにして立ち去った。そのあとで、殺人者が窓から侵入した」

「で、殺人者とは何者なのですか？」ポアロがたずねた。

「アメリカ人の謎の男です。もしかしたらパーカーと共謀したのかもしれない。フェラーズ夫人を脅迫していた男も、パーカーかもしれません。だとしたら、パーカーは立ち聞きしていて、もはやおしまいだということを悟り、共謀者にそれを伝え、共謀者がパーカーに渡された短剣で犯行に及んだんです」

「たしかに、あなたにも、それなりの脳細胞があることを示す推理ですな」ポアロは認めた。「しかし、まだ説明のつかないことがたくさんあります」

「たとえば——」

「電話、引き出されていた椅子――」

「椅子のことは本気で重要だと考えていらっしゃるんですか？」わたしは口をはさんだ。

「まあ、どうでもいいことかもしれません」友人は認めた。「たまたま、引き出されたのかもしれないし、レイモンド氏かブラント少佐が事件の衝撃で無意識に元の場所に戻したのかもしれません。さらに、行方不明の四十ポンドの問題もあります」

「アクロイドがラルフにやったのかもしれない」わたしは考えをいってみた。「最初は拒絶したが、そのあとで考え直したんですよ」

「それでも、ひとつ説明のつかないことがあります」

「何ですか？」

「九時半にアクロイド氏といっしょだったのがレイモンド氏だったと、どうしてブラント少佐があれほど強く思いこんでいたのか？」

「彼は説明してくれましたよ」

「そう思いますか？　とりあえず、そのことは置いておきましょう。ところで、ラルフ・ペイトンが姿をくらましている理由を教えてください」

「それはかなりむずかしいですね」わたしはのろのろといった。「医者として説明しましょう。ラルフは神経がどうかなってしまったんですよ！　彼が立ち去ってわずか数分後に継父が殺されていたと知ったら——おそらく、かなり激しいやりとりのあとに——ええ、尻尾を巻いて逃げだすのも無理はない。人間というのはよくそうしたことをするんです——まったく無実なのに、疑わしげな行動をとってしまうんですよ」

「ええ、たしかにそうですね」ポアロはいった。「しかし、ひとつ見落としてはならないことがあります」

「何をいおうとしているのか、わかりますよ。動機ですね。ラルフ・ペイトンは継父の死によって巨万の財産を相続します」

「それも動機のひとつですね」ポアロは同意した。

「ひとつ？」

「そうです《メ・ウイ》。三つの別々の動機が顔をのぞかせていることに、気づいていますか？ 何者かがブルーの封筒とその中身を盗みました。それがひとつの動機です。脅迫ですよ！ フェラーズ夫人を脅迫していた男は、ラルフ・ペイトンだったのかもしれない。いいですか、ハモンド弁護士が知っている限りでは、ラルフ・ペイトンは最近、継父に金を無心していないのです。となると、彼は別のどこかで金を調達していたように見えます。さらに、彼がなんらかの——なんという言葉だったですかな——窮地ですか、それに陥っていて、それが継父の耳に入ることを恐れていた、という事実もあります。そして最後に、あなたがたった今口にした動機があります」

「なんてことだ」わたしはいささか愕然としていった。「となるとラルフが犯人ということになりそうですね」

「そうですか？」ポアロはいった。「そこが、先生とわたしの意見が分れるところですね。動機が三つ――いくらなんでも多すぎます。こうなると、かえってラルフ・ペイトンは無実だと信じたくなりますね」

14 セシル・アクロイド夫人

以上のように記録したポアロとの夜の会話のあと、事件は別の段階に入ったように思う。事件全体をふたつに分けることができ、それぞれがきわめて明瞭に、区別できるのである。前半は金曜夜のアクロイドの死から翌週の月曜の夜まで。こちらはエルキュール・ポアロの目に映ったとおりに、事件の経過をありのままに書き連ねた。わたしは常にポアロのかたわらにいた。彼が見たものをわたしも見た。彼の心を読もうと、全力を尽くした。今にして思えば、これには失敗した。ポアロは発見したものをすべてわたしに見せてくれた――たとえば、金の結婚指輪とか――しかし、自分が頭の中で組み立てた、きわめて重大な、しかも論理的な考えは隠していたのだ。のちに知ったことだが、この秘密主義はポアロ特有のものだった。ヒントやほのめかしはいくつも与えるが、それ以上は教えようとしないのだ。

このように、月曜の夜までの話は、ポアロ自身が語っているも同然だった。彼がシャーロック・ホームズで、わたしはワトスン役を務めた。しかし、月曜以降、わたしたちは別々の道を行くことになった。ポアロは自分の仕事で忙しくなった。彼が何をしているのかは知っていた。キングズ・アボットでは、あらゆることが耳に入ってくるからだ。しかし、彼はまえもってわたしに打ち明けてくれようとしなかった。そして、わたしはわたしで自分の用事があった。

振り返ってみると、いちばん印象に残っているのは、この時期はすべてがばらばらだったということだ。全員が謎の解明にひと役買った。あたかもジグソーパズルのように、全員がちっぽけな知識か発見のピースを提供した。しかし、みんなの仕事はそこで終わりだった。そうしたピースを正しい場所にはめこむ名誉は、ポアロ一人のものだったのである。

その当時は、いくつかの出来事は見当はずれで無意味に思えた。たとえば、黒い編み上げ靴についての一件がそうだ。だがそのことはあとで説明しよう……すべての出来事を厳密に時系列に並べるとしたら、セシル・アクロイド夫人からの呼び出しについて、まず話しておかねばならない。

火曜日の朝早く、アクロイド夫人から往診の依頼があった。急を要することのように思われたので、わたしは重態の夫人を目にすることになるのを覚悟しながら、急いで屋敷に駆けつけた。

夫人はベッドの中にいた。医者を呼びだした以上、それが礼儀だと考え、譲歩したのだ。彼女は骨張った手をわたしに差しのべ、ベッドわきの椅子を示した。

「さて、アクロイド夫人」わたしはいった。「どうなさったのですか？」

わたしは主治医に期待されている、見せかけだけの思いやりをこめてたずねた。

「わたし、まいってしまって」夫人は弱々しい声でいった。「気力がすっかり萎えてしまいましたの。かわいそうなロジャーの死のショックのせいですわ。渦中にあるときは実感がわかない、とよくいいますでしょう。あとになって、こたえているんですわ」

残念なことに、職業上、医者は本心を口に出せないことがある。

「くだらん！」と一喝できるなら、何を差しだしても惜しくなかっただろう。

だが、その代わりに、わたしは強壮剤を勧めた。アクロイド夫人はそれを飲んだ。これで駆け引きのゲームは、一手進んだようだった。一瞬たりとも、アクロイドの死がもたらしたショックのせいで、往診を頼まれたとは信じていなかった。しかし、夫人はどんな話をするにも、単刀直入に切りだすことのできない人間だった。常に、まわりくどいやり方で目的に近づいていくのだ。どうして呼びつけられたのだろう、とわたしは首を傾げていた。

「それで、あの騒ぎですけど——きのうの」と患者は続けた。

わたしがそれで察してくれるといわんばかりに、夫人は言葉を切った。

「どの騒ぎですか？」

「そんな、先生。忘れておしまいですの？　あのぞっとする小男のフランス人が——それともベルギー人だったかしら——どっちでもかまいませんけど。あんなふうに、わたしたちを脅しつけたことですよ。すっかり、動転してしまいました。ロジャーの死のことで、ただでさえ辛いのに」

「それは心からお気の毒に思います、アクロイド夫人」わたしはいった。

「あの男は何をいいたいのでしょう——あんなふうに怒鳴りつけて。わたしは自分の義務をよく心得ていますから、何かを隠そうなんて夢にも思っておりません。警察にも、力の及ぶ限り協力しましたわ」

夫人が言葉を切ったので、わたしはいった。「そうでしょうとも」何が問題なのか、少しずつわかりかけてきた。

「わたしが義務を果たしていないなどと、誰にもいわせません」夫人は言葉を続けた。「ラグラン警部も心から満足なさっていると思います。それなのに、あの外国人の成り上がり者に騒ぎ立てられるなんて、心外ですわ。外見だって、ひどく滑稽じゃありませんか――まるで風刺劇に登場するおかしなフランス人そっくりですわ。どうしてフローラがあの男をこの事件にひっぱりこみたがったのか、見当もつきません。そのことではひとことの相談もなかったんですよ。さっさと出かけていって、勝手に決めてきたんです。フローラは勝手すぎます。わたしは世間を知っているし、あの子の母親なんですよ。まず、わたしにアドヴァイスを求めるべきですわ」

わたしは無言で耳を傾けていた。

「あの男は何を考えているんですか？　それを知りたいんです。わたしが何か隠しているると、本気で想像しているんでしょうか？　彼は――あの男は――きのう、はっきりとわたしを非難してましたもの」

わたしは肩をすくめた。

「べつに気にするようなことじゃありませんよ、アクロイド夫人。何も隠していないのなら、彼が口にしたことは、あなたにはまったくあてはまらないことなんですから」

いつものように、アクロイド夫人はいきなりわき道にそれた。

「使用人というのは、まったく厄介なものです。噂話をして、内輪であれこれいいあって。それが外にまで広まって――たいてい、根も葉もないことばかりなんですけど」

「使用人が噂をしているんですか？」わたしは質問した。「何についてですか？」

アクロイド夫人は刺すような視線を投げつけた。わたしはたじろいだ。

「先生なら、ご存じのはずですわ。しじゅうムッシュー・ポアロといっしょにいらっしゃるんですもの、そうでしょう？」

「たしかに」

「では、もちろん、ご存じです。あの娘、アーシュラ・ボーンなんでしょう？　当然ですわ——あの子は辞めるんですから。できるだけひっかき回したいんですよ。恨みに思っているんです。ああいった連中は、みんな似たりよったりですわ。ねえ、先生はあの場にいらしたんですから、あの子がいったことを正確にお聞きになったでしょう？　まちがった印象を持たれなかったかと、わたし、とても心配なんですの。先生だって、警察に細かいことをすべて話したりなさいませんでしょう？　ときには家庭の事情というものがあります——殺人なんかとはまったく関係がありませんけど。でも、あの娘が執念深かったら、あることないことしゃべりちらしますわ」

わたしはこの饒舌の裏に、本物の不安が隠れていることを抜け目なく見てとっていた。ポアロの言葉は正しかったことが証明された。きのうテーブルを囲んだ六人のうち、少なくともセシル・アクロイド夫人は何か隠していたのだ。それが何かを聞きだすのは、わたしの役目になりそうだった。

「もしわたしがあなたでしたら、アクロイド夫人」わたしは無愛想にいった。「洗いざらいしゃべって心を軽くしますよ」

　彼女は叫び声をあげた。

「まあ、先生ったら！　どうしてそんなにぶしつけなことをおっしゃるんでしょう。まるでわたしが――何かを――でも、わたし、なにもかも簡単に説明できますのよ」

「では、そうなさってみては？」わたしは勧めた。

　夫人はフリルのついたハンカチーフをとりだし、涙ぐんだ。

「先生、あなたからムッシュー・ポアロに伝えて――いえ、説明していただけますかしら。外国人には、わたしたちの視点を理解するのは、とてもむずかしいですもの。それに、わたしがどれほど辛い暮らしを耐え忍んできたか、先生には――いえ誰にもわかるはずがありません。まさに殉教者でした――長い殉教者としての生活。それがわたしの人生でした。死んだ人のことは悪くいいたくありません――けれども、本当のことなんです。どんな些細な請求書もいちいちチェックされたんです――まるでロジャーが（きのうハモンド先生がおっしゃっていたように）この地方きっての大富豪ではなくて、年収数百ポンドの稼ぎしかないみたいに」

　夫人は言葉を切って、フリルつきのハンカチーフで目元をぬぐった。

「なるほど。で、その請求書が？」わたしはうながすようにいった。

「あのいやらしい請求書。中にはロジャーに見せたくないものもありました。男性には理解できないものですから。ロジャーはそんなものは必要ない、といったでしょう。それに、もちろん、請求書というのはすぐにたまって、もう本当に、次から次に送られてくるんですの——」

夫人はわたしを訴えるように見つめた。まるでこの驚くべきからくりのことで同情してほしい、といわんばかりだった。

「請求書というのは、まあそういうものですね」わたしは同意した。

すると、口調ががらりと変わった——罵倒せんばかりに激しくなったのだ。「これはもう、絶対に神経衰弱を起こしかけているんですわ、先生。夜、眠れないんです。それに、心臓がぞっとするほどどきどきしますし。おまけに、スコットランドの紳士から手紙が来たんです——実際には二通ですけど、どちらもスコットランドの人です。ブルース・マクファーソンという人と、コリン・マクドナルドという人です。すごい偶然ですわね」

「そうともいえませんよ」わたしは皮肉っぽくいった。「その手の連中はたいていスコットランド人ですから。もっとも、二人の先祖にはユダヤ系の血が流れているんじゃないですかね」

「約束手形だけで、十ポンドから一万ポンドも貸してくれるんです」セシル・アクロイド夫人は思い返すようにいった。「片方の紳士には返事を書きましたけど、ちょっと面倒なことになりそうですの」

彼女は言葉を切った。

ようやく、話の核心までたどり着いたようだった。要点を持ちだすのにこれほど苦労する人間は、他に知らなかった。

「おわかりでしょう」と夫人は小さな声で続けた。「すべては遺産相続にかかってきますのよ。遺言に書かれた遺産。もちろん、ロジャーはわたしにもお金を残してくれるとは思っていましたけど、はっきりしたことはわかりません。遺言の写しをひと目でも見られたらと思ったんですの――決して、悪趣味な盗み見とかではありませんのよ――ただ、そうすれば、わたしとしても方策が立てられますから」

彼女は横目でわたしを窺った。話は非常に微妙なところにさしかかっていた。幸い、言葉を巧みに使えば、露骨な事実の醜悪さをおおい隠すことができた。

「これだけはいえますわ、シェパード先生」夫人は急いでつけ加えた。「あなたなら、わたしを誤解なさることはないし、ムッシュー・ポアロに事情を正しく伝えていただけると信頼しておりますの。あれは金曜の午後のことでした――」

夫人は口をつぐみ、不安そうに唾をごくりと飲みこんだ。

「ええ、金曜の午後。それで？」わたしは励ますように繰り返した。

「みんな外出していました。いえ、そう思ったのです。そこでロジャーの書斎に入っていき――実際、そこに行く用事はあったんですのよ――つまり、うしろめたい気持ちで入っていったわけじゃありません。そして、デスクの上に山積みになっている書類を見て、ふと思いついたんです、閃きといってもいいかもしれませんけど。ロジャーは遺言状をデスクの引き出しに入れているんじゃないかしらって。子供の頃からそうなんですけど、わたし、思い立つと我慢できないたちですの。衝動的に、行動に移してしまうんです。ロジャーはいちばん上の引き出しに鍵をさしこんだままにしてありました――ずいぶん不注意ですわ」

「なるほど」わたしは助け船を出そうとしていった。「では、デスクを捜したんですね。遺言状は見つかりましたか？」

セシル夫人が小さな悲鳴をあげたので、如才ない表現ではなかったことを悟った。

「それだと、ひどい話に聞こえますわ。でも、全然そんなふうじゃなかったんです」

「もちろん、そうでしょうとも」わたしはあわてていった。「不調法ないい方をしてしまって、失礼しました」

「本当に、男の方にはとても変わったところがありますわ。わたしがロジャーの立ち場でしたら、遺言の条項を明らかにしたと思います。でも、男性はとても秘密主義ですからね。こちらは自衛のために、ちょっとした奥の手を使わなくてはならないことがあるんです」

「で、ちょっとした奥の手の結果は?」

「それを今お話ししようとしているんです。いちばん下の引き出しに手をかけたとき、ボーンが入ってきたんです。本当にばつが悪くて。もちろん、わたしは引き出しを閉めて立ち上がり、デスクにほこりがついている、と注意しました。でも、あの子の目つきは気に入りませんでした——態度はうやうやしいんですけど、目つきはとても感じが悪かったんです。まるで軽蔑しているみたいで、おわかりいただけるかしら。そもそも、あの娘はあまり好きにはなれませんでした。使用人としてはきちんとしてますし、〝奥様〟とちゃんといえるし、帽子とエプロンのお仕着せをつけることも嫌がりませんでした(最近のメイドは着たがらない者が多くて)。それに、パーカーの代わりに玄関に出なくてはならないときも、顔色ひとつ変えずに〝お出かけになっております〟といえましたし、テーブルのお給仕をしながら、雑用係のメイドはよくお腹をグウグウ鳴らすんですけど、そういう癖もありませんでした――ええと、何の話をしてたんでしたっけ？」

「いくつかの長所にもかかわらず、ボーンを好きになれなかったとおっしゃっていたんです」

「どうしてもね。あの子は――変わってるんですよ。他のメイドとどこかちがっていました。わたしにいわせれば、教育がありすぎたんです。昨今はどちらが雇い主なのか、見分けがつかなくなってきましたわ」

「で、そのあとどうなったんですか？」

「別に何も。そうこうしているとロジャーが帰って来ました。たぶん、散歩に出ていたんだと思います。で、〝どうかしたのか？〟と聞くので、わたしは〝いえ別に。《パンチ》をとりに来ただけですわ〟と答えました。で、《パンチ》を手にして部屋を出ました。ボーンはあとに残りました。少々お話ししたいことがある、とロジャーにいっているのが聞こえました。わたしはまっすぐに自分の部屋に行き、ベッドに横になりました。とっても動揺してしまって」

沈黙が落ちた。

「ムッシュー・ポアロに説明してくださいますね？　すべてが本当に些細なことだって、

先生ならおわかりですよね。でも、もちろん、隠し事をしているとあの人に厳しく責められたとき、すぐにこのことを思い浮かべました。ボーンはこのことでどんな作り話をしたのか知りませんけど、先生が説明してくだされば——してくださいますよね？」

「それですべてですか？　すべてを打ち明けてくださったんですか？」

「え、ええ」と口ごもってから「ええ、そうですわ！」と夫人はきっぱりといった。

しかし、一瞬の躊躇に気づいたので、まだ隠していることがあるのだとわかった。こんなふうにたずねたのは、本当に天才的な閃きとしかいいようがない。

「アクロイド夫人。シルヴァー・テーブルを開けっ放しにしたのは、あなただったんですか？」

頬紅やおしろいでも隠しきれないほど、うしろめたげに頬がさっと染まったことで、答えは明らかだった。

「どうしてわかったんですの？」彼女はささやくようにたずねた。

「では、あなただったんですね？」

「ええ——その——古い銀製品がいくつかあったんです——とても興味深いものが。わたし、関連した記事によく目を通していたんですけど、クリスティーズで莫大な金額で競り落とされた小さな銀器のさし絵が出ていましてね。シルヴァー・テーブルに飾られていたものと、そっくりに見えたんですの。ですから――その――今度ロンドンに行くときに持っていって鑑定してもらおうかと思ったんです。で、本当に価値のあるものだったら、ロジャーにとって、うれしい驚きになりますものね」

わたしは意見を差し控え、夫人の話を言葉どおりに受け入れた。それなら、なぜこっそりとめあての品をとりだす必要があったのか、という質問さえも口に出さなかった。

「どうして蓋を開けたままにしたんですか？　閉め忘れたんですか？」

「びっくりしたんです」夫人はいった。「外のテラスを足音が近づいてくるのが聞こえたので。急いで応接間を出て、階段を上がっていきました。入れ替わりに、パーカーが玄関を開けて先生を迎え入れたんです」

「それはミス・ラッセルだったにちがいない」わたしは考えこんだ。アクロイド夫人は、きわめて興味深い事実を教えてくれた。銀製品に対する夫人の関心があくまで高潔なものだったのかどうかは、わからないし、関心もなかった。わたしが興味をかきたてられたのは、ミス・ラッセルがフランス窓から応接間に入ってきたにちがいないことと、あのとき、走ってきたみたいに息を切らしていると感じたのが、まちがいではなかったということだった。彼女はどこにいたのだろう？　東屋と木綿の切れ端のことが頭に浮かんだ。

「ミス・ラッセルはハンカチーフに糊をつけるんだろうか！」つい、そう叫んでいた。

夫人がびっくりした顔になったので、はっと我に返り、わたしは立ち上がった。

「ムッシュー・ポアロに説明していただけますか？」夫人は心配そうにたずねた。

「ええ、もちろんですよ。任せてください」

さらに、自分の行動を正当化する夫人の主張をくどくど聞かされてから、わたしはようやく逃げだした。

例の雑用係のメイドは玄関ホールにいて、コートを着せかけてくれた。これまでよりも子細に彼女を観察した。泣いていたことは明らかだった。

「金曜にアクロイドに書斎に呼びつけられたなんて、どうしていったのかな？　今聞くと、彼に話したいといったのは、きみの方だったそうだね」

一瞬、娘は目を伏せた。

それから口を開いた。

「いずれにせよ、お暇をとるつもりでした」とあいまいな答えを返した。

わたしはそれ以上追及しなかった。メイドは玄関ドアを開けてくれ、わたしが外に出ようとすると、低い声でいきなりいいだした。

「失礼ですが、先生、ペイトン大尉について何かわかりましたでしょうか？」

わたしは首を振って、問いかけるように娘を見つめた。

「帰っていらっしゃるべきです。どうしても――絶対に、帰っていらっしゃるべきです」

彼女は訴えかけるようなまなざしを向けた。

「どなたも居所をご存じないのですか？」彼女はたずねた。

「きみは知っているのか？」わたしは問いつめた。

彼女はかぶりを振った。

「いいえ、全然。わたしは何も知りません。でも、あの方と親しかった人間なら、誰だっていうと思います、戻っていらっしゃるべきだと」

メイドがもっと何かいうかもしれないと思って、わたしはその場でぐずぐずしていた。

だが次の質問には驚かされた。

「殺人は何時に行われたと考えられているんですか？　十時少し前ですか？」

「そのようだね。九時四十五分から十時までのあいだだ」

「もっと早かったのでは？　九時四十五分よりも前なのでは？」

わたしは彼女をじっくりと観察した。明らかに、肯定の答えを聞きたがっていた。

「それは問題外だよ。ミス・アクロイドが九時四十五分に伯父上が生きているのを見ているんだから」

彼女はつと顔をそむけた。がっくりと肩が落ちたように見えた。「しっかりしたきれいな娘だ」車で走り去りながら、わたしはひとりごちた。「しっかりしたきれいな娘だ」

キャロラインは家にいた。ポアロが訪ねてきたので、上機嫌で、鼻高々になっていた。

「事件のお手伝いをしているのよ」彼女は説明した。

わたしはいささか不安になった。ただでさえキャロラインはこんな調子なのだ。探偵の本能を刺激されたら、いったいどんなふうになってしまうだろう？

「ラルフ・ペイトンの謎の相手を捜して、近所をうろつき回ってるのかい？」わたしはたずねた。

「個人的興味を満足させるために、そうしてもいいわね」キャロラインはいった。「だけど、ムッシュー・ポアロに頼まれたのは、特別な仕事なの」

「どんなこと？」

「ラルフ・ペイトンの編み上げ靴が黒だったか茶色だったかってことよ」キャロラインは威厳たっぷりにいった。

わたしはただ姉を見つめるばかりだった。今になってみると、この編み上げ靴の件では、自分が信じられないほど愚かだったと思う。肝心な点をまったく理解していなかったのだ。

「茶色の靴だよ。この目で見た」

「靴じゃないわ、ジェームズ、編み上げ靴の方よ。ムッシュー・ポアロは、ラルフが旅館ではいていた編み上げ靴が茶色だったか黒だったか、知りたがっているの。そのことが、とても重要なことらしいわ」

鈍いと呼んでいただいてもかまわない。わたしにはさっぱりわけがわからなかった。

「で、どうやって見つけだすつもりなんだい？」わたしはたずねた。

キャロラインはそれならむずかしくない、といった。わが家のメイドのアニーの親友は、ミス・ガネットのメイドのクララだった。そして、クララは、スリー・ボアーズ館の靴磨き係とつきあっているのだ。すべては簡単そのもので、あくまで協力的なミス・ガネットの助けを借りて、クララに外出許可を出してもらい、問題は猛スピードで解決された。

昼食の席についていたときに、キャロラインはさりげない口ぶりで編み上げ靴のことを持ちだした。

「あのラルフ・ペイトンの編み上げ靴のことだけど」

「ああ。どうだった？」

「ムッシュー・ポアロはたぶん茶色だろうと考えていたの。まちがっていたわ。黒だったのよ」

そして、キャロラインは何度かうなずいた。彼女は明らかにポアロを負かしたと感じているようだった。ラルフ・ペイトンの編み上げ靴の色が、この事件とどういう関係があるのだろうと、わたしは首をひねっていた。

15 ジェフリー・レイモンド

その日、さらにもうひとつ、ポアロの策略が功を奏した証拠を目の当たりにすることになった。彼の挑発は、人間性を熟知しているからこそできた巧妙なやり方だった。恐怖と罪悪感がないまぜになったものが、セシル・アクロイド夫人から真実をひきだしたのだ。最初に反応したのが夫人だった。

その午後、患者の往診から戻ると、ジェフリー・レイモンドがついさっき帰ったばかりだ、とキャロラインに知らされた。

「ぼくに会いに来たのかい？」コートを玄関ホールにかけながらたずねた。

キャロラインはわたしの肘のあたりでうろうろしていた。

「本当は、ムッシュー・ポアロに会いにきたのよ。からまつ荘を訪ねたけど、ムッシュー・ポアロは留守だったんですって。レイモンドさんはムッシュー・ポアロがここにいるか、それとも、あなたが彼の居所を知っているかもしれないと思って寄ったのよ」

「全然知らないよ」

「ここで待ってもらおうとしたんだけど、三十分ほどしたら、からまつ荘をまた訪ねてみるといって、村に引き返してしまったわ。残念なことに、彼がひきあげたのと入れ替わりに、ムッシュー・ポアロが姿を見せたの」

「ここに？」

「いえ、彼の家よ」

「どうして知ってるんだい？」

「横の窓」キャロラインはひとことだけ答えた。

これでこの話題も終わりかと思ったが、キャロラインはそう思っていなかった。

「向こうに行かないの？」

「向こうって？」

「からまつ荘よ、もちろん」

「ちょっと姉さん、いったい何のために？」

「レイモンドさんはムッシュー・ポアロにとても会いたがっていたのよ。どういう事情か、わかるかもしれないじゃない」

わたしはあきれた、という顔になった。

「ぼくは好奇心という罪とは縁がないんでね」とひややかにいった。「隣人たちが何をして、何を考えているか手にとるように知らなくても、心安らかでいられるんだ」

「何いってるの、ジェームズ」姉はいった。「わたしに劣らず、あなただって知りたいはずよ。ただ、わたしほど正直じゃないだけ。いつだって、もったいつけるんだから」

「やれやれ、姉さんときたら」わたしは診察室に避難した。

十分後、キャロラインがドアをノックして入ってきた。片手にジャムの瓶らしきものを持っていた。

「ねえ、ジェームズ、このカリンのジャムをムッシュー・ポアロに持っていってもらえないかしら？　差し上げるって、約束していたのよ。自家製のカリンのジャムを召し上がったことがないんですって」

「どうしてアニーに行かせないんだ？」わたしは冷たくいった。

「繕《つくろ》い物をしているの。中断させるわけにいかないわ」

キャロラインとわたしは互いの顔をじっと見つめあった。

「わかったよ」わたしは立ち上がった。「ただし、そのいまいましいやつを持っていっても、ただ戸口に置いてくるだけだからね。わかったかい？」

姉は眉をつりあげた。

「もちろんよ、他に何かしてほしいなんて、いったかしら？」

キャロラインの勝ちだった。

「たまたまムッシュー・ポアロに会ったら」わたしが玄関のドアを開けると、姉はいった。「編み上げ靴のことを伝えてもらってもかまわないわよ」

実に巧妙なひとことだった。というわけで、わたしは編み上げ靴の謎を知りたくて、居ても立ってもいられないほどだったのだ。というわけで、ブレトン帽をかぶった年寄りの家政婦がドアを開けてくれると、反射的にムッシュー・ポアロはご在宅かとたずねていた。

ポアロは喜色満面で、出迎えに飛んできた。

「すわってください、わが友よ。大きな椅子がいいですか？　こっちの小さな方がいいですか？　部屋は暑すぎないですか、大丈夫ですか？」

むっとして息がつまりそうだと思ったが、言葉には出さなかった。窓は閉めきられ、暖炉では火が盛大に燃えていた。

「イギリスの人たちは、新鮮な空気に異様にこだわりますね」ポアロは断言した。「大気は本来の場所である戸外にあれば、大変けっこうです。どうして家の中に入れるのでしょう？　しかし、そういうつまらぬことについての議論はよしましょう。わたしに用があっていらしたんでしょう？」

「ふたつあります。まず——これを——姉からです」

わたしはカリンのジャムの瓶を渡した。

「マドモアゼル・キャロラインはなんとご親切なのでしょう。約束を覚えていてくださったんですね。で、二番目の用は？」

「情報です——いわば」

そして、わたしはセシル・アクロイド夫人から聞いた話を報告した。彼は注意深く耳を傾けていたが、さほど興奮した様子はなかった。

「これで問題がひとつ片づきますね」ポアロは考えこみながらいった。「さらに、家政婦の証言を裏づけている点でも意味があります。覚えておいででしょうか、家政婦はシルヴァー・テーブルの蓋が開いているのを見つけたので、通りすがりに閉めたといっていました」

「花を取り替えたかどうか調べに応接間に入った、という証言はどうでしょう？」

「ああ！　あれを本当だと考えたことはありませんでした、そうでしょう、わが友よ？　あれは明らかに、あわててでっちあげた口実ですよ。自分があの部屋にいたことを説明する必要があると感じたのでしょう——もっとも、あなたの方は、そんなことを気にも留めなかったんでしょうが。ミス・ラッセルがあんなに動揺したのは、シルヴァー・テーブルを漁っていたからだという可能性を考えていましたが、これで、別の理由を見つけなくてはなりませんな」

「ええ。彼女は誰に会いに行ったのでしょう？　そしてその理由は？」

「誰かに会いにいったとお考えなのですか？」

「そうです」

ポアロはうなずいた。

「わたしもそう思います」と思いに沈みこんだ。

沈黙が続いた。

「ところで」とわたしはいった。「姉から伝言があります。ラルフ・ペイトンの編み上げ靴は茶色ではなくて、黒だったそうです」

その伝言を口にしながら、わたしはポアロの表情をじっくり観察した。そして、一瞬、狼狽がよぎるのを認めたように感じたが、実際そうだったとしても、それはほとんど瞬時にして消えてしまった。

「絶対に茶色じゃないと断言していらっしゃいましたか？」

「絶対に」

「ああ！」ポアロは悔しそうにいった。「それは残念です」

そして、すっかり元気をなくしたように見えた。説明は一切しようとはせず、すぐに別の話題を持ちだした。

「家政婦のミス・ラッセルは、金曜の朝、診察してもらいに先生を訪ねています――診察のときにどういう会話があったかお聞きしたら、ぶしつけでしょうか――もちろん医学的な詳細はけっこうですが」

「いや、かまいませんよ。医学的なことについて話が終わると、しばらく毒物について話しました。毒物を検出することが簡単かむずかしいか、それに麻薬の使用と中毒患者について」

「特にコカインについて話が出ませんでしたか?」

「どうしてご存じなんですか?」わたしはいささか驚いてたずねた。

答えの代わりに、小男は立ち上がって、部屋の向こうに置かれた新聞のファイルの方に歩いていった。そこから九月十七日金曜日の《デイリー・バジェット》を一部持ってきて、コカインの密輸を扱った記事を見せてくれた。それはいささかどぎつい記事で、生々しい効果を狙って書かれていた。

「これで彼女はコカインのことを思いついたんです、わが友よ」ポアロはいった。

彼のいう意味がよく理解できなかったので、もっと詳しくたずねたかったが、そのときドアが開いて、ジェフリー・レイモンドが案内されてきた。

彼はいつものように元気溌剌として部屋に入ってくると、わたしたち二人に挨拶した。

「こんにちは、先生。ムッシュー・ポアロ、こちらにうかがうのは、今日、これで二度目なんです。どうしてもお目にかかりたかったので」

「わたしは失礼した方がいいでしょうね」いくぶんぎこちなくわたしはいってみた。

「ぼくはかまいませんよ、先生。いえ、たいしたことじゃありませんから」彼はポアロに手振りですわるようにうながされ、椅子に腰をおろして続けた。「告白しなくちゃならないことがあるんです」

「本当に？《アン・ヴエリテ》」ポアロは礼儀正しい好奇心を浮かべていった。

「ええ、さほど重要なことじゃありませんが。でも、実をいうと、きのうの午後から良心がとがめていましてね。ぼくたち全員が何か隠していると糾弾なさいましたね、ムッシュー・ポアロ。ぼくは罪を認めます。あることを隠していたんです」

「で、それはどういうことですか、ムッシュー・レイモンド？」

「今いったようにたいしたことじゃありません——ただ、借金をしてるんです——かなりの額の。そこに、折よく遺産が入ってきた。五百ポンドあれば、窮地を救われるばかりか、さらに少し余るほどなんです」

彼はいつもの感じのいい率直な口調でいうと、わたしたちににっこりした。こんなふうだから、この青年はとても人に好かれるのだろう。

「どう思ったか、想像がおつきでしょう？　疑い深い顔つきをした警官がそこらじゅうにいた――金に困っているなんて認めたくありませんでした――印象が悪くなりますからね。だけど、ぼくは馬鹿でした、本当に。なぜって、ブラント少佐といっしょに九時四十五分から十時まではビリヤード室にいたんですから、水も漏らさぬアリバイがあるんですよ。怖がることはひとつもなかったんです。それでも、何か隠している、とあなたに怒鳴られたときは、良心が疼いて嫌な気分になりました。で、心を軽くしようと思ったんです」

レイモンドは立ち上がって、わたしたちに笑いかけた。

「あなたは実に賢い青年です」ポアロは感心したようにレイモンドにうなずきかけた。「いいですか、誰かが何か隠していたら、それは非常に悪いことかもしれない、とわたしは勘ぐります。あなたは正しいことをしたんですよ」

「疑いが晴れてうれしいですよ」レイモンドは笑った。「では、そろそろ失礼します」

「では、これだけのことだったんですね」若い秘書が出ていってドアが閉まると、わたしはいった。

「ええ」ポアロはいった。「ごく些細なことです――しかし、もしも彼がビリヤード室にいなかったら――どうなったでしょうな？　考えてみれば、五百ポンド以下のために行われる犯罪はたくさんあります。すべては、その人間を破滅させるのにどのぐらいの金が必要か、ということにかかっているんですよ。相対的な問題ですね。あの家の多くの人間が、アクロイド氏の死によって利益を得たということに気づいていましたか、わが友よ？　セシル・アクロイド夫人、ミス・フローラ、レイモンド青年、家政婦のミス・ラッセル。利益を得なかったのは実はたった一人、ブラント少佐だけです」

その名前を口にしたポアロの口調には独特の含みがあったので、わたしはとまどって目を上げた。

「おっしゃることが、よくわかりませんが」とわたしはいった。

「わたしが非難したことで、二人が真実を話してくれました」

「ブラント少佐も何か隠していると考えているんですか？」

「それをいうなら」とポアロは無頓着な口調でいった。「こういうことわざがあるでしょう、イギリス人が隠すのはひとつだけ――恋心だけだ、ちがいますか？　そしてブラント少佐は、隠しごとは下手だといわざるをえませんね」

「ときどき考えるんですが」とわたしはいった。「一気に結論に飛びつかない方がいいんじゃないでしょうか?」

「どういうことですか?」

「これまで、フェラーズ夫人の脅迫者がアクロイドを殺した犯人にちがいないと考えてきました。それがまちがっている可能性はないですか?」

ポアロは熱心にうなずいた。

「大変けっこう。非常にいいところを突いています。あなたがそのことを思いつくだろうか、と思っていたところです。もちろん、その可能性はあります。しかし、ひとつ忘れてはならないことがあります。あの手紙がなくなっていることです。それでも、あなたのおっしゃるように、必ずしも殺人者があれをとったとはいえないかもしれません。最初に死体を発見したとき、パーカーがあなたに気づかれずに手紙を盗んだのかもしれません」

「パーカーが?」

「ええ、パーカーです。わたしは常にパーカーに戻ってくるのです——殺人者としてではなく——そう、彼は殺人を犯したりはしません。しかし、彼ほど、フェラーズ夫人を脅していた謎のろくでなしにぴったりの人物はいないでしょう。キングズ・パドックの使用人の一人から、フェラーズ氏の死にまつわる情報を入手したのかもしれません。いずれにせよ、ブラント少佐のような、たまたま滞在していた客よりも、そうした情報を手に入れやすいはずです」

「パーカーがあの手紙をとったのかもしれませんね」わたしは認めた。「あれがなくなっているのに気づいたのは、ずっとあとになってからですから」

「どのぐらいあとですか？　ブラント少佐とレイモンド氏が部屋に入ってきたあとですか、前ですか？」

「覚えてません」わたしはのろのろといった。「前だったと思います――いや、あとでした。ええ、たぶんあとだったと思います」

「だとすると、可能性は三人に広がりますね」ポアロは考えこんだ。「しかし、パーカーがいちばん怪しいですな。実はパーカーにちょっとした実験をしてみようかと考えているんですよ。どうでしょう、わが友よ、ファンリー・パークにいっしょに行っていただけませんか？」

わたしは承知して、ポアロといっしょにただちに出発した。ポアロがミス・アクロイドにお目にかかりたいというと、すぐにフローラが出てきた。

「マドモアゼル・フローラ」ポアロがいった。「実はちょっとした秘密を打ち明けなくてはなりません。わたしはまだパーカーの潔白を納得していないのです。あなたの助けを借りて、ささやかな実験をやってみたいのです。あの夜の彼の行動を再現したいんですよ。しかし、彼には別の口実を設けなくてはなりません——ああ！　思いつきました。控えの間の話し声が、外のテラスで聞こえるかどうか確認したいといいましょう。さあ、お手数ですが、ベルを鳴らしてパーカーを呼んでいただけますか？」

わたしがベルを鳴らすと、いつものように慇懃な態度で執事が現われた。

「お呼びですか？」

「ああ、パーカー。ちょっとした実験がしたいんだ。書斎の窓の外のテラスには、ブラント少佐に立ってもらっている。あの夜、控えの間できみとミス・アクロイドの交した会話が、テラスで聞こえたかどうか確認したいのでね。きみがあのとき運んでいたトレイでも何でも、とってきてくれ」

パーカーが姿を消し、わたしたちは書斎の外の控えの間に集まった。すぐに玄関ホールでカチャカチャという音がして、パーカーがソーダの瓶、ウイスキーのデキャンタ、グラスをふたつのせたトレイを運んできた。

「ちょっと待ってください」ポアロが片手を上げ、とても興奮した様子で叫んだ。「すべてをきちんとしなくてはならないのです。起きたとおりに。それがわたしのささやかな手法なのです」

「外国の習慣ですね」パーカーがいった。「犯罪現場の再現と呼ばれているのでございましょう？」

パーカーはまったく動じた様子も見せずにそこに立ち、礼儀正しくポアロの命令を待っていた。

「ほう！　なかなかよく知っているね、たいしたものだ、パーカー」ポアロは叫んだ。「そうした本を読んでいるんだね。さて、きみに頼みたいのは、すべてをあくまで正確にやってほしいということです。きみは外の廊下から入ってきた――こんなふうに。マドモアゼルは――どこにいらっしゃいましたか？」

「ここです」フローラはいって、書斎のドアのすぐ外に立った。

「そのとおりでございます」パーカーはいった。

「ちょうどドアを閉めたところだったんです」フローラがいった。

「ええ、お嬢さま」パーカーが同意した。「ちょうど今のように、片手がドアのノブにかかっていました」

「では開始《アレ》しよう」ポアロがいった。「ちょっとしたお芝居を演じてください」

フローラは片手をドアノブにかけ、パーカーはトレイを持って玄関ホールからドアを抜けて入ってきた。

彼はドアのすぐ内側で足を止めた。フローラが口を開いた。

「まあ、パーカー！　伯父さまはもう今夜は邪魔されたくないとおっしゃっているわ」

「これでよかったかしら？」彼女は小声でたずねた。

「わたしの覚えている限りではそのとおりでした、フローラさま」パーカーはいった。

「ただし、〝今夜〟ではなく〝今晩〟とおっしゃったと思います」それから、やや芝居がかった口調で声を高めた。「承知しました。いつものように戸締まりをいたしましょうか？」

「ええ、お願い」

パーカーはドアから退出し、フローラは彼に続いて、玄関ホールの階段を上りはじめた。

「これでよろしいかしら？」彼女は肩越しに叫んだ。

「すばらしい」小男はほめ、両手をこすりあわせた。「ところで、パーカー、きみはあの夜も、まちがいなくグラスをふたつのせていたのかね？　もうひとつのグラスは誰のためなのかな？」

「いつも、グラスはふたつ運んでいくのです」パーカーはいった。「他には何かございますか？」

「いや、ないよ。ありがとう」

パーカーはさがったが、最後まで堂々とした態度だった。

ポアロはホールの真ん中に立って顔をしかめていた。フローラが階段を下りて、わたしたちのところにやって来た。

「実験は成功しましたの？」彼女はたずねた。「わたしにはよくわからなかったんですけど、あなたは――」

ポアロはやさしくフローラに微笑んだ。

「あなたがおわかりになる必要はありません」彼はいった。「しかし、どうなんでしょう、あの夜、パーカーのトレイには本当にグラスがふたつのっていましたか？」

フローラは一瞬眉を寄せた。

「よく覚えていません。あったと思いますけど。それが――それが実験の目的だったんですか？」

ポアロは彼女の手をとり、軽くたたいた。

「こう申し上げておきましょう。わたしは常に、人が真実を話しているかどうかに興味があるのです」

「それで、パーカーは本当のことをいったんですか？」

「だと思いますね」ポアロは考えこむようにいった。

数分後、わたしたちは村へ引き返していた。

「グラスについての質問は、どういう狙いがあったんですか？」わたしは好奇心に駆られてたずねた。

ポアロは肩をすくめた。

「何かいわなくてはならなかったからですよ」彼はいった。「あの質問でも、他の質問でもかまわなかったんです」

わたしはまじまじと彼を見つめた。

「ともかく、わが友よ」彼は真剣な口調になった。「これで知りたいと思っていたことがわかりました。とりあえず、それでよしとしましょう」

16 麻雀の夕べ

その晩、わたしたちはささやかな麻雀会を開いた。キングズ・アボット村では、この手のきどらない娯楽はとても人気があるのだ。夕食後に、客たちは長靴にレインコートというでたちでやって来た。お客たちにはまずコーヒーが出され、あとでケーキ、サンドウィッチ、お茶でもてなされた。

この夜のお客は、ミス・ガネットと、教会のそばに住んでいるカーター大佐だった。こうした夜は、大量の噂話が交換され、ときには、ゲームの進行をいちじるしく損なうこともあった。以前はよくブリッジをした——騒々しくおしゃべりをしながらの最低のブリッジだった。やがて麻雀の方がずっと平穏にできるということを発見した。どうしてそんなカードを最初の手として出したのか、とパートナーにいらだたしげに詰問する必要もなくなったし、いまだに歯に衣着せぬ批判は口にするものの、ああいうとげとげしい雰囲気はなくなった。

「今夜はずいぶん冷え込んでるな、シェパード？」カーター大佐が暖炉に背中を向けて立ちながらいった。キャロラインはミス・ガネットを自室に連れていき、そこでどっさり着込んできた服を脱ぐのを手伝っていた。「アフガニスタンの山道を思い出すよ」

「そうですか」わたしは礼儀正しく応じた。

「気の毒なアクロイドの一件は、実に謎めいているな」大佐はコーヒーを受けとりながらいった。「事件の裏にはいろいろな事情があるんだよ――わたしはそう思ってる。ここだけの話だがね、シェパード、脅迫という噂を小耳にはさんだんだ！」

大佐は「お互い、世情に通じてますからな」という目つきでわたしを見た。

「あれには女がからんでるね、絶対に。まちがいなく、女がらみだ」

そのとき、キャロラインとミス・ガネットが現われた。キャロラインが麻雀の箱をとりだして、テーブルに牌をぶちまけているあいだ、ミス・ガネットはコーヒーを飲んだ。

「牌を洗うとはよくいったものだ」と大佐はおどけていった。「こういうふうに牌をかきまぜることを――洗牌《シーパイ》と上海クラブではいってた」

キャロラインとわたしのあいだでは、カーター大佐は生まれてこのかた一度も上海クラブに行ったことがないということで、ひそかに意見が一致していた。おまけに、彼はインドよりも東には行ったことがなく、インドでは第一次世界大戦のあいだ、缶詰牛肉やプラムやりんごジャムをちょろまかしていたらしかった。しかし、大佐はあくまで軍人らしくふるまったし、キングズアボットの村では、人とちがう個性を自由に発揮することが認められていた。

「始めましょうか？」キャロラインが声をかけた。

わたしたちはテーブルを囲んだ。五分ほど、誰も口をきかなかった。誰がいちばん早く牌を積めるか、ひそかに競争していたからだ。

「どうぞ、ジェームズ。あなたが親よ」ようやくキャロラインがいった。

わたしは牌を一枚切った。一、二順回るあいだは、「三《サン》ソウ」とか「二《リャン》ピン」「ポン」という単調な声、それにミス・ガネットの頻繁な「ポン取り消し」の声が響くだけだった。ミス・ガネットは、とる権利がないのにあわててポンを鳴いてしまう癖があったのだ。

「今朝、フローラ・アクロイドを見かけたのよ」ミス・ガネットがいった。「ポン――いえ――取り消し。まちがえたわ」

「四《スー》ピン」とキャロラインがいった。「どこで見かけたの？」

「向こうはわたしに気づかなかったけどね」ミス・ガネットは、小さな村でしか見受けられない、とてつもなく意味ありげな調子でいった。

「まあ！」キャロラインは興味しんしんでいった。「チャウ」

「最近では」とミス・ガネットの話が少しのあいだそれた。「〝チャウ〟ではなくて〝チー〟というのが正しいみたいよ」

「まさか」キャロラインはいった。「わたしはずっと〝チャウ〟といってたわよ」

「上海クラブでは」とカーター大佐が口を出した。「〝チャウ〟といってたな」

ミス・ガネットはいい負かされて、ひっこんだ。

「フローラ・アクロイドがどうしたんでしたっけ？」しばらくゲームに没頭したあとで、キャロラインがたずねた。「誰かといっしょだったの？」

「そうなのよ！」とミス・ガネット。

二人の女性の視線がぶつかりあった。そうやって情報を交換しあっているらしかった。

「あらまあ、そうだったのね？」キャロラインがおもしろがるような口調でいった。

「まあ、ちっとも驚かないけど」

「ミス・キャロライン、牌を捨てるのを待ってるんだが」大佐がいった。彼はゲームに熱中していて噂話には興味などない無骨者のふりをすることがあった。だが、誰もだまされなかった。

「わたしにいわせれば」とミス・ガネットがいった。「（あなたが切ったの、ソウズだったの？　あら、ちがうの！　わかったわ――ピンズだったのね）だから、わたしにいわせれば、フローラはとてつもなく幸運だったのよ。本当についてたわね」

「どういうことなのかな、ミス・ガネット？」大佐がたずねた。「その緑発《リューハ》はポンするよ。ミス・アクロイドが幸運だというのは、どういう意味なんだね？　たしかに、とても魅力的なお嬢さんだが」

「犯罪のことはよく知らないけれど」とミス・ガネットは知るべきことはすべて知っているという得意げな口調でいった。「ひとついえることがあるわ。まず最初に出る質問は、〝生きている被害者を最後に見たのは誰か？〟だわ。そして、その人物は疑いの目で見られるのよ。で、フローラ・アクロイドは伯父が生きているのを最後に見た人物なわけ。となると、あの娘にとってはかなりまずい状況になってたところでしょ――ええ絶対に怪しまれたわ。これはあくまで、わたし個人の意見だけど、ラルフ・ペイトンが姿をくらませているのは、彼女から嫌疑をそらすためなんじゃないかしらね」

「それはないでしょう」わたしは穏やかに反論した。「まさか、フローラ・アクロイドのような若いお嬢さんが、伯父を残虐に刺し殺せるとおっしゃっているんじゃないでしょう」

「あら、どうかしらね」ミス・ガネットはいった。「パリの暗黒街を描いた本を図書館で借りてきて読んでいるんだけど、極悪の女性犯罪者の中には天使のような顔をした若い女性もいたと書いてあったわ」

「それはフランスの話よ」キャロラインが間髪を入れずにいった。

「そのとおり」大佐はいった。「ところで、ひとつ、とてもおもしろい話をしましょう——インドの市場に広まっている話なんだが……」

大佐の話はだらだらと長いばかりで、まったくおもしろくなかった。だいたい、何年も前にインドで起きたことが、数日前に、キングズ・アボットで起きた事件と比べられるわけがなかった。

幸いキャロラインがあがったので、大佐の話はおしまいになった。キャロラインの計算まちがいをわたしが訂正して、いつものように少し気まずい雰囲気になったが、また新しい局を始めた。

「今度はわたしが親ね」キャロラインがいった。「ラルフ・ペイトンについては、わたしなりに考えていることがあるの。三ワン。でも、当面は自分の胸だけにおさめておくわ」

「あら、そうなの？」ミス・ガネット。「チャウ——あ、ちがう、ポンね」

「そうよ」キャロラインはきっぱりといった。

「あの編み上げ靴のことは、あれでよかったの？」ミス・ガネットがたずねた。「黒だったけど」

「ええ、よかったのよ」キャロラインがいった。

「どういう狙いがあったのかしら、わかる？」ミス・ガネットがたずねた。

キャロラインは唇をすぼめ、そのことならすべてわかっている、といわんばかりの様子で首を振った。

「『ポン』」とミス・ガネット。「あ、ちがった——取り消し。先生はいつもムッシュー・ポアロといっしょにいるから、秘密は全部ご存じなんでしょう？」

「とんでもない」とわたし。

「ジェームズはやたらに謙遜するのよ」とキャロラインはいった。「あら！ 暗カンができたわ」

大佐がヒューと口笛を吹いた。このときばかりは噂話も中断した。

「しかも、あなたの風だ」と大佐がいった。「おまけに三元牌《さんげんぱい》をふたつもポンしている。これは用心しなくては。ミス・キャロラインは大きな手を狙っているようだな」

わたしたちはそれからしばらく、むだ口はきかずにゲームに熱中した。

「そのムッシュー・ポアロとやらは」とカーター大佐がいいだした。「そんなにすごい探偵なのかね?」

「世界一の探偵よ」キャロラインがもったいぶっていった。「騒がれないように、身分を隠してここに引っ越してこなくちゃならなかったの」

「チャウ」ミス・ガネットがいった。「この小さな村にとっては、とっても名誉なことよね。ところで、うちのメイドのクララが、エルシーと大の仲良しなの、ファンリー・パークのメイドのね。で、エルシーがなんていったと思う? 大金が盗まれて、その子の意見じゃ――エルシーのことよ――雑用係のメイドがそれに関係しているらしいの。月末でお暇をとるし、夜になると泣いてばかりいるんですって。わたしが思うに、その娘はギャング団の一味なんじゃないかしらね。前々から変わった娘なのよ――このあたりの娘とは誰とも親しくしていないし。お休みになると、一人で出かけているの――まったく不自然だし、はっきりいって怪しいわよ。あるとき、〝若い女性の親睦の夕べ〟に誘ったんだけど、断わられたのよ。で、あの子の故郷や家族のこと、まあ、そんなようなことについて二、三たずねたら、それはもう生意気な態度でね。表面的にはとても礼儀正しいのよ――だけど、その厚顔ぶりときたら、まったく二の句がつげなかったわ」

ミス・ガネットはひと息ついた。使用人の問題にはまったく関心のない大佐が、上海クラブでは、てきぱきゲームを進めるのが鉄則だといった。

次の一順はてきぱきと進めた。

「あのミス・ラッセルだけど」とキャロラインがいいだした。「金曜の朝、ジェームズに診察してもらうふりをして、ここに来たのよ。どこに毒薬がしまってあるのか見に来たんだと思うわ。五《ウー》ワン」

「チャウ」ミス・ガネットがいった。「ずいぶん突拍子もない思いつきね！　それはないんじゃないかしら」

「毒薬といえば」と大佐がいいだした。「ええと――おや？　わたしはもう切ったかな？　ああ！　八《パー》ソウだ」

「上がり！」ミス・ガネットがいった。

キャロラインはひどく機嫌を損ねた。

「中《チュン》が出れば、大三元《だいさんげん》だったのに」と残念そうにいった。

「中は最初からぼくが二枚持ってたんだよ」わたしは教えた。

「まったくあなたらしいわ、ジェームズ」キャロラインは非難がましくいった。「麻雀の精神がまったくわかってないのよ」

わたしは内心、うまく立ち回ったと思っていた。もしキャロラインにふりこんでいたら、大変な点数を支払わねばならないところだった。ミス・ガネットの上がりはいちばん安い点数だった。キャロラインはすかさずそれを指摘した。

親が変わり、わたしたちは無言で新しい局を始めた。

「さっきいおうとしていたことなんだけど」キャロラインがいった。

「それで？」

「ラルフ・ペイトンのことで、ちょっと考えてることがあるの」

「ええ、それで？」ミス・ガネットがさらにうながして、叫んだ。「チャウ！」

「こんなに早くチャウをするなんて、弱腰すぎるわ」キャロラインが厳しくいった。

「もっと大きな手を狙うべきよ」

「わかってるわ」ミス・ガネットはいった。「あなたがいってたのは──ラルフ・ペイトンのことだったわね？」

「そう。実はね、わたし、彼の居所についてほぼ見当がついているの」

全員が手をとめて、彼女を見つめた。

「それは実に興味深いね、ミス・キャロライン」カーター大佐がいった。「あなた一人の思いつきなのかな？」

「いえ、そうともいえないの。説明するわ。玄関ホールに、この郡の大きな地図が貼ってあるのはご存じでしょう?」

三人とも、知っていると答えた。

「このあいだムッシュー・ポアロが帰りがけに、立ち止まってそれをしげしげと眺めて、こういったの——正確には思い出せないんだけど。このあたりで大きな町といったら、クランチェスターしかないって——もちろん、そのとおりだわ。だけど、彼が帰ってしまったあとで、いきなり閃いたのよ」

「何を?」

「彼のいった意味よ。もちろん、ラルフはクランチェスターにいるのよ」

そのとたん、わたしは手牌を倒してしまった。姉は、なんて不器用な、とわたしをさっそく叱責したが、どこか上の空だった。自説に夢中になっていたのだ。

「クランチェスターねえ、ミス・キャロライン」カーター大佐がいった。「絶対にクランチェスターじゃないだろう。近すぎるよ」

「そこが狙いなのよ」キャロラインは勝ち誇ったように叫んだ。「ここから鉄道で逃げなかったことは、はっきりしているらしいの。歩いてクランチェスターに行ったにちがいないわ。それに、まだ向こうにいると思うの。こんな近所にいるなんて、誰も夢にも思わないでしょ」

わたしはその推理にいくつかの欠陥を指摘したが、キャロラインはいったんこうと思いこむと、何があっても自説を撤回しようとはしなかった。

「で、ムッシュー・ポアロも同じことを考えていると思ってるのね」ミス・ガネットが考えこむようにいった。「奇妙な偶然だけど、わたし、今日の午後、クランチェスターに通じる道を散歩していたの。そうしたら、ムッシュー・ポアロが向こうから車でやって来たのよ」

わたしたちはお互いに顔を見合わせた。

「あら、いやだ」突然ミス・ガネットがいいだした。「わたしったら、さっきから上がっていたのに気づかなかったわ」

独創的な推理にふけっていたキャロラインは、たちまち現実にひき戻された。彼女はミス・ガネットに、何度もチャウをして、いろいろな種類の牌で上がっても価値はない、と指摘した。ミス・ガネットは動じる様子もなく聞き流し、点棒を集めた。

「ええ、そうね、あなたのいうことはわかるわ。だけど、そもそも配牌《ハイパイ》のときにどういう手がくるかによるんじゃない？」

「狙っていかなくちゃ、絶対大きな手はできないわよ」キャロラインが主張した。

「でも、みんな、それぞれの流儀でやるべきなんじゃない？」ミス・ガネットは自分の点棒を見下ろして「結局、いまのところ、わたしが勝ってるしね」といった。

かなり負けがこんでいたキャロラインは黙りこんだ。

親が変わって、わたしたちはまた新しい局を始めた。アニーがお茶やお菓子を運んできた。キャロラインとミス・ガネットは、こうした集まりの晩にはよくあることだったが、少々ピリピリしていた。

「もう少しさっさとやってもらえないかしら」ミス・ガネットがどの牌を切るか迷っていると、キャロラインがいった。「中国人はあまりすばやく牌を捨てていくんで、小鳥が羽ばたくような音がするんですって」

しばらくのあいだ、みんな中国人のようにゲームをした。

「きみはあまり情報を提供してくれないんだね、シェパード」カーター大佐が陽気にいった。「ずるいぞ。あの名探偵と昵懇《じっこん》の間柄のくせに、捜査がどう進展しているのか匂わせもしないんだから」

「ジェームズは変わり者でね」キャロラインがいった。「情報を手放すのが嫌なのよ」

姉は少し不愉快そうにわたしを見た。

「本当に何も知らないんだよ」わたしはいった。「ポアロは自分の考えを教えようとしないんだ」

「賢いね。本心を明かさないとは」大佐はくすくす笑った。「だが、ああいう外国人の探偵はたいしたもんだ。あの手この手で巧みにはぐらかすところなどね」

「ポン。これで、上がりだわ」ミス・ガネットは静かな勝利感をにじませていった。場はさらに緊迫してきた。ミス・ガネットが三回連続して上がったせいで、いらいらしているキャロラインは、新たに牌を積みながら、わたしにこういいだした。

「まったく、あなたって退屈な人ね、ジェームズ。ボンクラみたいにすわってるだけで、ひとことも口をきかないんだから！」

「だけど、姉さん」とわたしは抗議した。「何もいうことがないんだよ——姉さんが聞きたいようなことはね」

「嘘ばっかり」キャロラインは理牌《リーパイ》しながらいった。「絶対、おもしろいことを知っているはずよ」

わたしは一瞬、口がきけなくなった。圧倒され、頭がくらくらしていたのだ。完璧な上がり——配牌のままで上がる天和《テンホー》という手があるということは本で読んでいたが、その手が自分にできようとは思ってもいなかった。

誇らしげな気持ちを抑えながら、わたしは手牌をテーブルにさらした。

「上海クラブでは天和と呼ばれているやつですよ。役満です！」

大佐の目は飛びださんばかりになった。

「これは驚いた。いやはや珍しいことだ。実際に見たのは、生まれて初めてだ！」

それまでキャロラインにさんざん嘲弄されていたせいで、その勝利に興奮したわたしは向こう見ずにも口を滑らせてしまった。

「興味深いことといえば、内側に日付と〝Rより〟と刻まれた金の結婚指輪なんてどうかな？」

その発言のあとの騒ぎは割愛する。わたしはその宝物を発見した正確な場所をいわされた。刻印された日付もしゃべらされた。

「三月十三日ね」キャロラインはいった。「ちょうど半年前。ふうん！」

興奮した意見や推測ががやがやと飛び交ったあとで、三つの説が立てられた。

一　カーター大佐の説――ラルフはこっそりフローラと結婚した。いちばんありそうで、もっとも単純な結論である。
二　ミス・ガネットの説――ロジャー・アクロイドはひそかにフェラーズ夫人と結婚していた。
三　姉の説――ロジャー・アクロイドは家政婦のミス・ラッセルと結婚していた。

あとで寝ようとして二階に上がっていったときに、四番目のとてつもない説をキャロラインが口にした。

「よく聞いて」彼女は唐突にいいだした。「ジェフリー・レイモンドとフローラが結婚していたとしても、全然驚かないわ」

「それなら〝Gより〟だよ、〝Rより〟じゃなくて」わたしは指摘した。

「あなたは知らないのね。女性の中には男の人を苗字で呼ぶ人がいるのよ。それに、ミス・ガネットが今夜いっていたことを聞いたでしょ――フローラが誰かと出歩いていたって」

厳密にいうと、わたしはミス・ガネットがそんなことをいうのを聞いていなかったが、ほのめかしを読みとるキャロラインの能力に敬意を払うことにした。

「ヘクター・ブラントはどうかな？」わたしは意見をいってみた。「誰かというのはもしかしたら――」

「冗談でしょ」キャロラインはいった。「あの人はフローラを賞賛しているわ――恋しているといってもいいかもしれないわね。だけど、いい、若い女はハンサムな秘書がそばにいるのに、父親になれるほど年上の男と恋に落ちたりしないものよ。人の目をくらますために、ブラント少佐の気をひいてるかもしれないけど。若い女というのはけっこう計算高いのよ。だけど、ひとつだけいっておくわ、ジェームズ・シェパード。フローラ・アクロイドはラルフ・ペイトンのことなど、これっぽっちも愛していないわ。今までだって、愛したことなんてなかったのよ。わたしがいうんだから本当よ」

わたしはおとなしくそれを信じることにした。

17　パーカー

天和ができたので有頂天になり、いささか無分別なことをしたかもしれない、と翌朝になって気づいた。たしかに、ポアロは指輪を発見したことを秘密にしろ、とはいわなかった。だが、ファンリー・パークでは、指輪のことはひとことも持ちださなかったのだ。わたしの知る限り、指輪が見つかったことを知っているのは、他にいなかった。ひどくうしろめたい気持ちになった。今頃、この事実はキングズ・アボットの村を野火のような勢いで広がっているだろう。今にもポアロから譴責《けんせき》を受けるのではないかと覚悟した。

フェラーズ夫人とロジャー・アクロイドの合同葬儀は、十一時に行われた。もの悲しい厳粛な葬儀だった。ファンリー・パークの人々は全員が列席していた。

葬儀のあとで、やはり列席していたポアロがわたしの腕をつかみ、からまつ荘に来てほしいといった。ひどく深刻な顔つきだったので、昨夜の軽率な行動がもう耳に入ったのだろうかと不安になった。しかしまもなく、彼の頭はまるきりちがうことでいっぱいだった、ということが判明した。

「いいですか、わたしたちは行動しなくてはなりません。先生の助けを借りて、ある証人を調べたいのです。彼を尋問し、脅しつけて真実を告白させるのです」

「どの証人のことをおっしゃっているのですか？」わたしはひどく驚いてたずねた。

「パーカーですよ！」ポアロはいった。「今日の正午にうちに来るようにいってあります。今頃、家で待っているでしょう」

「何を期待しているんですか？」わたしは横目で彼の顔を窺いながら、思い切ってたずねた。

「ようするに――満足していないんです」

「フェラーズ夫人を脅迫していたのは彼だと考えているんですか？」

「そうかもしれません、あるいは――」

しばらく続きを待ってから、うながした。「あるいは？」

「わが友よ、あなたにはこう申し上げておきましょう――パーカーであればよいと思っていると」

重苦しい態度と、そこに漂ういわくいいがたいもののせいで、わたしは押し黙った。

からまつ荘に着くと、パーカーがすでにわたしたちの帰りを待っていることを知らされた。部屋に入っていくと、執事はうやうやしく立ち上がった。

「やあ、パーカー」とポアロが愛想よく挨拶した。「ちょっと待ってくれ」

コートと手袋を脱いだ。

「失礼します」パーカーはさっと進み出てきて、ポアロを手伝った。彼はドアのそばの椅子に、脱がせたものをきちんと置いた。ポアロは執事を満足そうに見やった。

「ありがとう、パーカー。すわってもらえるかな？ 話が少々長くなりそうだからね」

パーカーは恐縮したように頭を下げて椅子にすわった。

「今日、ここに来てもらったのは、何のためだと思うかね？」

パーカーは咳払いをした。

「亡くなられたご主人のことで、いくつか質問をなさりたいのだと存じています――個人的なことを」

「そのとおり《プレスイゼマン》」ポアロはいって破顔した。「きみは脅迫の経験をかなり積んでいるのかね？」

「だんなさま！」

執事はぱっと立ち上がった。

「そう興奮しないで」ポアロは穏やかにいった。「正直で傷ついた男という茶番は演じなくてけっこうだ。きみは脅迫に関してはいろいろと知っている、そうだろう？」

「わたしは――今まで――一度も――」

「これほどの侮辱を受けたことがない」ポアロがあとをひきとった。「では、忠実なパーカー、どうしてあの夜、きみはあんなに熱心にアクロイド氏の書斎の会話を盗み聞きしようとしたのかな？　脅迫という言葉を耳にしたからかね？」

「わたしはそんな――決して――」

「前のご主人は誰だった？」ポアロはいきなり鋭くたずねた。

「前のご主人ですか？」

「そう、アクロイド氏のところに来る前に仕えていたご主人だ」

「エラビー少佐ですが――」

ポアロはすぐさま口をはさんだ。

「そう、エラビー少佐だ。エラビー少佐は薬物中毒だったんじゃないかね？　きみは彼といっしょに旅をして回った。バミューダにいるときに、ちょっとした面倒が起きた――人が殺されたのだ。エラビー少佐にも多少責任があったが、もみ消された。しかし、きみはそれを知っていた。きみを黙らせておくために、エラビー少佐はいくら支払ったのかね?」

パーカーは口をぽかんと開けてポアロを見つめた。いまや自制心を失い、たるんだ頰はぶるぶる震えていた。

「わかっただろう、調べはついてるんだ」ポアロは快活にいった。「事実はわたしがいったとおりだ。きみは脅迫でたっぷり金を手に入れ、エラビー少佐は死ぬまできみに金を支払い続けた。今度は、最近の経験について聞かせてもらいたいんだが」

パーカーは口を開けたまま目をみはっていた。

「否定してもむだだよ。エルキュール・ポアロにはお見通しなんだ。エラビー少佐の件は、わたしのいったとおりだろう?」

意志に逆らうように、パーカーはしぶしぶ一度だけうなずいた。その顔は蒼白になっていた。

「でも、アクロイドさまは髪の毛一本傷つけていません」パーカーはうめくようにいった。「神に誓って、わたしはやっていません。こういうことになるのではと、ずっと心配していたんです。ですから、申し上げます——わたしはご主人さまを殺していません」

彼の声は悲鳴のように高くなった。

「たぶんそんなことだろうと思うよ、わが友よ」ポアロはいった。「きみにはそれだけの度胸が——勇気がないからね。しかし、わたしは真実を知らなくてはならない」

「すべてお話しします、何でもお知りになりたいことを。あの晩、立ち聞きしようとしたのは本当です。ひとこと、ふたこと小耳にはさんだことで、興味をかきたてられたのです。それに、アクロイドさまは邪魔をしないでくれとおっしゃって、先生といっしょにあんなふうに閉じこもってしまわれましたので。警察に話したことは神かけて本当です。脅迫という言葉を聞いて、それで——」

彼は口ごもった。

「利用できるネタをつかめるかもしれないと考えたんだろう？」ポアロがすかさず補った。

「いえ——まあ、はい、そんなところです。アクロイドさまが脅迫されているなら、わたしもその分け前にあずかってもいいのではないかと存じまして」

ポアロはなんとも奇妙な表情を浮かべると、身をのりだした。

「あの晩よりも前から、アクロイド氏が脅迫されていると思えるようなふしがあったのかね？」

「いえ、それは全然ありませんでした。脅迫と聞いて、とても驚きました。どこから見てもきちんとした紳士でしたから」

「どのぐらい立ち聞きしたのだね？」

「いえ、たいして。なんというか、どうもついていなかったのです。もちろん、食器室での仕事もこなさなくてはなりませんでした。それに、何度か書斎に近づいていったときは、だめでした。最初はシェパード先生が出ていらして、もう少しで立ち聞きしているところが見つかるところでしたし、二度目は玄関ホールにいるときに、レイモンド氏が通りかかって書斎に向かわれたので、無理だと思いました。トレイを持っていったときは、フローラお嬢さまに邪魔されたのです」

ポアロは真偽を確かめるかのように、長いあいだパーカーを見つめた。パーカーは真剣なまなざしを返した。

「どうか信じてください。警察がエラビー少佐の件を探り出し、その結果疑いをかけられるのではないかと、ずっと不安でたまらなかったのです」

「よろしい《エ・ビャン》」ようやくポアロはいった。「きみを信じよう。しかし、ひとつ頼みたいことがある——きみの銀行通帳を見せてほしいんだ。通帳は持っているだろう？」

「ええ、実を言いますと、今ここに持っております」

執事はためらう様子もなく、通帳をポケットからとりだした。ポアロは薄い緑の表紙の通帳を受けとり、記入された数字をじっくりと吟味した。

「ほう！　今年、額面五百ポンドの国民貯蓄証券を買ったんだね？」

「はい、そうです。貯金はすでに千ポンド以上になりました――それも――ええと――以前のご主人のエラビー少佐との関係で貯まったものです。それに、今年、競馬にちょっと賭けたんですが――とてもついていたんです。ご記憶にあるかもしれませんが、ジュビリー・レースで穴馬が勝ちました。幸運にも、その馬に賭けていまして――二十ポンド儲かりました」

ポアロは通帳を返した。

「では、これでけっこうだ。きみは真実を語ってくれたと信じているよ。そうでなければ――かえって厄介なことになるだろう」

パーカーが帰ってしまうと、ポアロはもう一度コートを手にとった。

「また出かけるんですか？」わたしはたずねた。

「ええ、ムッシュー・ハモンドをちょっと訪ねてみようと思うのです」

「パーカーの話を信じているんですか？」

「今聞いた限りでは、信じるに足るでしょうね。よほど演技のうまい役者なら別ですが、あの男はアクロイド氏本人が脅迫されていたと信じこんでいました。となると、彼はフエラーズ夫人の件については何も知らないということです」

「その場合――誰が――？」

「そのとおり！　誰が？　しかし、ハモンド氏を訪ねれば、目的のひとつは達せられるでしょう。パーカーの疑いが完全に晴れるか、あるいは――」

「あるいは？」

「今日は、文章《プレスイゼマン》を最後までいい終えない悪い癖が出ているようです」ポアロは申し訳なさそうにいった。「どうかご容赦ください」

「ところで」とわたしは少々おどおどしながら切りだした。「わたしも白状することがあります。ふとしたはずみで、例の指輪のことをしゃべってしまったんです」

「どの指輪ですか？」

「金魚池で見つけた指輪ですよ」

「ああ、なるほど！」ポアロはおおらかな笑みを浮かべた。

「怒らないでいただけるとうれしいんですが。とても不注意でした」

「いや、全然かまいませんよ、わが友よ。話すなと命令していたわけではありません。お望みなら、話すのはあなたの自由です。お姉さまは興味を持たれたでしょうね？」

「それはもう。ちょっとした騒ぎになりました。ありとあらゆる推理が飛び交いました」

「ほお！　しかし、あれはいたって単純なことです。真相はひと目でわかりました、ちがいますか？」

「そうなんですか？」わたしはそっけなく応じた。

ポアロは笑った。

「賢い人間はなかなか本心を明かさないようですね」彼はいった。「当たっていませんか？　しかし、もうハモンド先生のお宅に着いたようです」

弁護士はオフィスにいて、わたしたちはすぐに通された。彼は立ち上がり、型どおりの几帳面な態度で挨拶した。

ポアロはすぐに本題に入った。

「ムッシュー、あなたにぜひとも情報をいただきたいのです。といっても、そのお気持ちがあればですが。たしか、先生はキングズ・パドックの亡きフェラーズ夫人の顧問弁護士をしていらっしゃいますね？」

弁護士の目に、一瞬、驚きの表情がよぎったのがわかったが、たちまち職業的な自制心によって、その顔は能面のような無表情に戻った。

「たしかに。夫人の財政問題は、すべてわれわれの事務所で扱っております」

「やはりそうでしたか。ところで、お願いごとをする前に、シェパード先生の話を聞いていただきたいのです。かまわないでしょうね、わが友よ、先週の金曜の夜、アクロイド氏と交わした会話を繰り返していただきたいんですが」

「かまいませんよ」わたしは答えて、すぐに、あの奇妙な夜の詳細を語りはじめた。ハモンドは熱心に耳を傾けていた。

「以上です」わたしは話し終えた。

「脅迫ですか」弁護士は考えこんだ。

「意外ですか？」ポアロがたずねた。

弁護士は鼻眼鏡をはずして、それをハンカチーフで磨いた。

「いいえ。驚いているとはいえません。しばらく前から、そういうことがあるのではないかと疑っていましたから」

「そこで、わたしのほしい情報とつながってくるのですが」とポアロがいった。「実際に支払われた金額を知っている人間がいるとしたら、あなたをおいて他にはいません、ムッシュー」

「隠す理由は見あたらないようですね」少し考えてから、ハモンドはいった。「過去一年のあいだに、フェラーズ夫人はかなりの額の有価証券を売却しました。その金は夫人の口座に払いこまれ、再投資されていません。収入はたくさんありますし、ご主人の死後はとてもひっそりと暮らしておられたので、あの大金が特別な目的のために使われたことはまちがいないと思います。一度、その件についてたずねてみましたが、ご主人に貧しい親戚が何人かいて、援助せざるをえないのだという返事でした。もちろん、わたしはそれ以上追及することはありませんでした。今の今まで、あの金はアシュレー・フェラーズと関わりがあった女性に支払われたのだろう、と考えていました。フェラーズ夫人自身に関係のあることだとは、思ってもみませんでした」

「そして、金額は？」ポアロがたずねた。

「あれやこれやを合計すると、総額で少なくとも二万ポンドになるはずです」

「二万ポンド！」わたしは大声を出した。「たった一年で！」

「フェラーズ夫人は大変に裕福だったんです」ポアロが冷淡にいった。「殺人の罰というのは、決して愉快なものではありません」

「他にお話しできることはありますか？」ハモンドがたずねた。

「いえ、これで。ありがとうございました」ポアロは立ち上がった。「錯乱させて、申し訳ありませんでした」

「いえいえ、とんでもない」

「錯乱という言葉は」と外に出ると、わたしは教えた。「精神障害のときにしか、使われないんです」

「ああ！」ポアロは叫んだ。「どうしても、わたしの英語は完璧の域に達しませんな。むずかしい言葉です。では、混乱させて、というべきだったのですな、そうですね《ネ・ス・パ》？」

「お邪魔して、という言葉がふさわしかったですね」

「ありがとう、わが友よ。あなたは正確な言葉に熱心なのですね。よろしい《エ・ビヤン》、さて、われらがパーカーについてどう思いますか？ 二万ポンド手にして、執事を続けるでしょうか？ そうは思いません《ジュ・ヌ・パンス・パ》。もちろん、偽名で貯金をした可能性はありますが、真実を話してくれたと信じたいですね。悪党だとしても、彼はケチな悪党です。だいそれたことを企むような男ではない。これによって、残る可能性はレイモンド氏——あるいは——ブラント少佐ですね」

「レイモンドくんではないでしょう」わたしは反対した。「五百ポンドぐらいのことで追いつめられていたというのですから」

「本人はそういってますね、たしかに」

「で、ヘクター・ブラントですが——」

「立派なブラント少佐について、ちょっとしたことを教えてあげましょう」ポアロが口をはさんだ。「調べるのがわたしの仕事なのです。ですから、ちゃんと調べたのです。よろしい《エ・ビヤン》――少佐のいう遺産の件ですが、その金額が二万ポンド近いことがわかったのです。どう思いますか？」

わたしは驚きのあまり、口がきけなかった。

「ありえませんよ」ようやく答えた。「ヘクター・ブラントのような有名人が」

ポアロは肩をすくめた。

「わかりませんよ。少なくとも、彼は大胆な計画を考えつくような人間です。正直にいって、脅迫者とはとうてい思えません。ただ、あなたが考えてもいない別の可能性が存在するんです」

「どんな？」

「暖炉です、わが友よ。アクロイド氏本人があの手紙をブルーの封筒ごと燃やしたのかもしれませんよ、あなたが帰ったあとで」

「その可能性はあまり考えられませんね」わたしはゆっくりといった。「それでも――もちろん、そういうこともありえますね。彼は気が変わったのかもしれない」

ちょうどわたしの家に着いたので、ふと思い立って、ありあわせのものしかないが、昼食をとっていかないかとポアロを誘った。

キャロラインが喜ぶと思っていたのだが、女性を満足させるのはむずかしいようだ。どうやら、昼食には骨つき肉を食べる予定になっていたようだった――キッチン担当の使用人たちは、牛の胃とタマネギというごちそうだった。やがて、三人の前に二切れの骨つき肉が運ばれてくると、気まずい雰囲気になった。

しかし、キャロラインはいつまでもたじろいではいなかった。ジェームズは笑うけれど、自分は徹底した菜食主義なのだ、と真っ赤な嘘を並べ立てたのだ。ナッツ・コロッケのおいしさについてうっとりしながら詳しく語り（そんなものを食べたことがないのはまちがいない）、チーズトーストを喜々として食べながら、繰り返し「肉食」の危険について痛烈な意見を口にした。

食後、暖炉の前で煙草をくゆらせていると、キャロラインはポアロに直接挑みかかった。

「ラルフ・ペイトンはまだ見つかっていないんですか？」彼女はたずねた。

「どこで見つけられるでしょうね、マドモアゼル？」

「たぶん、クランチェスターで発見なさったんじゃないかと思っていました」やけに意味ありげな口調で、キャロラインはいった。

ポアロはただ困惑しているように見えた。

「クランチェスターですか？　なぜクランチェスターなんでしょう？」

いささか悪意をこめて、わたしはポアロに説明した。

「大勢いる村の私立探偵の一人が、たまたま、きのうクランチェスターに通じる道を、あなたが車で走っていくのを見かけたんです」

ポアロの困惑は消えた。彼は腹を抱えて笑った。

「ああ、あれですか！　ただ歯医者に行っただけですよ、それだけです《セ・トウー》。歯が痛くなりまして。向こうに着いたら、すぐによくなりました。急いで引き返そうとしますと、歯医者がだめだというんです。抜いた方がいいと。わたしは嫌だといいましたが、医者はあくまで抜けという。結局、医者のいうなりになりました！　抜かれた歯、あれが痛むことは二度とないでしょう」

キャロラインは針でつつかれた風船のようにしぼんでしまった。

わたしたちはラルフ・ペイトンについて議論した。

「彼は弱い性格ですね。しかし、悪い人間ではない」わたしは強調した。

「ほう！」ポアロはいった。「しかし、弱さも高じると、どうなりますかね？」

「そのとおりよ」キャロラインはいった。「このジェームズがいい例です——わたしが面倒を見てあげなかったらどうなっていたかと思うほど、弱い人間なんですよ」

「ちょっと姉さん」とわたしはいらだたしげにいった。「個人攻撃をしないと、話ができないのかい？」

「だって、本当に弱いんですもの、ジェームズ」キャロラインはまったく動じなかった。

「わたしは八歳年上だけど——あら！　ムッシュー・ポアロに年がわかっても気にしませんわ——」

「とてもそうは見えません、マドモアゼル」ポアロは慇懃に軽くお辞儀をした。

「八歳上なんです。だから、あなたの面倒を見るのが自分の務めだと考えてきたのよ。教育が悪かったら、今頃、どこまで堕落していたかわからないわ」

「美しい女詐欺師と結婚していたかもしれない」とわたしはつぶやき、天井を見上げて煙の輪を吐いた。

「女詐欺師！」キャロラインは鼻であしらった。「女詐欺師といえば——」

そこで口をつぐんだ。

「なんだい？」わたしは好奇心を覚えていった。

「別に。ただ、百マイルも離れていないところにいる人のことを思い出しただけ」

それから、いきなりポアロの方を向いた。

「ムッシュー・ポアロは屋敷内の人間が犯人だと考えている、とジェームズはいいはっています。だけど、わたしはまちがっていると思うんです」

「まちがいはしたくありません」ポアロはいった。「わたしの——英語ではどういうんですかな——商売《メチエ》にあるまじきことです」

「わたし、ジェームズや他の人から聞いて、事実をかなりはっきりつかんでいるんです」キャロラインはポアロの言葉を無視して続けた。「わたしが見る限り、屋敷内の人間のうち、二人しか殺人を犯すチャンスがありませんでした。ラルフ・ペイトンとフローラ・アクロイドです」

「ねえ、キャロライン——」

「いいこと、ジェームズ、邪魔をしないでちょうだい。自分のいっていることは、ちゃんとわかってるわ。パーカーは、フローラがドアの外にいるのを見たんでしょう？　アクロイドさんが彼女におやすみというのを、聞いたわけではなかったんです。そのとき、フローラは彼を殺していたかもしれないんです」

「キャロライン！」

「彼女がやった、とはいってないわ、ジェームズ。可能だった、といってるだけ。だけど実をいうと、近頃の若い娘のご多分にもれず、フローラは目上の人を敬わないし、世の中のことはなんだって自分がいちばんよく知っているとうぬぼれているけど、鶏だって殺せやしないわ。だけど、事実は事実よ。レイモンドさんとブラント少佐にはアリバイがある。セシル夫人にもアリバイがある。ラッセルという女にすらあるらしい——あって、よかったんでしょうけどね。あとは誰かしら？　ラルフとフローラだけなんです！　そして、あなたがどういおうと、わたしはラルフ・ペイトンが犯人だとは信じられません。小さい頃から、ずっと見てきているんですもの」

　ポアロはしばらく黙りこんで、渦巻きながら立ちのぼる煙草の煙を見つめていた。ようやく口を開くと、夢見るような、やさしい声でしゃべりだしたので、どこか奇妙な感じがした。いつもの態度とは、まったくちがっていた。

「ある男のことを考えてみましょう——ごくありふれた男です。殺人などということは考えたこともない男。彼のどこかに——奥深くに——弱い性格があります。それはこれまで表面に出てきたことがありません。たぶん、一生、そのままだったでしょうね——そのままだったら、誰からも賞賛され尊敬されて墓に入ったことでしょう。しかし、あることが起きた、と仮定してみましょう。男は窮地に立つ——いや、おそらくそんなことすら起こらなかったのかもしれません。ともあれ、たまたま、ある秘密を——ある人間にとって生死に関わる秘密をつかむのです。最初はそれを公表しようとします——正直な市民としての義務を果たそうとするのです。そのとき、弱い性格が語りかけます。

今こそ金をつかむチャンスだ——莫大な金だぞ。彼は金がほしい——喉から手が出るほどほしい——しかも、とても簡単に手に入るのです。彼は何もしなくていいのです——ただ沈黙を守るだけでいい。それが始まりです。金への欲望はしだいにふくらんでいきます。もっと——もっとほしい！　男は足下に開いた金鉱に酔いしれています。どんどん貪欲になっていきます。そして、欲に目がくらんで、限界を超えてしまいます。男なら好きなだけ追いつめられるかもしれません——しかし、相手が女の場合、やりすぎは禁物です。女は心の底で、真実を話したいと強く願っているからです。どれだけ多くの夫が妻を裏切りながらも、秘密を胸に抱えたまま安らかに墓に入っていったでしょう！どれだけ多くの妻が夫を裏切り、その事実を夫の面前につきつけて、二人の人生を破滅させたでしょう！　それも追いつめられた結果なのです。女たちは向こう見ずになる瞬間に（あとになれば後悔するのです、もちろん《ビヤン・ナンタンデュ》）、安全をかなぐり捨てて反抗し、ひとときの自己満足とともに真実を告白するのです。今回の事件は、それだったと思います。追いつめすぎたのです。そして、ことわざにもありますが、金の卵を生むガチョウを殺してしまったのです。しかし、それで事は終わりませんでした。この男は、悪事が暴露される事態に直面したのです。しかも、彼は以前とは——そう、一年前とは、人が変わっていました。道徳心は薄れています。必死になっています。負け戦に挑んでいるだけに、利用できるものなら、どんな手段でもとるつもりでいます。暴露されたら、身の破滅だからです。というわけで――短剣をふりおろす！」

ポアロはしばらく黙りこんでいた。部屋は魔法をかけられたかのようだった。彼の言葉が生みだした印象を、ここに表現することはできない。その非情な分析と、冷徹なまでの洞察力に含まれる何かが、わたしたちを恐怖で震え上がらせた。

「そのあと」とポアロはまた穏やかな口調で話しはじめた。「短剣が引き抜かれると、彼はまた本来の自分をとり戻し、ごくありふれた親切な人間に戻るでしょう。しかし、また必要が生じれば、再び短剣をかざすのです」

キャロラインがようやく勇気を出して口を開いた。

「ラルフ・ペイトンのことをおっしゃっているんですね。それは正しいかもしれないし、まちがっているかもしれませんけど、申し開きをしない人間を犯人と決めつける権利はありませんわ」

電話のベルが鋭い音を鳴り響かせた。わたしはホールに出ていって、受話器をとった。

「え？　はい。シェパード医師です」

しばらく耳を傾けてから、短い返事をした。受話器を置くと、応接間に引き返した。

「ムッシュー・ポアロ。リヴァプールで、ある男が捕まったそうです。名前はチャールズ・ケント。あの晩、ファンリー・パークをたずねてきた謎の人物だということです。ただちにリヴァプールに来て、顔を確認してほしいといわれました」

18 チャールズ・ケント

三十分後、ポアロ、わたし、ラグラン警部はリヴァプール行きの列車に乗っていた。警部は見るからにとても興奮しているようだった。

「他はともかく、事件の恐喝の部分はこれで手がかりがつかめそうですな」彼は陽気にいった。「電話で聞いたところでは、この男は乱暴者らしい。麻薬もやっているそうです。男について知りたいことは、簡単にわかるでしょう。動機らしきものがあれば、いかにもアクロイドさんを殺しかねない男に思えます。ただ、その場合、ペイトンが行方をくらましている理由がわかりませんがね。事件全体が混沌としている――ま、そういうことですな。ところで、ムッシュー・ポアロ、例の指紋の件はあなたのおっしゃるとおりでした。アクロイドさん本人のものでしたよ。わたしもそれを考えたんですが、まさかそんなことがあるわけないと却下してしまったんです」

わたしは内心で笑った。ラグラン警部が体面をとりつくろおうと必死になっているのは、明らかだった。

「この男ですが、まだ逮捕されていないんですか？」ポアロはたずねた。

「ええ、容疑者として勾留されているだけです」

「で、本人はどう釈明しているんですか？」

「ろくにしゃべっていません」警部はにやっとした。「警戒心の強いやつのようですね。悪態ばかりついて、肝心なことはいわないんです」

リヴァプールに到着すると、ポアロへの熱狂的な歓迎ぶりに驚かされた。迎えに来ていたヘイズ警視は、昔、何かの事件でポアロといっしょに捜査をしたらしく、彼の能力をとてつもなく高く評価していた。

「ムッシュー・ポアロがこちらにいらしたとなれば、すぐに解決するでしょう」警視は機嫌よくいった。「引退なさったとばかり思っていましたが？」

「そのとおりです、ヘイズ、たしかにね。しかし、引退というのはまったく退屈なものですな！　毎日毎日がただ単調に過ぎていく生活、それがどんなものか想像もつかないでしょうね」

「わかりますよ。で、われわれの掘り出し物をごらんになりにいらしたんですか？　こちらがシェパード先生ですか？　顔を確認していただけそうですか、先生？」

「あまり自信はありませんが」わたしはこころもとなげにいった。

「どうやって彼を捕まえたのですか？」ポアロが質問した。

「ご存じでしょうが、人相書きが回っていたんです。新聞にも載りましたし、非公式にも配布しました。正直なところ、あまり調べは進んでいないんです。この男はたしかにアメリカ訛がありますし、あの晩、キングズ・アボット界隈にいたことは否定していません。ただ、それが警察とどう関係があるのか、みんな地獄に堕ちるがいい、といって、どんな質問にも答えようとしないんです」

「わたしもその男に会わせていただけますか？」ポアロがたずねた。

警視は心得顔に片目をつぶってみせた。

「こちらとしてもありがたいです。何でもお好きなようになさってください。スコットランド・ヤードのジャップ警部から、先日、あなたについて問い合わせがありましてね。この事件に非公式に関わっていることを、どこかで聞きつけたらしいんです。ペイトン大尉の居所を教えていただけませんか？」

「現在の状況でそれを申し上げるのは、賢明とは思えませんな」ポアロがしかつめらしく答えたので、わたしは唇を嚙んで笑いをこらえた。

こういうときの小男のいなし方は、まったく見事である。

さらに打ち合わせをしてから、わたしたちは容疑者に会うために案内されていった。せいぜい二十二、三歳の若い男だった。長身でやせていて、かすかに手が震えている。今はやつれていたが、以前はさぞ頑健だったろうと思わせる体つきだった。髪は黒かったが、目はブルーで落ち着きがなく、視線をまともにあわせようとしなかった。あの晩会った人物には、どこか見覚えがあるという印象を抱いていたのだが、それがたしかにこの男だとすると、まったくの思い違いだったようだ。この男は知り合いのどんな人間も連想させなかった。

「さあ、ケント」警視がいった。「立ちたまえ。こちらの方々はおまえに会いに来たんだ。見覚えのある人がいるかね？」

ケントは不機嫌そうにわたしたちをねめつけて、返事をしようとしなかった。彼の視線は三人の上を移動していき、またわたしのところに戻ってきて止まった。

「さて、先生」警視がわたしに声をかけた。「どんなものでしょう？」

「背丈は同じです。全体的な外見は、問題の男といってもよさそうです。それ以上のことは、いえません」

「いったいどういうことなんだよ？」ケントが文句をいった。「容疑は何だっていうんだ？　おい、はっきりいえよ！　おれが何をしたっていうんだ？」

わたしはうなずいた。

「この男です。声でわかりました」

「声でわかっただと？　前におれの声をどこで聞いたんだよ？」

「先週の金曜の夜、ファンリー・パークの門の前でだ。きみはわたしに道をたずねただろう」

「へ、そうだったかね？」

「認めるのか？」警視がいった。

「何も認めてやしないぜ。どういう嫌疑をかけられているかわかるまではな」

「この数日、新聞を読んでいないのかね？」ポアロが初めて口をきいた。

男は目を細めた。

「じゃ、そういうことなんだな？　ファンリーで老いぼれが殺されたと書いてあった。おれをその犯人に仕立て上げようっていうんだ、そうなんだろ？」

「あの晩、あそこにいたね」ポアロは静かにいった。

「どうしてわかるんだ、だんな？」

「これだよ」ポアロはポケットから何かをとりだして、差しだした。

それは東屋で発見した羽軸のついたガチョウの羽根だった。

それを見たとたん、男の顔色が変わった。男は手を伸ばしかけた。

「〝スノウ〟だね」ポアロは重々しくいった。「いや、この羽軸は空っぽだよ。これはあの晩、きみが東屋に落としていったものだ」

チャールズ・ケントは不安そうにポアロを見た。

「あんたは何でも知ってるらしいな、ちびの外人野郎。じゃ、たぶん覚えてるだろうが、あの老いぼれが殺されたのは九時四十五分から十時のあいだだって、新聞には書いてあるだろ？」

「そのとおり」ポアロはいった。

「ああ、だがそいつは本当のことなのかい？　それを聞いておきたいんだ」

「こちらの紳士が話してくださるよ」

ポアロはラグラン警部を手振りで示した。警部はためらい、ヘイズ警視をちらりと見てから、またポアロに視線を戻し、ようやく許可を得たかのように口を開いた。

「そのとおりだ。九時四十五分から十時のあいだだ」

「じゃあ、おれをこんなところに足留めできないぜ」ケントはいった。「おれは九時二十五分過ぎには、もうファンリー・パークにいなかったからな。〈犬と口笛〉亭で聞いてみてくれ。ファンリーから一マイルばかり離れた、クランチェスターへ行く道沿いにある酒場だ。たしか、あそこでちょっとした騒ぎを起こしたんだ。それが九時四十五分ぐらいだった。それなら、どうだ？」

ラグラン警部はなにやらノートに書き留めた。

「どうなんだよ？」ケントが追及した。

「調べてみよう」警部はいった。「本当のことをいってるなら、罵詈雑言を吐くこともない。ところで、ファンリー・パークで何をしていたんだ？」

「ある人に会いにいったんだ」

「誰だね？」

「あんたの知ったことじゃない」

「少しは言葉をつつしんだ方がいいぞ」ヘイズ警視は警告した。

「言葉をつつしめなんて、くそくらえだ。おれは用事があって、あそこに行った。それだけのことだろ。殺人が起きる前に、あそこからいなくなっているんだから、警察につべこべいわれる筋合いはねえよ」

「きみの名前はチャールズ・ケントだね」ポアロがいった。「どこで生まれたのかな？」

男はまじまじとポアロを見つめ、にやっとした。

「生粋のイギリス人だよ」彼はいった。

「なるほど」ポアロは考えこみながらいった。「そうだと思うよ。たぶんケント州で生まれたんだろうね」

男は目をみはった。

「なぜだ？　おれの名前のせいか？　それがどんな関係があるってんだ？　ケントって名前の人間は、ケント州の生まれと決まってるのか？」

「ある状況においては、そうなるかもしれないね」ポアロはゆっくりといった。「ある状況においてはね、きみもわかっているだろう」

二人の警官がびっくりするほど、その口調はひどく思わせぶりだった。チャールズ・ケントはといえば、顔がまっかになり、今にもポアロに飛びかかりそうに見えた。だが思い直したようで、顔をそむけて不自然な笑い声をあげた。

ポアロは満足そうにうなずくと、ドアから出ていった。二人の警官がすぐあとに続いた。

「あの供述の裏をとります」ラグラン警部がいった。「嘘をついていたとは思えませんが、ファンリーで何をしていたのか、すっかり白状してもらわないと。どうやら脅迫者は捕まえたようですな。ただし、やつの話が本当だとすると、殺人とはまったく関係がなさそうです。逮捕されたとき、あいつは十ポンド持っていました——かなりの金額です。あの四十ポンドは彼の懐に入ったんじゃないですかね——紙幣の番号は一致しませんが、当然、まっさきに両替したでしょうから。アクロイドさんが金を与えると、やつは大急ぎで逃げだしたんですよ。ところで、ケント州の生まれかどうか、という話はどういうことなんです？　それが事件とどういう関係があるんですか？」

「いや、別に何もありませんよ」ポアロは穏やかに答えた。「ふと思いついたことです、それだけです。わたしはちょっとした思いつきで有名なんですよ」

「本当ですか？」ラグラン警部はとまどった表情でしげしげとポアロを眺めた。

警視がげらげら笑いだした。「ムッシュー・ポアロとちょっとした思いつきのことは、ジャップ警部からさんざん聞かされてますよ！　あまりにも突拍子のないことに思えるが、いつも何か意味があるという話ですな」

「からかっていらっしゃるんですね」ポアロはにっこりした。「しかし、かまいませんよ。若く抜け目のない人間が笑わないで、最後に笑うのは年寄りということもありますからね」

そして、とりすました顔でうなずくと、通りに出ていった。

彼とわたしはホテルで昼食をとった。今にして思うと、そのとき、ポアロには事件の全貌がはっきりと見えていたのだ。真実に導いてくれる最後の手がかりを手に入れていたのである。

しかし、当時、わたしはそんなことを考えもしなかった。自信たっぷりなポアロの様子も、いつもそうだからと気に留めず、わたしがわからないことは、当然、彼にもわからないにちがいないと思いこんでいた。

わたしがいちばん気にかかっていた謎は、チャールズ・ケントがファンリーで何をしていたのか、ということだった。何度も自問したが、満足のいく答えは得られなかった。ついに思い切って、ポアロにおずおずと質問をしてみた。彼はすぐに答えを返してきた。

「わが友《モナミ》よ、わたしは考えているのではなく、知っているのです」

「本当に？」信じられない気持ちで聞いた。

「ええ、もちろん。彼があの晩ファンリーに行ったのは、ケント州で生まれたからなのです。といっても、先生にはまるっきり意味がわからないでしょうな」

わたしはじっとポアロを見つめた。

「たしかに、さっぱり意味がわかりませんね」わたしはむっつりといった。

「ああ！」ポアロは気の毒そうにいった。「まあ、気にすることはありません。わたしにはまだちょっとした思いつきがありますから」

19　フローラ・アクロイド

翌朝、往診からの帰り道に、ラグラン警部に呼び止められた。車を止めると、警部はステップに足をかけた。

「おはようございます、シェパード先生。実は、あのアリバイの裏がとれたんです」

「チャールズ・ケントのアリバイですか？」

「ええ、チャールズ・ケントのです。〈犬と口笛〉亭で働いているサリー・ジョーンズが、あの男をちゃんと覚えていたんです。五枚の写真から、彼のものを選びだしました。バーに入ってきたのは、ちょうど九時四十五分で、〈犬と口笛〉亭はファンリー・パークからたっぷり一マイル以上離れています。その女によれば、ケントは大金を持っていたそうです――ポケットから札をひとつかみとりだすのを見たといってます。ぼろぼろの編み上げ靴をはいている、ああいう階級の男が、とかなり驚いたそうです。これで、例の四十ポンドの行き先がはっきりしました」

「あの男はまだ、ファンリー・パークを訪ねた理由をいおうとしないんですか？」

「ラバみたいに頑固でしてね。今朝、リヴァプールのヘイズ警視と電話で話したんですが」

「エルキュール・ポアロは、あの晩、彼が屋敷に行った理由を知っているといってますよ」わたしはいった。

「そうなんですか？」警部は勢いこんでいった。

「ええ」わたしは嫌味たっぷりにいった。「ケント州生まれだから、屋敷に行ったんだそうです」

わたし自身の当惑をそっくりそのまま人に味わわせるのは、実に愉快だった。

ラグラン警部はとまどって、しばらくわたしをじっと見つめていた。やがて、イタチのような顔ににやにや笑いが広がり、額を意味ありげにたたいてみせた。

「それにしても、ここがちょっといかれてますよ。前からそうじゃないかとにらんでいたんですが。かわいそうな男だ、だから、仕事を辞めて、こっちにひっこんだんでしょう。たぶん、家系的なものですかな。頭のいかれた甥御さんがいるということですから」

「ポアロにですか？」わたしはひどく驚いて問い返した。

「ええ。ムッシュー・ポアロから聞いてませんか？　きわめておとなしいんですが、完全におかしくなっているんだそうです、気の毒に」

「誰から聞いたんですか？」

またもや、にやにや笑いがラグラン警部の顔に広がった。

「お姉さまのミス・シェパードですよ、すっかり話してくださいました」

まったく、キャロラインには驚かされる。ありとあらゆる家庭の秘密をひとつ残らず知るまでは、気が休まらないのだ。不幸にも、そういう秘密は胸におさめておくのが礼儀だと、姉に教えこむことは、とうとうできなかった。

「乗ってください、警部」わたしは車のドアを開けた。「いっしょにからまつ荘に行って、ベルギー人の友人に最新ニュースを教えてやりましょう」

「それがいいかもしれませんな。結局、少々いかれているにしろ、あの指紋の件では役に立つ情報を教えてくれましたし。ケントという男のことでは、妙な思いこみをしていますが、わかりませんよ――何か役に立つことが隠されているのかもしれない」

ポアロはいつものように、にこやかにわたしたちを出迎えた。

情報を伝えると、ときおりうなずきながら、耳を傾けていた。

「どうやらシロに見えますね？」警部はむしろ憂鬱そうにいった。「一マイル離れたバーで酒を飲みながら、別の場所で人を殺すことはできませんからな」

「釈放するつもりですか？」

「他にどうしようもないでしょう。金をだましとったからといって、勾留しておくわけにはいきません。何ひとつ証明できませんから」

警部は不機嫌なそぶりでマッチを暖炉に放りこんだ。ポアロはそれを拾って、専用の小さな容器にきちんと入れ直した。あくまで機械的な行動だった。彼の頭はまったく別のことを考えているのがわかった。

「わたしなら」とようやくポアロは口を開いた。「まだチャールズ・ケントという男は釈放しません」

「どういう意味ですか？」

ラグランはじっとポアロを見つめた。

「いったとおりの意味です。まだ彼を釈放しないでしょう」

「殺人事件と何か関わりがあると考えていらっしゃるんじゃないでしょう？」

「たぶん、関係はないと思います――しかし、まだ確信が持てないのです」

「しかし、たった今話したように――」

ポアロは遮るように手を上げた。

「ええ《メ・ウィ》、そのとおりです《メ・ウィ》。聞きましたよ。ありがたいことに、耳が悪いわけではありませんし、馬鹿でもない！　しかし、よろしいですか、あなたはまちがった――ええと、前提で――この言葉でよろしいですか？――事件を考えようとしているのです」

警部はうんざりした顔でポアロを見つめた。

「どうしてそうお考えになるのか、わかりませんね。いいですか、アクロイドさんが九時四十五分に生きていたことはわかっています。それは認めるでしょう？」

ポアロはちらりと警部を見てから、かすかに微笑みながら首を振った。

「何も認めませんよ――証明されていないことは！」

「しかし、証拠なら十分ですよ。ミス・フローラ・アクロイドの証言があるんですから」

「伯父上におやすみの挨拶をしたというんですね？　しかし、わたしは若い女性の話を鵜呑みにしないようにしています――いくら魅力的で美しい女性でもね」

「しかしねえ、ほら、ミス・アクロイドがドアから出てくるところをパーカーが見ているんですよ」

「いいえ」ポアロの声がふいに鋭くなった。「彼はそんなところを見ていません。先日、ちょっとした実験をして、納得がいきました――覚えてますね、先生？　パーカーは彼女がドアの外で、ノブに手をかけているところを目撃したんです。書斎から出てくるところを見たわけではないんです」

「しかし――他にどこにいたというんですか？」

「たぶん階段でしょう」

「階段？」

「ええ、それがわたしのちょっとした思いつきです」

「だが、あの階段はアクロイドさんの寝室にしか通じてませんよ」

「そのとおり」

それでも、警部はポアロを見つめるばかりだった。

「彼女は伯父の寝室に行っていたというんですね？　それがどうしたっていうんです？　どうして嘘をつかなくてはならなかったんですか？」

「ああ！　そこが問題なんですよ。そこで彼女が何をしていたかによるんじゃないでしょうか？」

「つまり――金ですか？　冗談でしょう、まさか四十ポンドを盗んだのはミス・アクロイドだとおっしゃっているんじゃないでしょうね？」

「わたしは何もいってませんよ」ポアロはいった。「しかし、ひとつ思い出してください。あの母娘にとって、生活は決して楽ではなかったのです。請求書が送られてくると――ささいな金額のことでじゅう文句をいわれました。ロジャー・アクロイドは、金に関しては変わり者だったのです。あの娘は、わずかな金が足りずに困りはてていたのかもしれません。どういうことが起きたのか、想像してみてください。金をとり、狭い階段を下りてきます。半分まで下りかけたとき、玄関ホールからグラスの鳴る音が聞こえました。まちがいありません――パーカーが書斎にやって来たのです。どんなことをしても、階段にいるところを見つかってはならない――パーカーはそのことを忘れず、あとになって不審に思うでしょう。金が紛失していれば、パーカーは彼女が階段を下りてきたことを思い出すにちがいありません。彼女には急いで書斎のドアまで駆け下りる時間しかありませんでした――片手をノブにかけて、ちょうど部屋から出てきたという体裁をつくろったとき、パーカーが戸口に現われたのです。彼女はとっさに思い浮かんだことを口にしました。その晩早く、ロジャー・アクロイドが命令したことを繰り返したのです。そして、二階の自室に上がっていきました」

「しかし、あとになってから」と警部は食い下がった。「彼女は真実を話す重要性に気づいたのではないですか？　なにしろ、事件全体が、そのことで大きく左右されるんですから！」

「その後」とポアロは冷静な口調で続けた。「マドモアゼル・フローラにとって、少々やっかいな状況になりました。警察が来たとき、盗難があったとだけ告げられたのです。当然、金を盗んだことが発覚したのだ、という結論に飛びつきました。作り話を押し通すしかありません。だが、伯父が亡くなっていることを知り、彼女はすっかり動転します。最近の若い女性は、よほどのショックがなければ気絶したりしないものですよ、ムッシュー。ところが《エ・ビヤン》、あのざまです！　彼女は自分の作り話にこだわるか、すべてを告白するしかなかった。だいたい、若くて美しい娘さんは自分が泥棒だなどと認めたがりませんよ――とりわけ、尊敬してもらいたいと思っている人たちの前では」

ラグランは、拳でテーブルをドンとたたいた。

「信じられませんよ。とうてい信じられない。しかもあなたは――ずっとそれを知っていたんですか？」

「最初からその可能性は頭にありました」ポアロは認めた。「マドモアゼル・フローラは何かを隠しているにちがいないと、ずっと思っていたのです。自分を納得させようと、わたしはさっき申し上げたささやかな実験をしました。シェパード先生に立ち会っていただいて」

「パーカーを試すとおっしゃいましたよ」わたしは苦々しげにいった。

「わが友《モナミ》よ」ポアロは申し訳なさそうにいった。「あのときもいいましたが、何かいわないわけにいかなかったのですよ」

警部が立ち上がった。

「こうなっては、やるべきことはひとつだけです」彼はきっぱりといった。「ただちに、あの若い女性を取り調べましょう。いっしょにファンリー・パークに行っていただけますか、ムッシュー・ポアロ？」

「もちろんです。シェパード先生が車で送ってくださるでしょう」

わたしは喜んで承知した。

ミス・アクロイドに会いたいというと、ビリヤード室に通された。フローラとヘクター・ブラント少佐が、窓辺に作りつけられた長椅子にすわっていた。

「おはようございます、ミス・アクロイド」警部が挨拶した。「個人的に、少しお話をうかがいたいのですが」

ブラントはすぐに立ち上がって、ドアに向かった。

「なんですの？」フローラは不安そうにいった。「行かないでください、ブラント少佐。少佐はいてもかまいませんよね？」警部を振り向いてたずねた。

「そうなさりたいならどうぞ」警部は無愛想に答えた。「職務上、聞かなくてはならないことが一、二点あるんですが、できたら、他の人の耳のないところでお聞きしたいと思いましてね。あなたも、その方がよろしいんじゃないかと思いましたので」

フローラは鋭く警部を見つめた。その顔がみるみる青ざめるのがわかった。それから、彼女はブラントの方を向いていった。

「いてください——お願いします——ええ、本気です。警部さんが何をおっしゃるにしても、あなたに聞いていていただきたいんです」

ラグランは肩をすくめた。

「まあ、あなたがそうしたいなら、それだけのことです。さて、ミス・アクロイド、こちらのムッシュー・ポアロからある意見をうかがったのです。先週の金曜の夜、あなたは書斎に入っていない、アクロイドさんにおやすみの挨拶をすることもなかったし、書斎にいたのではなく、パーカーが玄関ホールを横切ってくる物音を聞いたときは、伯父上の寝室に通じる階段を下りかけていた。ムッシュー・ポアロはそういうのですが——」

フローラの視線はポアロに移動した。彼は娘にうなずき返した。「マドモアゼル、先日、あのテーブルを囲んで話したとき、わたしに何でも打ち明けてくださいと頼みましたね。パパ・ポアロに隠していても、結局、探りだしてしまうのですよ。今いったとおりなんでしょう？　じゃあ、事を簡単にしてあげましょう。あなたはお金をとった、そうでしょう？」

「お金を？」ブラントが声をあげた。

丸々一分間、沈黙が続いた。

それからフローラがすっと立ち上がると、しゃべりはじめた。

「ムッシュー・ポアロのおっしゃるとおりです。わたしはお金をとりました。盗んだんです。わたしは泥棒なんです――ええ、ありふれた卑しいこそ泥です。これで、おわかりでしょ！　明るみにでてうれしいわ。この数日は、悪夢のようでしたから！」フローラは突然すわりこむと、顔を両手で覆った。その指のあいだから、かすれた声でしゃべり続けた。「ここに来てからの生活がどんなだったか、みなさんにはわからないでしょうね。ほしいものがあると、それを手に入れるために画策して、嘘をつき、だまして、請求書がたまっていき、きっと払うからと約束しては――ああ！　ああいうことを思い出すと、自分がいやになるわ！　わたしとラルフを結びつけたのは、そこなんです。二人とも弱い人間だったんです！　わたしは彼が理解できたたし、気の毒に思いました――本当はわたしも同じだったからです。わたしたちはどちらも、一人でやっていけるほど強くありません。弱くてみじめで、卑劣な人間なんです」

彼女はブラント少佐を見て、いきなり足を踏みならした。

「どうしてそんな目で見るんです――信じられないといいたげね？　わたしは泥棒かもしれない――でも、ともかく、これが本物のわたしなんです。もう嘘をつかないわ。あなたのお好みの女性のふりもしません、若くて、無邪気で、純真な女の子のふりなんて。わたしの顔を二度と見たくないといわれても、かまわないわ。わたしは自分が大嫌いだし、軽蔑している――だけど、ひとつだけ信じてください。真実をしゃべることがラルフのためになるんだったら、ちゃんと話すつもりだったんです。でも、最初から、ラルフのためにならないとわかっていました――いいえ、かえって彼に対する疑いが強くなってしまう。嘘をつきとおしても、彼に不利になったわけじゃないんです」

「ラルフ」ブラントはいった。「なるほど――常にラルフのことなんだね」

「おわかりにならないのね」フローラは失望したようにいった。「あなたには絶対にわからないんだわ」

彼女は警部の方を向いた。

「すべてを認めます。お金に困っていたんです。あの晩、夕食の席で顔をあわせたあとは、伯父をまったく見かけていません。お金の件では、お好きなようになさってください。これ以上悪くなることなんてありませんから！」

フローラはふたたび自制心を失うと、顔を両手でおおって、部屋から飛びだしていった。

「なるほど」警部が感情のこもらない声でいった。「やはりそうでしたか」

これからどうするべきか、途方に暮れているように見えた。

ブラントが進みでた。

「ラグラン警部」と静かな声でいった。「あの金は、アクロイドから特別な目的でわたしがもらったものなんだ。ミス・アクロイドは金に手を触れていない。自分がやったといったのは、ペイトン大尉をかばいたくて嘘をついたんだろう。真相は今申し上げたとおりだ。いつでも証人台に立って、宣誓証言しよう」

彼はぎくしゃくと頭を下げると、いきなり背中を向けて部屋を出ていった。

ポアロはすばやくあとを追った。玄関ホールでブラントに追いついた。

「ムッシュー――ちょっとお待ちを、どうか、お願いします」

「何かね？」

ブラントは明らかにいらだっていた。眉をひそめてポアロを見下ろした。

「つまり、あなたのちょっとしたおとぎ話にはだまされないということです」ポアロは早口でいった。「いえ、当然ですよ。お金を盗んだのは、まちがいなくマドモアゼル・フローラなのです。それでも、あなたの話は見事に作られていた――気に入りました。

あなたがなさったことは、とてもりっぱです。さすがに頭の回転が速いし、行動力がおありになります」

「あなたの意見など聞きたいとは思わない、では失敬」ブラントはにべもなくいった。

彼はまた歩きだそうとしたが、ポアロは臆する様子もなく、少佐の腕に手をかけて引き留めた。

「ああ！　でも、わたしの話を聞いてください。まだ申し上げたいことがあるんです。先日、隠し事についてお話ししましたね。まさしく、あなたの隠していらっしゃることをずっと前から存じているんです。マドモアゼル・フローラ、あなたは彼女を心から愛していらっしゃる。ひと目見た瞬間から、そうでしょう？　おお！　こんなことを申し上げても気にしないで下さい――どうしてイギリスの方は愛を恥ずべき秘密のように口になさるのでしょう？　あなたはマドモアゼル・フローラを愛しておいでです。その事実を世間から隠そうとなさっています。それもけっこうです――そうあるべきかもしれません。しかし、エルキュール・ポアロの忠告をお聞きなさい――マドモアゼル本人には、それを隠してはなりませんよ」

ポアロが話しているあいだ、ブラントは何度かいらだたしげなそぶりを見せたが、最後の言葉に注意を引かれたようだった。

「どういう意味だね？」彼は語気を強めた。

「あなたは、彼女がラルフ・ペイトン大尉を愛しているとお考えです――しかし、このエルキュール・ポアロにいわせれば、そうではないのです。マドモアゼル・フローラは、伯父上を喜ばすためにペイトン大尉との結婚を承諾したにすぎません。それに結婚は、率直にいって耐えがたいものになりつつあった屋敷での生活から逃げ出す手段だと考えたのです。マドモアゼル・フローラはペイトン大尉に好意を抱いていますし、二人のあいだには深い共感と理解がありました。しかし愛情となると――いいえ！　マドモアゼル・フローラが愛しているのは、ペイトン大尉ではないのです」

「いったい何をいおうとしているんだね？」ブラントが問いつめた。

少佐の陽に灼けた顔が赤らむのがわかった。

「あなたの目は節穴ですよ、ムッシュー。節穴です！　マドモアゼル・フローラは義理がたい方です、あのお嬢さんは。ラルフ・ペイトンに容疑がかかっているとなると、名誉にかけて彼の味方につかないわけにいかないのです」

わたしは、この見上げた行為に加勢するために、今こそ、ひとことというべきだと思った。

「このあいだの夜、姉がいってましたよ」わたしは励ますようにいった。「フローラはラルフ・ペイトンのことなどこれっぽっちも愛していない、これまでだって愛したことはないと。姉はこういうことにかけては、まちがったことがないんです」

ブラントはわたしのせっかくの好意を無視して、ポアロに話しかけた。

「あなたは本気でそう思って――」彼はいいかけて、口をつぐんだ。

ブラントは思っていることを言葉にできない、いわゆる口下手な人間だった。

ポアロにはそういう欠点がわからないのだ。

「疑うなら、ご自分で彼女に聞いてごらんなさい、ムッシュー。しかし、もしかしたら、もうそんな気になれないかもしれませんが――お金の件もあるし――」

ブラントは憤慨したような笑い声をあげた。

「わたしがあんなことで彼女を責めると思うのかね？　ロジャーは昔から金にうるさい人間だった。金に困っていても、あの人は彼にいえなかったんだよ。かわいそうな娘だ。気の毒に、一人で悩んでいたんだろう」

ポアロは気をきかせて横手のドアを見た。

「マドモアゼル・フローラは庭園に出ていったと思いますよ」彼はささやいた。

「わたしはどこから見ても愚か者だった」ブラントがいきなりいいだした。「ちぐはぐな会話ばかりして。まるでデンマークの芝居みたいだった。しかし、あなたは信頼できる方だ、ムッシュー・ポアロ。ありがとう」

少佐はポアロの手をとり、ぎゅっと握りしめたので、ポアロは痛みに思わず顔をしかめた。それからブラントは横手のドアへ大股に歩いていき、庭園に出ていった。

「どこから見ても愚か者じゃないですよ」ポアロは痛む手をそっとさすりながら、つぶやいた。「ただ――恋に落ちた愚か者というだけです」

20 ミス・ラッセル

ラグラン警部はひどい衝撃を受けていた。わたしたち同様、警部はブラントの英雄的な嘘にだまされはしなかったので、村に帰る途中、くどくどと愚痴をこぼした。

「これですべてが変わってしまいます、まちがいなく。あなたはそのことに気づいているんですかね、ムッシュー・ポアロ？」

「ええ、そうですね、わかっていると思います」ポアロはいった。「というのも、しばらく前からそうじゃないかと考えていたんですよ」

ついい三十分前にそのことに気づいたラグラン警部は、ポアロを不機嫌そうに眺めると、新しくわかったことについてしゃべり続けた。

「これでアリバイは、役に立たなくなった！　まったく無意味です。最初からやり直さなくては。九時半以降に何をしていたのか、全員を調べなくてはなりません。九時半——これが考慮すべき時間ですな。ケントという男については、あなたのおっしゃるとおりです――まだしばらく、やつを釈放しませんよ。考えてみると――〈犬と口笛〉亭に九時四十五分ですな。走れば十五分であそこまで着くかもしれません。レイモンドさんが聞いた、アクロイドさんに話しかけていた声は彼の声である可能性もある――金を無心してアクロイドさんが断わるやりとりだったのです。だが、ひとつ確実なことがあります――電話をかけたのは、やつじゃないってことです。駅は反対方向に半マイルです――〈犬と口笛〉亭からは一マイル半以上あります。ケントは〈犬と口笛〉亭に十時十分過ぎまでいた。いまいましい電話だ！　いつもあれで身動きとれなくなる」

「まったくです」ポアロが同意した。「奇妙です」

「ペイトン大尉が窓から書斎に入りこみ、伯父が殺されているのを発見したのだとしたら、ペイトンが電話をかけたという可能性もあります。自分が疑われると考えて怖じ気づき、逃げだした。それなら考えられませんか？」

「どうして電話をする必要があったんでしょうか？」

「伯父が本当に死んでいるのか、確信が持てなかったのかもしれません。できるだけ早く医者に診てもらいたいが、自分の正体は明かしたくなかった。ええ、そうですよ、この推理ならどうです？　これなら筋が通ります、そうでしょう」

警部は得意げに胸を張った。すっかり自己満足していたので、こちらが何をいおうと耳に入りそうになかった。

ちょうど車がわたしの家に着いたので、わたしは外来患者を診るために急いで診察室に向かった。かなり待たせているはずだった。ポアロは警部といっしょに警察署に歩いていった。

最後の患者を帰すと、作業場と呼んでいる家の裏の小部屋に入っていった──自分で作ったラジオはわたしの自慢である。キャロラインはわたしの作業場を嫌っている。工具はすべてそこに置いてあるので、ほうきとちりとりでめちゃくちゃにされないように、アニーが入ることも許していなかった。ちょうど、まったくあてにならないと宣言された目覚まし時計を分解して修理していると、ドアが開いて、キャロラインがのぞきこんだ。

「あら！　ここにいたのね、ジェームズ」彼女は責めるようにいった。「ムッシュー・ポアロがいらしたわよ」

姉がいきなり入ってきたのに驚き、機械の精巧な部品を落としてしまったので、いささかいらだたしく感じた。「そう、会いたいなら、ここに通して」

「ここに？」キャロラインがいった。

「そういっただろ──ここだよ」

キャロラインは批判がましく鼻を鳴らすと、ひっこんだ。まもなく、姉はポアロを案内してくると、大きな音をさせてドアを閉めた。

「おやおや、先生！」ポアロは両手をこすりあわせながら近づいてきた。「わたしをやすやすと追い払ったつもりになっていたんじゃないでしょうな？」

「警部との用はすんだんですか？」わたしはたずねた。

「とりあえずはね、ええ。で、あなたはどうです、患者さんは全員診たんですか？」

「ええ」

ポアロは椅子に腰掛けて、実におもしろい冗談をじっくり味わっているかのように、卵形の頭を片側に傾げてわたしを見た。

「勘違いしてますよ」彼はようやくいった。「まだ診察していない患者が一人います」

「あなたじゃないでしょうね？」わたしは驚いて叫んだ。

「ああ、いえ、わたしじゃありません、もちろん《ビャン・ナンタンデュ》。わたしはすばらしい健康に恵まれていますから。いえ、実をいうと、これはわたしのちょっとした企《コンプロ》みなのです。わたしは会いたい人がいるんです――同時に、その件で村じゅうの注目を浴びたくはありません――そのご婦人がわたしの家に来るところを見られたら、そういう事態になるでしょうからね――ええ、相手はご婦人なのです。しかし、先生のところでしたら、すでに患者として一度来ているのです」

「ミス・ラッセルですか！」わたしは叫んだ。

「そのとおり《プレスイゼマン》。ぜひとも話がしたいと思いまして、ちょっとした手紙を届けて、先生の診察室で会う約束をしました。ご迷惑ではないでしょうね？」

「その反対です。となると、わたしもその話し合いの場に同席してもかまわないんでしょうね？」

「当然です！　あなたの診察室なのですから！」

「どうなんでしょう」わたしは手にしていたペンチを放りだした。「事件全体が実におもしろいですね。新しい展開があるたびに、万華鏡をゆすったみたいに、様相ががらりと変わってしまう。それで、どうしてそれほどミス・ラッセルに会いたいのですか？」

ポアロは眉をつりあげた。

「はっきりしているでしょう？」とつぶやいた。

「また、そういうことを」わたしは不満そうにいった。「あなたには何もかも明瞭なんでしょう。しかし、こちらはまったく五里霧中なんです」

ポアロはにこやかに首を振っていった。

「からかっているんですね。マドモアゼル・フローラの件だってそうでしょう。警部は驚いていた——しかし、先生は——そうではなかった」

「彼女が泥棒だなんて、夢にも思いませんでしたよ」わたしは力をこめた。

「それは——そうかもしれません。しかし、先生の顔を観察していたんですが、ラグラン警部のように、びっくりしたり、とても信じられないといった表情になったりしなかったのです」

　わたしは少し考えこんだ。

「たぶん、おっしゃるとおりです」ようやく、そういった。「フローラが何か隠していると、ずっと感じていたんです——ですから、真相が明らかになったときも、無意識のうちに予期していたんでしょう。たしかに、ラグラン警部はとても動揺していましたね、気の毒に」

「ああ！　そうでしょうとも《プル・サ・ウィ》！　残念ながら、警部は一から考え直さなくてはなりませんからね。ただ、警部の頭が混乱しているのに乗じて、ひとつちょっとしたお願いを聞き入れてもらいました」

「どんなことですか？」

　ポアロはポケットからノートの切れ端をとりだした。そこにはなにごとか書きつけてあり、ポアロは声に出して読みあげた。

「警察はこの数日、ラルフ・ペイトン大尉の行方を探していた。ペイトン大尉は、先週の金曜日に悲劇的な死を遂げたファンリー・パークのアクロイド氏の養子である。ペイトン大尉はリヴァプールで、まさにアメリカへ渡航しようとしているところを発見された」

彼は紙片をまたたたんだ。

「わが友よ、これは明日の朝刊に載る記事です」

わたしは唖然として彼を見つめるばかりだった。

「しかし——それは本当じゃない！　彼はリヴァプールにいませんよ！」

ポアロはにっこりした。

「実に頭の回転が速いですな！　ええ、彼はリヴァプールで発見されてなどいません。ラグラン警部は、この記事を新聞社に送ることに大変な難色を示しました。とりわけ、理由を明かせないといったものですから。しかし、これが新聞に出れば、非常におもしろい展開になると真剣に説得し、どんなことがあっても警部に責任を負わせないという条件つきで、ようやく譲歩してくれたのです」

わたしは目をみはっていた。彼は微笑みかけた。

「わかりませんね」わたしはしばらくしていった。「あなたが何を期待しているのか」

「あなたも灰色の脳細胞を働かせなくてはいけませんよ」ポアロは真面目くさっていった。

彼は立ち上がって、作業台のそばにやって来た。

「機械いじりが本当にお好きなんですね」わたしが労力を注ぎこんでいるがらくたを眺めながらいった。

誰にでも趣味があるものだ。わたしはさっそく手製のラジオをポアロに見せた。彼が興味を示したので、独自のちょっとした発明品もひとつ、ふたつ披露した――ささやかなものだが、家庭では役に立つ。

「まちがいなく、あなたは医者ではなく発明家を職業にするべきでしたね」ポアロはいった。「しかし、ドアベルの音が聞こえたようです――患者さんですな。診察室に行きましょう」

以前、この家政婦の面差しに残る美しさに驚かされたことがあった。今朝は、あらためてそれを感じた。まったく飾り気のない黒の喪服を着て、すらりとした長身のきりっと背筋を伸ばした姿は、相変わらず独立心の強さを感じさせた。大きな黒い瞳と、ふだんは青白い頬が珍しく紅潮しているのを見て、かつては目を奪われるほど美しかったにちがいない、と感じた。

「おはようございます、マドモアゼル」ポアロがいった。「すわっていただけますか？　あなたとぜひお話ししたかったものですから、シェパード先生のご好意で、診察室を使わせていただくことにしたのです」

ミス・ラッセルはいつものように落ち着き払って椅子にすわった。内心、不安を抱えているとしても、表面にはまったく出ていなかった。

「こんなことを申し上げてなんですけど、ずいぶん妙なやり方ですわね」

「ミス・ラッセル――あなたにお知らせしたいことがあるんです」

「まあ！」

「チャールズ・ケントがリヴァプールで捕まりました」

彼女の顔の表情はまったく変わらなかった。ただ、目だけがいくぶん大きくなり、挑むかのようにたずねた。

「それが、どうかしましたの？」

だが、その瞬間、はっと思い当たった――チャールズ・ケントの挑戦的な態度はどこかで見たことがある、とずっと思っていたのだが、それを彷彿とさせたのだ。片方はがさつで下品、もう片方はわざとらしいほど淑女ぶっているふたつの声――不思議なことに響きはとても似ていた。あの晩ファンリー・パークの門の外で連想したのは、ミス・

ラッセルだったのだ。

この発見にわくわくしてポアロを見ると、彼はかすかにわかるぐらい、うなずいた。

ミス・ラッセルの質問に答えて、ポアロはいかにもフランス流に両手を広げた。

「あなたにはご興味があると思ったのです、それだけです」彼は穏やかにいった。

「さあ、格別の興味はありませんけど」ミス・ラッセルはいった。「そのチャールズ・ケントというのは何者ですか？」

「殺人のあった夜、ファンリー・パークにいた男なのです、マドモアゼル」

「本当に？」

「幸い、彼にはアリバイがあります。九時四十五分に、ここから一マイル先のバーにいたのです」

「それはよかったですわね」ミス・ラッセルは意見をいった。

「しかし、まだファンリー・パークで何をしていたのか、わかっていないのです――たとえば、彼が誰に会いに行ったのか」

「残念ですが、あなたのお役には立てそうもありませんわ」家政婦は礼儀正しくいった。「わたしの耳には何も入ってきていませんので。ご用がそれだけでしたら――」

ためらいがちに席を立とうとした。ポアロはそれを引き留めた。

「まだ話は終わりじゃないんです」彼はよどみなくいった。「今朝、新しい展開がありました。アクロイド氏は九時四十五分から十時までのあいだではなく、その前に殺されていたらしいのです。シェパード先生が帰った九時十分前から九時四十五分までのあいだに」

家政婦の顔から血の気が引き、蒼白になるのがわかった。彼女は身をのりだしたが、体がふらついていた。「でも、フローラお嬢さまがおっしゃっていました──お嬢さまは──」

「ミス・アクロイドは嘘をついていたことを認めました。あの夜は書斎に一歩も入っていないのです」

「では──」

「となると、このチャールズ・ケントこそ、われわれが追っている男ではないかと思えます。彼はファンリー・パークにやって来たが、そこで何をしていたのか説明もできないのです──」

「何をしていたのかは、わたしが答えられます。アクロイドさまには指一本触れていません──書斎の近くにすら行ってません。彼がやったのではありません、わたしが証言します」

彼女はぐっと身をのりだした。鉄のような自制心についにひびが入ったのだ。その顔には、恐怖と絶望が浮かんでいた。

「ムッシュー・ポアロ! ムッシュー・ポアロ! どうか信じてください」

ポアロは立ち上がると、家政婦のそばに行った。安心させるように、その肩を軽くたたいた。

「ええ――ええ、信じますとも。あなたの口からうかがいたかったのです」

一瞬、彼女の顔に疑念がよぎった。

「あなたのおっしゃったことは本当なんですか?」

「チャールズ・ケントが事件の容疑者だということですか? ええ、それは本当です。あなただけが彼を救えるのです。ただ、ファンリー・パークにやって来た理由を説明していただかなければ」

「わたしに会いに来たのです」彼女は低い声で早口にいった。「わたしは彼に会いに外に出ていきました――」

「東屋にですね、わかってますよ」

「どうしてご存じなんですか?」

「マドモアゼル、物事を知るのがエルキュール・ポアロの仕事なのです。その晩早く、あなたが東屋に行き、何時に落ち合おうというメモを残してきたことも存じてますよ」

「ええ、そのとおりです。彼から手紙がきたのです――ここにやって来ると。屋敷に来させるわけにはいきませんでした。手紙の住所に返事を出して、東屋で会うと伝え、場所がわかるように道順などを教えてやりました。そのあとで、辛抱強く待っていないかもしれないと不安になり、走っていって、九時十分ぐらいに行くと書いたメモを置いてきました。使用人に見られたくなかったので、応接間から外に出ました。戻ってきたときにシェパード先生に会ったのですが、先生は変だと思われたでしょうね。走ってきたので息が切れていましたから。その晩、先生が夕食にいらっしゃるとは、まったく知りませんでした」

彼女は言葉を切った。

「続けてください」ポアロがいった。「九時十分過ぎに彼に会いに出ていった。お互いに何を話したのですか?」

「それは申し上げかねます。実は――」

「マドモアゼル」ポアロが遮った。「この件では、すべての真実を知らなくてはなりません。あなたのおっしゃったことが、外部に漏れることは決してありません。シェパード先生は秘密を守ってくださいますし、わたしも同じです。では、助け船を出しましょう。このチャールズ・ケントという男は、あなたの息子さんではありませんか？」

ミス・ラッセルはうなずいた。頬が赤く染まっていた。

「誰も知らないことなんです。昔――はるか昔――ケント州に住んでいた頃のことで。わたしは未婚でした……」

「それで息子さんの苗字に州の名前をつけたんですね。わかりました」

「わたしは働きに出ました。そしてどうにか、あの子の養育費を支払ってきました。母親だということは、とうとう打ち明けませんでした。でも、あの子はぐれてしまって、お酒に溺れ、しまいには麻薬にまで手を出すようになったのです。そこで、お金を工面して、カナダへの旅費を出してやりました。一、二年、音信が途絶えていました。それから、どういう手を使ったのか、わたしが母親であることを突き止めたのです。彼はお金を無心する手紙を寄越しました。とうとう、またイギリスに帰ってくるという手紙が来ました。ファンリー・パークに会いに来るというのです。お屋敷に来させるわけにはいきませんでした。わたしは常々――きちんとした人間だと思われてきたのです。誰かに勘づかれたら――家政婦としての仕事はおしまいです。そこで先ほどお話ししたような返事を書いたのです」

「で、あの朝、シェパード先生に会いに行きましたね？」

「ええ。麻薬をやめる手だてが何かないかと思ったのです。麻薬をやる前は、それほど悪い子ではありませんでした」

「なるほど」ポアロはいった。「では、話を先に進めましょう。彼はあの晩、東屋にやって来たんですね?」

「はい、わたしが行ったときには、もう待っていました。とても荒れていて、悪態ばかりつきました。わたしはあるだけのお金を持っていったので、それを渡しました。少し話して、あの子は帰っていきました」

「それは何時でしたか?」

「九時二十分から二十五分のあいだだと思います。わたしがお屋敷に戻ったときには、まだ九時半を回っていませんでした」

「彼はどっちの道を行きましたか?」

「来たときと同じ道です。門を入ってすぐ私道から枝分かれしている小道です」

ポアロはうなずいた。

「それで、あなたはどうしましたか?」

「お屋敷に戻りました。ブラント少佐が煙草を吸いながらテラスを行ったり来たりされていたので、ぐるっと回って横のドアから入りました。今お話ししたように、それがちょうど九時半でした」

ポアロはもう一度うなずいた。彼は小さな手帳に何やらメモをした。

「お聞きしたいのはこれだけだと思います」ポアロは考えこみながらいった。

「あの――」彼女はためらいがちに切りだした。「ラグラン警部にすべてお話ししなくてはならないんでしょうか？」

「そういうことになるかもしれません。急ぐことはありません。秩序と方法に従って、ゆっくり進めていけばいいのです。しかし、チャールズ・ケントはまだ正式に殺人罪で告発されたわけではありません。状況によっては、あなたの話が不要になることもありえます」

ミス・ラッセルは立ち上がった。

「本当にありがとうございました、ムッシュー・ポアロ」彼女はいった。「とてもご親切にしていただいて――本当に。あなたなら、わたしの話を信じてくださいますね？あのチャールズは恐ろしい殺人とは、まったく関係がないことを！」

「九時半に書斎でアクロイド氏と話していた人物が、あなたの息子さんでないことはまずまちがいないようです。元気を出してください、マドモアゼル。いずれ万事うまくいきますよ」

ミス・ラッセルは帰っていき、ポアロとわたしは二人きりになった。

「すると、そういうことだったんですね」わたしはいった。「毎回、ラルフ・ペイトンに戻ってきますね。どうやってチャールズ・ケントが会いにきた人間がミス・ラッセルだと見抜いたんですか？　似ていることに気づいたんですか？」

「実際にケントの顔を見るずっと前に、彼女を謎の男と結びつけていたんです。羽軸つきの羽根を見つけたときにね。あの羽根は麻薬の吸引を暗示しているし、ミス・ラッセルがあなたを訪ねていったことを思い出したんです。すると、その日の新聞にコカインについての記事を発見した。これですべてがはっきりしたように思えました。彼女はあの朝、誰かから——麻薬に溺れている誰かから連絡をもらった。新聞で記事を読み、先生を訪ねて、いくつか遠回しに質問をしたのです。コカインについて質問したのは、記事がコカインについてだったからです。すると、あなたが思いがけず好奇心を示したので、あわてて探偵小説と検出不能な薬物に話題を転じました。わたしは息子か兄弟か、好ましくない男性関係だろうと思っていました。ああ！　しかしもう失礼しなくては。お昼の時間ですから」

「どうぞ、いっしょに食べていってください」わたしは勧めた。

ポアロはかぶりを振った。目がいたずらっぽく光った。

「いえ、きのうの今日ですから。マドモアゼル・キャロラインに、二日続けて菜食主義の食事をさせたくはありませんからね」

エルキュール・ポアロが見逃すものはほとんどないのだ、とわたしは思った。

21　新聞の記事

むろん、キャロラインはミス・ラッセルが診察室に来るところを見逃さなかった。わたしはそれを見越していたので、ミス・ラッセルの膝の痛みについて入念な説明を用意しておいた。しかし、キャロラインは質問攻めにするつもりはないようだった。自分はミス・ラッセルが訪ねてきた本当の理由を知っているが、わたしは知らない、というのが姉の見解だった。

「あなたから聞きだそうとしたのよ、ジェームズ」キャロラインはいった。「まったく厚かましいわね、聞きだそうとしたのよ、まちがいないわ。反論してもむだよ。あなたは、彼女にそういう狙いがあったなんて思ってもみなかったでしょ。男ってものはとても単純ね。あなたがムッシュー・ポアロに信頼されていることを知って、いろいろと探りだそうとしたのよ。わたしが何を考えているか、わかるかしら、ジェームズ？」

「想像する気にもなれないな。姉さんは、あまりにも突拍子もないことばかり考えるからね」

「皮肉をいってもむだよ。ミス・ラッセルは自分で認めている以上に、アクロイドさんの死について知っているんだと思うわ」

キャロラインは勝ち誇ったように椅子の背にもたれた。

「本気でそう考えてるのかい？」わたしは気のない調子でいった。

「今日はやけにぼんやりしているわね、ジェームズ。覇気ってものがまるでないじゃないの。肝臓のせいよ」

それから、会話はまったく個人的な事柄に移った。

ポアロが書いた記事は、予定どおり翌日の朝刊に載った。その目的については見当もつかなかったが、キャロラインに与えた影響はめざましいものがあった。

彼女はまず、自分は前々からこう思っていた、と事実にまったく反することをいいだした。わたしは眉をつりあげたが、反論はしなかった。しかし、キャロラインは多少良心がとがめたらしく、こんなふうにつけ加えた。

「まあ、リヴァプールとははっきりいわなかったけど、アメリカに逃げようとしていたことはわかってたわ。妻を毒殺したクリッペン医師だって、そうだったし」

「逃げられなかったけどね」わたしは思い出させた。

「かわいそうなラルフ、じゃあ、捕まっちゃったのね。ねえ、ジェームズ、あの子が絞首刑にならないようにするのは、あなたの義務だと思うわ」

「ぼくにどうしろっていうんだ？」

「あら、あなたは医者でしょ。彼のことは子供のときから知っているじゃないの。精神障害で責任能力がなかった。どう考えても、その線でいくしかないわ。ついこのあいだ、ブロードムーアの精神病院では、みんなとても幸せに暮らしているという記事を読んだばかりよ――まるで高級クラブみたいなんですって」

だが、キャロラインの言葉で、別のことを思い出した。

「そういえば、ムッシュー・ポアロに頭のいかれた甥がいるなんて、知らなかったよ」

わたしは興味しんしんで話を切りだした。

「知らなかったの？　あら、わたしにはすっかり話してくれたわよ。かわいそうにね。一族全員にとって、大きな悩みの種みたい。これまでは自宅で世話してきたけど、具合がとても悪くなってきているので、いずれどこかの施設に入れなくてはならないと心配しているんですって」

「ポアロの家族のことは、もう何から何まで知っているらしいね」わたしはいったが、腹が立っていた。

「まあほとんどね」姉は悦に入っていた。「自分の悩みを誰かに打ち明けられると、とても救われる気がするものなのよ」

「かもしれない。自発的に話させてもらえるならね。無理やり秘密を聞きだされてうれしいかどうかは、また別の問題だよ」

キャロラインはキリスト教の殉教者が受難を楽しんでいるかのような態度で、わたしを一瞥しただけだった。

「あなたって、ほんとに打ち解けない人ね、ジェームズ」姉はいった。「自分が本心を語ったり、情報を漏らしたりすることが大嫌いだから、他の人もみんな同じだと思っているのね。わたしは無理やり秘密を聞きだしたことなんてないわよ。たとえば、ムッシュー・ポアロが今日の午後やって来るといってたけど、そのときだって、今朝早くお宅にいらしたのはどなたですか、なんて聞こうとは夢にも思わないもの」

「今朝早くだって？」わたしはたずねた。

「とても早くよ。牛乳配達の人が来る前。たまたま窓の外が見えたの――ブラインドがはためいていたから。男だったわ。屋根つきの車で到着して、マフラーに顔を埋めるようにしていたから、ちらっとも見えなかったけど。でも、わたしの考えを教えてあげる。見ててごらんなさい、いずれ正しいことがわかるわよ」

「どういう考えなんだい？」

キャロラインは秘密めかして声を落とした。

「内務省の専門家よ」

「内務省の専門家？」わたしはびっくりした。「何をいいだすんだ、キャロライン！」

「わたしの話をよく聞いて、ジェームズ。正しいことが納得できるから。あのラッセルという女は、あの朝、あなたの毒薬を狙ってここに来たのよ。あの晩、食べ物に毒を盛れば、ロジャー・アクロイドを簡単に殺せたでしょうからね」

わたしは大声で笑った。

「馬鹿げてるよ」わたしは叫んだ。「彼は首を刺されて死んだんだよ。姉さんだって、それはよく知っているはずだ」

「それは死後なのよ、ジェームズ」キャロラインはいった。「死因をごまかすために」

「姉さん」わたしはいった。「ぼくが死体を調べたんだし、責任を持ってこういえるよ。あの傷は死後につけられたものじゃない――あれが死因で、それについては疑いようがないんだ」

キャロラインが、わたしにはすべてわかってるのよ、という目つきで見るので、わたしはむっとして言葉を続けた。

「教えてもらいたいもんだね、キャロライン、ぼくは医師免許を持っているのか、持っていないのか」

「おそらく医師免許は持ってるんでしょ、ジェームズ――少なくとも、持ってることは知ってるわ。だけど、想像力はまったくないわね」

「なにしろ姉さんが三人分の想像力を授けられたから、ぼくの分は残っていなかったんだよ」わたしは皮肉をいった。

その午後、約束どおりポアロがやって来ると、わたしはキャロラインの策略を眺めておおいに楽しんだ。姉は直接質問をしないまでも、考えられる限りの方法で謎の客の話題を持ちだそうとしたのだ。ポアロの目のいたずらっぽい表情から、姉の意図を察しているのがわかった。ポアロはあくまで平然としてとぼけ続け、姉の追及を実に巧みにはばんだので、さすがのキャロラインもどう攻めたらいいのか途方に暮れてしまった。

ポアロはこのちょっとしたゲームを十分に楽しんだらしく、立ち上がって散歩をしようといいだした。

「少々体重を落とす必要があるんです」彼は説明した。「ごいっしょにいかがですか、先生？　そのあとでおそらくミス・キャロラインがお茶を用意してくださるでしょう」

「喜んで」キャロラインはいった。「あの――よろしかったら、お客さまもごいっしょにいかがかしら？」

「それはご親切に」ポアロはいった。「しかし、いえ、友人は休息をとっておりますので。いずれ、ぜひご紹介させてください」

「とても古いご友人だと、うかがいましたけど」キャロラインは最後に果敢にひと押しした。

「おや、そうですか？」ポアロはつぶやいた。「さて、出かけましょう」

わたしたちはファンリー・パークの方へ歩いていった。たぶんそうなるだろうとは想像していた。ポアロの方法が、じょじょにわかりかけていたのだ。関連性のないちょっとしたことが、全体に関わっているのだ。

「ひとつお願いしたいことがあるのです、わが友よ」ようやくポアロが口を開いた。「今夜、わたしの家で、ちょっとした会議を開きたいのです。あなたも参加してくださいますね？」

「もちろん」わたしは答えた。

「ありがたい。屋敷の人々にも参加してもらいたいと思っています――すなわち、セシル・アクロイド夫人、マドモアゼル・フローラ、ブラント少佐、レイモンド氏。あなたに使者の役目をしていただきたいのです。この小さな集まりは九時に始めたいと思っています。彼らにそう伝えていただけませんか──どうでしょう？」

「喜んで。しかし、どうしてご自分でおっしゃらないんですか？」

「質問が出るからですよ。なぜ？　何のために？　わたしが何を考えているのか、知りたがるでしょう。それに、ご存じのように、わたしは時機が来るまで、自分のちょっとした思いつきについてどうしても説明したくないのです」

わたしはほんの少し頰をゆるめた。

「前にもお話しした友人のヘイスティングズは、わたしのことをよく〝人間牡蠣〟と呼んでいました。しかし、それは不当ない方です。事実については、わたしはひとつも隠していないのです。ただ、それを解釈するのは、みなさん一人一人にお任せしているだけです」

「いつ伝えましょうか？」

「よろしかったら、今。屋敷のすぐそばにいますから」

「あなたはいらっしゃらないんですか？」

「ええ、わたしは敷地内をぶらぶら歩いています。十五分後に、門番小屋のところで落ち合いましょう」

わたしはうなずき、役目を果たしに出かけた。屋敷にいたのはセシル・アクロイド夫人だけで早めのお茶を飲んでいるところだった。夫人はとても愛想よくわたしを出迎えた。

「先生にはとても感謝しておりますの」彼女は小声でいった。「ムッシュー・ポアロに、例のちょっとした問題をうまく話してくださって。でも、人生というのは一難去ってまた一難ですわね。フローラのことはもちろんお聞きになってますわね？」

「どういうことですか？」用心深くたずねた。

「新しい婚約のことですわ。フローラとヘクター・ブラント少佐との。もちろん、ラルフほどいいご縁とはいえません。でも、結局、幸せになれることがいちばん大切ですから。フローラに必要なのは、年上の男性なんです――しっかりして頼りになる方。それに、ヘクターはそれなりにとてもすぐれた方ですから。今朝の新聞で、ラルフが逮捕されたという記事をお読みになりました？」

「ええ」わたしはいった。「読みましたよ」

「ぞっとしますわ」夫人は目を閉じて、身震いをした。「ジェフリー・レイモンドはすっかりあわてています。リヴァプールに電話してましたわ。でも、向こうの警察署では何も教えてくれないんだそうです。それどころか、ラルフなんて逮捕していないという んですって。すべて何かのまちがいだ、とレイモンドさんはいいはってます――ほら、なんていうのかしら――新聞の誤報だと。使用人の前では口にしないようにといいました。とんでもない不面目ですわ。フローラが彼と結婚していたらと思うと、もう」

アクロイド夫人は苦悩のあまり目をつぶった。いつになったらポアロの招待を伝えられるだろう、とわたしはじりじりしてきた。

わたしに口を開く隙を与えず、夫人はまたもやしゃべりだした。

「きのう、ここにいらしたんでしょう、あの恐ろしいラグラン警部といっしょに？　ひどい人だわ――フローラを脅しつけて、ロジャーの部屋からお金をとったといわせるなんて。実をいうと、なんということもない事情だったんです。あの子は何ポンドか借りたかったのですけど、ロジャーが邪魔をしないでくれと厳しく命じていたので、わずらわせるのに忍びなかったんですよ。でも、お金をどこにしまってあるか知っていたので、必要な分だけ借りてきたんです」

「フローラがそう説明しているんですか？」わたしはたずねた。

「先生、最近の若い娘のことはご存じでしょう。簡単に暗示にかかってしまうんです。もちろん先生は催眠術とかそういったものには詳しくていらっしゃいますわね。警部はあの子を怒鳴りつけ、何度も何度も〝盗んだ〟という言葉を口にしたそうです。で、とうとうかわいそうなあの子は抑圧――ではなくて強迫観念でしたかしら、いつもふたつの言葉をごっちゃにしてしまうんですけど――ともかく、それを感じて、本当に自分がお金を盗んだ気になってしまったんですよ。わたしはすぐにそういうことだろうと見抜きました。でも、ある意味では、この誤解に感謝してもしたりない気がしてますの――あの二人を結びつけたのは、これがきっかけのようでしたから――ブラント少佐とフローラのことですわ。でも、かつてはフローラのことをとても心配していたんです、本当に。一時は、あのレイモンドとのあいだで、気持ちを通いあわせているんじゃないかと思ったことさえあります。ちょっと考えてみてくださいな！」アクロイド夫人の声は恐怖の悲鳴のように甲高くなった。「個人秘書なんて――文字どおり財産ひとつないんですよ」

「あなたにとっては、深刻な打撃だったでしょうね」わたしはいった。「さて、アクロイド夫人、ムッシュー・エルキュール・ポアロからの伝言があるんです」

「わたしに？」

夫人はさっと警戒の表情を浮かべた。

あわてて安心させ、ポアロの望みを説明した。

「もちろんうかがいますわ」夫人はいささか疑わしげにいった。「ムッシュー・ポアロがそうおっしゃれば、行かないわけにはまいりませんものね。でも、どういうことなんでしょう？　事前に知っておきたいですわ」

夫人同様、わたしも何も知らないのだと正直にいった。「みなさんにはわたしから伝えます。九時にそちらにうかがいますわ」

そこでわたしはいとまを告げ、約束していた場所でポアロと落ち合った。

「十五分以上かかってしまいました、すみません」わたしはいった。「しかし、いったんあのご婦人がしゃべりだすと、口をはさむことは至難の業なんですよ」

「いいんですよ」ポアロはいった。「わたしはわたしで、おおいに楽しんでいました。この庭園は実に見事ですね」

わたしたちは家路についた。家に着くと、驚いたことにキャロラインは二人が帰ってくるのを見張っていたらしく、さっとドアを開けた。

彼女は唇に指をあてた。もったいぶった顔には興奮がありありと浮かんでいた。

「アーシュラ・ボーンが、ファンリー・パークのメイドが」と彼女はいった。「ここに来ているんです！　ダイニングルームに案内しておきました。ひどくとりみだしているんですよ、かわいそうに。すぐにムッシュー・ポアロにお会いしたいといってます。できるだけのことはしてやりました。熱いお茶を飲ませて。あんな様子を見ると、胸が痛くなるわ」

「ダイニングルームですね？」ポアロがたずねた。

「こちらです」わたしはいって、ドアを開けた。

アーシュラ・ボーンがテーブルのそばにすわっていた。両腕を体の前に大きく投げだし、あきらかに、そこに埋めていた顔をたった今起こしたところだった。目は泣きはらして真っ赤になっていた。

「アーシュラ・ボーン」わたしはつぶやいた。

しかし、ポアロは両手をさしのべて、わたしの横をすり抜けていった。

「いいえ」彼はいった。「それは正確じゃないと思いますよ。アーシュラ・ボーンではなくて――ええ、あなたはアーシュラ・ペイトン、ラルフ・ペイトン夫人なのでしょう？」

22　アーシュラの話

しばらくのあいだ、娘は口もきけずにポアロを見つめていた。それから、こらえていたものが堰を切ったようにあふれだしたのか、一度うなずくなり、激しくしゃくりあげながら泣きはじめた。

キャロラインはわたしを押しのけるようにして近づいていき、娘の肩に腕を回して軽くたたいた。

「よしよし」彼女はなだめた。「大丈夫よ。ねえ――何もかもうまくいくわよ」

好奇心が強く噂好きだったが、キャロラインはとても思いやりのある人間なのだ。娘の悲嘆ぶりを目の当たりにして、しばらくは、ポアロの驚くべき発言の重大さも忘れてしまったようだった。

まもなくアーシュラは体を起こすと、目をぬぐった。「泣いたりして、みっともないところをお見せしました」

「いえいえ、そんなことはありませんよ」ポアロがやさしくいった。「この一週間の重圧は、ちゃんとわかってます」

「さぞ辛かったでしょう」わたしはいった。

「それに、あなたはご存じだったなんて」アーシュラは続けた。「どうやって知ったんですか？　ラルフが話したんですか？」

ポアロは首を振った。

「今日、どうしてうかがったのか、わかりますよね」娘は続けた。「これです――」

彼女はしわくちゃになった新聞記事を差しだした。ポアロが掲載させた記事だった。

「ラルフが逮捕されたと書かれています。もう、何もかもむだなんです。いまさら隠しておく必要もないんです」

「新聞記事は常に真実だとは限りませんよ、マドモアゼル」ポアロはつぶやいたが、さすがにばつが悪そうな顔をするぐらいの慎みはあるようだった。「それでも、洗いざらい話してくださる方がいいと思います。今こそ真実が必要なのですから」

娘は躊躇して、彼を疑わしそうに見た。

「わたしを信頼していないんですね」ポアロは穏やかにいった。「にもかかわらず、わたしを探してここにいらっしゃいました。どうしてですか？」

「ラルフが犯人だと信じていないからです」娘は聞きとれないぐらいの声でいった。「それに、あなたは頭のいい方ですから、真相を探りだしてくださると思ったんです。それから――」

「それから？」

「あなたはやさしい方だと思ったのです」

ポアロは何度かうなずいた。

「たいへんけっこうです――ええ、たいへんけっこうですな。よろしいですか、わたしは実際、あなたのご主人が潔白だと信じています――しかし、事態はまずい方向に進んでいます。彼を救うためには、すべてを知らなくてはなりません――たとえ、彼にいっそう不利になりそうに思えることでも」

「とてもよくわかってくださっているんですね」アーシュラはいった。

「では、すべてを話してくださいますね？　最初から」

「席をはずせとはおっしゃらないでしょうね」キャロラインがいって、安楽椅子に居心地よさそうにすわりこんだ。「わたしが知りたいのはね」と彼女は続けた。「どうしてこの子が雑用係のメイドになりすましていたかってことなの」

「なりすますだって？」わたしはたずねた。

「そうよ。どうしてなの？　賭けでもしたの？」

「生活のためです」アーシュラはあっさり答えた。

そして、勇気づけられたように、身の上話を始めた。以下に、わたしの言葉に直して書いておこう。

アーシュラ・ボーンは七人家族に生まれた——アイルランドの旧家だったが、貧しかった。父親が亡くなると、娘たちは世の中に出て自活しなくてはならなくなった。いちばん上の姉はフォリオット大尉と結婚した。それがこのあいだの日曜にわたしが会った女性だ。今なら、彼女が困惑した理由はよくわかる。アーシュラは自活する決意をしたが、なんの訓練も受けていない娘がてっとりばやくつける職業、保母兼家庭教師にはなりたくなかったので、雑用係のメイドをめざすことにした。しかも〝お嬢さんメイド〟と呼ばれることもいやで、本物の雑用係のメイドになりたかったので、姉に推薦状を書いてもらうことにした。ファンリー・パークでは、これまで述べたように、お高くとまっていると文句をつけられたが仕事はうまくこなした——てきぱきしていて、有能で、非の打ち所がなかった。

「楽しんで仕事をしていました」彼女は説明した。「それに、自分の時間もたっぷりありましたし」

やがて、ラルフ・ペイトンと出会った。恋愛はついに秘密の結婚にまで至った。アーシュラは気が進まなかったが、ラルフがそうしようと説得したのだ。継父は一文なしの娘との結婚を認めないだろう、とラルフがいったのだ。こっそり結婚して、あとで時機をみはからって打ち明けたほうがいいと彼は断言した。

そこで、秘密のうちに二人は結婚し、アーシュラ・ボーンはアーシュラ・ペイトンになった。ラルフは借金を返し、仕事を見つけ、彼女を養えるようになって継父から独立したら、結婚していることを知らせるつもりだといった。

しかしラルフのような人間にとって、心を入れ替えることは、口でいうのは簡単だったが、いざ実行するとなるとなかなかうまくいかなかった。結婚のことは伏せたまま、借金を清算して再起をはかりたいと継父に頼めばうまくいくとラルフは思っていた。だが、ラルフの借金の額を聞くと、ロジャー・アクロイドは激怒して、一切の援助を拒絶した。数カ月たち、ラルフはまたファンリー・パークに呼ばれた。ロジャー・アクロイドは遠回しに探りを入れるような男ではない。ラルフにフローラと結婚してもらいたい、と心底願っていたので、それを率直に青年に告げた。

するとここで、ラルフ・ペイトンの生来の弱さが顔を出した。いつものように、目の前にある安易な解決策に飛びついたのだ。わたしが知る限りでは、フローラもラルフも愛し合っているふりなどしなかった。どちらにとっても、いわばビジネスの取り決めだったのである。ロジャー・アクロイドは頭ごなしに希望を押しつけた——二人はそれを受け入れたにすぎない。フローラは自由、金、世界が広がるチャンスをつかんだ。もちろん、ラルフにとっては事情がちがった。しかし、彼は経済的にのっぴきならない羽目に陥っていたので、そのチャンスに飛びついたのだ。借金を支払ってもらえ、白紙の状態でまた出発できるのだ。彼は将来のことを考えるような性格ではなかったが、わたしが想像するに、フローラとの婚約はしかるべき期間がすぎたら解消すればいいくらいに思っていたのだろう。フローラとラルフは、婚約のことを秘密にしておこうと約束した。彼はそのことをアーシュラにどうしても知られたくなかった。アーシュラはしっかりしていて意志の強い性格だし、欺瞞を生まれつき嫌悪していたので、こんな行動を喜ぶはずがない、とラルフも本能的に感じていたのだ。

そうこうするうちに重大な事態が起きた。常に独断で物事を運ぶロジャー・アクロイドが、婚約を発表することを決めたのだ。ラルフにはその意向をひとことも伝えなかった——フローラにだけ話した。フローラはどうでもよかったので、反対はしなかった。彼女アーシュラにとって、そのニュースはまさに爆弾を落とされたようなものだった。彼女に呼ばれて、ラルフは大急ぎでロンドンから駆けつけてきた。二人は森の中で会い、その会話の一部が姉に立ち聞きされたのである。ラルフはもうしばらく黙っていてほしいとアーシュラに懇願した。アーシュラは隠しておくのはもううんざりだ、と主張した。アーシュラは、すぐにアクロイド氏に真実を話すつもりだといった。夫と妻はとげとげしい言葉を投げつけあって別れた。

いったん決意したことは翻《ひるがえ》そうとしないアーシュラは、その午後、ロジャー・アクロイドに面会を求め、真実を暴露した。二人の話し合いは大荒れに荒れた――ロジャー・アクロイドがすでに自分の悩みで頭がいっぱいでなければ、もっと激しいものになったかもしれない。それでも、十分にひどいものだった。アクロイドは自分をあざむいた人間を許すような男ではなかったのだ。怒りの矛先はおもにラルフに向けられていたものの、アーシュラもその怒りをまぬがれることはできなかった。裕福な男の養子を意図的に〝たぶらかそう〟とした女とみなされたからだ。双方とも、容赦ない言葉を浴びせあった。

その夜、アーシュラは人目を忍んで横のドアから出ていき、ラルフと約束どおり小さな東屋で会った。二人の密会は、お互いを非難しあう結果になった。ラルフは、悪い時機に暴露して自分の目論見をめちゃくちゃにした、とアーシュラをなじった。アーシュラはラルフの二枚舌を責めた。

ようやく二人は別れた。その三十分ほどのち、ロジャー・アクロイドの死体が発見された。その晩以降、アーシュラはラルフと会っておらず、手紙ももらっていなかった。

話が進むにつれ、なんと次々に不利な事実が重なったものだろう、と思った。アクロイドが生きていれば、ほぼ確実に遺言を書き換えただろう――わたしは彼をよく知っていたから、まっさきに、その考えが彼の頭に浮かんだろうことは想像にかたくない。ラルフとアーシュラ・ペイトンにとっては、間一髪のところでアクロイドが死んでくれたことになる。アーシュラが口を閉ざして自分の役目をきちんと演じていたのも、さほど不思議ではなかった。

わたしの瞑想は破られた。ポアロが話していたのだ。その口調の深刻さから、彼もこの局面が示唆することを十分に認識しているようだった。

「マドモアゼル、ひとつ質問をしなくてはなりません。そして、あなたはそれに正直に答えてください。その答えにすべてがかかっているのですから。あなたが東屋でラルフ・ペイトン大尉と別れたのは何時でしたか？　さあ、じっくり考えて、正確に答えてください」

娘は泣き笑いのような苦渋に満ちた声をあげた。

「頭の中で、そのことを繰り返し繰り返し、考えなかったとお思いですか？　彼に会いに外に出たのはちょうど九時半でした。ブラント少佐がテラスを行ったり来たりしていたので、彼に見つからないように植え込みを抜けていかなくてはなりませんでした。東屋に着いたのは、九時三十三分ぐらいだったはずです。ラルフはすでに待っていました。彼といっしょにいたのは十分ぐらいです――それ以上ではありません。というのも、お屋敷に戻ったら、ちょうど九時四十五分だったからです」

先日、彼女が犯行時刻について執拗にたずねてきた理由が、これでわかった。アクロイドが九時四十五分よりもあとではなく、前に殺されていたことが証明されれば、と思ったのだろう。

ポアロの次の質問には、まったく同じ考えが読みとれた。

「東屋を先に出たのはどちらですか？」

「わたしです」

「ラルフ・ペイトンを東屋に残して？」

「ええ――でも、まさかあなたは――」

「マドモアゼル、わたしがどう考えているかは、まったく重要ではないのです。屋敷に戻って、あなたはどうしましたか？」

「自分の部屋に上がっていきました」

「で、いつまでそこにいましたか？」

「十時ぐらいです」

「それを証明できる人がいますか？」

「証明？　わたしが部屋にいたことをですか？　そんな、いませんわ！　でも、たしかに――ああ！　なるほど、もしかしたらわたしが――わたしが――」

彼女の目に恐怖が浮かぶのがわかった。

ポアロはアーシュラに代わって文章をしめくくった。

「あなたが窓から入って、椅子にすわっているアクロイド氏を刺した？　ええ、警察はそう考えるかもしれませんね」

「そんなことを考えるのは、馬鹿だけですよ」キャロラインは憤慨していった。

彼女はアーシュラの肩を軽くたたいた。

娘は両手で顔を覆った。

「恐ろしいわ」彼女はつぶやいていた。「なんて恐ろしいの」

キャロラインは元気づけるようにその肩を揺すぶった。

「心配いらないわよ」彼女はいった。「本当はムッシュー・ポアロだって、そんなことは考えていないんだから。ご主人のことは、はっきりいわせてもらうと、たいした男じゃないわね。逃げだして、あなたにだけ辛い目にあわせるなんて」

だが、アーシュラは激しく首を振った。

「いえいえ、そうじゃないんです」彼女は叫んだ。「ラルフは自分のために逃げたんじゃありません。今、それがわかりました。アクロイドさまが殺されたのを聞いて、わたしがやったと思ったんです」

「そんなことを考えるものですか」キャロラインがいった。

「あの晩、わたしは彼にひどく辛くあたりました――情のない、嫌なことばかりいって。彼がいおうとしていることに耳を貸そうとしませんでした――彼が本気でわたしを思っていることなんて信じようとしなかったんです。ただ彼の前に立ち、彼のことをどう思っているか、頭に浮かぶままに、とても冷酷で残酷なことを並べ立てたんです――彼を傷つけてやりたくて」

「平気平気」キャロラインはいった。「男にいったことを、気にする必要なんてないわ。男っていうのはうぬぼれが強いから、ほめ言葉じゃなければ、本気でいわれているなんて信じないのよ」

アーシュラは不安そうに両手を握りあわせては、ほどいていた。

「アクロイドさまが殺されているのが発見されたあと、ラルフが姿を現わさないので、わたしはすっかり動転してしまいました。一瞬、ひょっとしたらと疑ったほどです――でも、彼にはそんなことができない――できるはずがないことはわかっていました……でも、出てきて、自分は何の関係もないとはっきりいってほしかったのです。ラルフがシェパード先生に好意を持っているのは知っていました。ですから、もしかしたら先生があの人の隠れ場所をご存じなのではないかと考えたんです」

アーシュラがわたしを見た。

「それで、あの日、あんなふうにいったんです。もし彼の居所をご存じなら、わたしの言葉を伝えていただけるんじゃないかと思って」

「わたしが?」大声をあげた。

「ジェームズがラルフの居場所を知っているわけないでしょ」キャロラインが鋭い口調でいった。

「ありそうもないことだというのは、わかってます」アーシュラは認めた。「でも、ラルフはよくシェパード先生と話をしていましたし、先生のことはキングズ・アボットでいちばん親しい人だと考えていたんじゃないかと思ったものですから」

「ねえ、アーシュラさん」わたしはいった。「ラルフ・ペイトンが今どこにいるのか、わたしには見当もつきませんよ」

「たしかに、そのとおりです」ポアロがいった。

「でも――」アーシュラは当惑したように新聞の切り抜きをさしだした。

「ああ！ それですね」ポアロはいくぶん気まずそうにいった。「くだらないものですよ《ア・バガテル》、マドモアゼル。ささいなこと《リヤン・デュ・トゥー》です。一瞬たりとも、わたしはラルフ・ペイトンが逮捕されたとは信じていません」

「でも、それでは――」娘はとまどいながらいいかけた。

ポアロは急いで続けた。

「ひとつ知りたいことがあります――あの晩、ペイトン大尉がはいていたのは靴でしたか、それとも編み上げ靴でしたか？」

アーシュラは首を振った。

「覚えていません」

「残念です！ しかし、それも当然でしょうね。さて、マダム」と彼は首を片側に傾げて、にっこり笑いかけ、意味ありげに人差し指を振ってみせた。「質問は以上です。それから、どうかご自分を責めないように。勇気をお持ちなさい、そして、エルキュール・ポアロを信頼していてください」

23 ポアロの小さな集まり

「それじゃあ」とキャロラインが立ち上がった。「この子は二階でちょっと横にならせましょう。心配しないで。ムッシュー・ポアロができるだけのことをしてくださるわ——安心してればいいのよ」

「ファンリー・パークに戻らなくては」アーシュラがためらいがちにいった。

だが、キャロラインは断固たる態度で、その抗議を却下した。

「とんでもない。当面、わたしに任せてちょうだい。とりあえずうちにいればいいわ——ねえ、ムッシュー・ポアロ？」

「それがいちばんよいでしょう」小柄なベルギー人は同意した。「今夜、わたしの小さな集まりには、マドモアゼルにも——いえ、失礼、マダムにも来ていただきたいのです。九時にわたしの家です。マダム・ペイトンには、ぜひとも来ていただかなくてはなりません」

キャロラインはうなずき、アーシュラといっしょに部屋を出ていった。ドアが閉まった。ポアロはまた椅子に腰をおろした。

「これまでのところは、順調です」彼はいった。「物事が正しい方向に進みつつあります」

「ますます、ラルフ・ペイトンに不利になってきましたね」わたしは憂鬱そうにいった。

ポアロはうなずいた。

「ええ、そうですね。しかし、これは予想されていたことでしょう？」

わたしはその言葉にちょっとひっかかって、彼の顔を見た。ポアロは目を半眼にし、両手の指先を触れあわせて、椅子に寄りかかっている。ふいに、ため息をついて、頭を振った。

「どうしたんですか？」わたしはたずねた。

「わが友ヘイスティングズがいてくれたら、という思いがときどきこみあげてくることがあるのです。以前、あなたにお話しした友人です——今、アルゼンチンに住んでいます。わたしが大きな事件を手がけるときは、いつもかたわらにいてくれました。そして、助けてくれたのです——ええ、よく助けてくれました。彼には、いきなり真実につまずくという癖があったんです——もちろん《ビヤン・ナンタンデュ》、自分ではそれと気づかずにです。ときには、実に馬鹿げたことをいいましたが、なんと、その馬鹿げた発言のせいで、真実がはっきりと見えてきたものです！　おまけに、彼には事件の記録をつけておく習慣があり、それがなかなかおもしろかったのですよ」

わたしはやや遠慮がちに咳払いした。

「その点でしたら」といって、言葉を切った。

ポアロは椅子にまっすぐすわり直した。彼の目が輝いた。

「なんでしょう？　何をいおうとしたんですか？」

「その、実をいうと、ヘイスティングズ大尉の記録をいくつか読んだことがあったので、わたしも同じようなものを手がけてみようかと思ったんです。おそらく、こういう事件に関わることは二度とないでしょう——めったにない機会ですから、記録しないのは残念だと思いまして」

話しているうちに、顔がますます火照《ほて》り、しどろもどろになった。

ポアロは椅子から勢いよく立ち上がった。フランス流に抱きしめられるのではないかと、一瞬ぞっとしたが、ありがたいことにそれは思いとどまってくれた。

「それにしてもすばらしい——では、事件の経過をたどって、印象を書き留めてきたんですね？」

わたしはうなずいた。

「すばらしい《エパタン》！」ポアロは叫んだ。「ぜひ見せてください——今すぐに」

そんなにすぐに見せてくれといわれても、心の準備ができていなかった。頭を絞って、細かい部分を思い出そうとした。

「お気に障らなければいいんですが」わたしはおずおずといった。「ちょっと——その——ところどころ個人的なことを書いているところもありますので」

「ああ！　よくわかります。わたしのことを滑稽だとか——笑止千万だとか、あちこちで書いているんでしょう？　まったくかまいませんよ。ヘイスティングズもいつも礼儀をわきまえているわけではありませんでした。このわたしは、そんな些細なことは超越する精神の持ち主です」

それでもいくぶん不安になりながら、わたしはデスクの引き出しをひっかき回して、きちんと揃えていない原稿の束を渡した。将来、出版されるかもしれないことを視野に入れて、章に分けてあった。昨夜、ミス・ラッセルの訪問まで書き上げておいた。つまり、ポアロは二十章分を受けとったのだ。

彼に原稿を預けて、わたしは外出した。かなり遠くの患者のところまで往診しなくてはならなかったので、戻ってきたのは八時過ぎで、トレイの上には温かい夕食が用意されていた。ポアロと姉は七時半に夕食をすませ、ポアロはわたしの原稿を読み終えるために作業場にこもっているということだった。

「ねえ、ジェームズ」姉がいった。「あの中で、わたしのことに触れるときは、気を遣って書いてくれたでしょうね？」

わたしはぽかんと口を開けた。まるっきり気を遣ってなどいなかったのだ。

「まあ、別にかまわないんだけど」キャロラインはわたしの表情を正しく読みとってそういった。「ムッシュー・ポアロならどう解釈するべきかわかってるでしょうから。あなたよりも、わたしのことをよく理解してくれているもの」

わたしは作業場に入っていった。ポアロは窓辺にすわっていた。原稿はかたわらの椅子の上にきちんと揃えて置いてあった。彼はそれに片手をかけ、こういった。

「いやはや《エ・ビヤン》、感心しました――先生の謙虚さには！」

「いえ、そんな！」わたしはいささか虚をつかれた。

「それに、寡黙なところにも」彼はつけ加えた。

わたしは「いえ、そんな！」とまたいった。

「ヘイスティングズはこういうふうには書きませんでした」友人は言葉を続けた。「どのページにも、〝わたし〟という言葉が繰り返し繰り返し登場しました。ヘイスティングズが考えたこと――ヘイスティングズがしたことばかり。しかしあなたは――ご自分の個性を表に出そうとはしません――ただ、一、二度だけ顔を出していますが――家庭生活の場面で。そうでしょう？」

ポアロが楽しげに目をきらめかせるので、わたしは少し赤くなった。

「本当のところ、内容についてはどうお思いですか？」と心配になりながら聞いてみた。

「率直な意見をお聞きになりたいのですか？」

「ええ」

ポアロはからかうような態度を改めた。

「非常に綿密で正確な記述です」と好意的な意見を口にした。「すべての事実を忠実に、ありのままに記録している――ただし、あなた自身が果たした役割については、適度な沈黙を守っていらっしゃいますね」

「お役に立ちそうですか？」

「ええ。非常に役に立ったといってもいいでしょう。さあ、わたしの家に行きましょう。ささやかなお芝居のために舞台を整えなくてはなりません」

キャロラインは玄関ホールにいた。いっしょにどうぞ、と誘ってほしかったのだろうと思う。ポアロはこの場を巧みに切り抜けた。

「あなたにもぜひとも出席していただきたいところなのです、マドモアゼル」彼は残念そうにいった。「しかし、この重大な局面では、賢明とはいえないでしょう。というのも、今夜出席する全員が容疑者なのです。その中から、わたしはアクロイド氏を殺した犯人を見つけるつもりでいます」

「本気でそう思っていらっしゃるんですか？」信じられない思いでたずねた。

「あなたがそう思っていないのは承知しています」ポアロは淡々と答えた。「まだ、エルキュール・ポアロの真価をわかっていないのですね」

そのとき、アーシュラが階段を下りてきた。

「もう出かけられますか？」ポアロはいった。「それはけっこう。では、いっしょにわたしの家に参りましょう。マドモアゼル・キャロライン、わたしはあなたのために、できるだけのことをしているのですよ、本当に。ではおやすみなさい」

散歩に連れていってもらえない犬のように、玄関前の階段に立って見送っているキャロラインを残して、わたしたちは出かけた。

からまつ荘の応接間はすでに準備が整えられていた。テーブルの上には、さまざまな甘い飲み物のびんとグラスが並べられている。ビスケットを盛った皿もあった。数脚の椅子が別の部屋から運びこまれていた。

ポアロは走り回って、あれやこれやを置き直した。こちらで椅子をひき、あちらでスタンドの位置を変え、ときどき、かがんでは床の敷物をまっすぐに直している。とりわけ、照明についてはうるさかった。椅子が何脚か置かれている側をくっきりと照らし出すように、いくつかのスタンドが置かれ、同時に部屋の反対側は薄暗くなるように配慮された。どうやら、ポアロはそのほの暗い場所にすわるつもりのようだった。

アーシュラとわたしは彼を眺めていた。まもなく、ドアベルが鳴った。

「到着されたようです」ポアロはいった。「けっこう、準備万端整っています」

ドアが開いて、ファンリー・パークの一行が入ってきた。ポアロは進みでて、セシル・アクロイド夫人とフローラに挨拶をした。

「ようこそいらっしゃいました。ブラント少佐に、レイモンド氏も」

秘書は相変わらず陽気だった。

「何を考えていらっしゃるんですか？」彼は笑いながらいった。「科学的な装置でもあるんですか？　手首にベルトを巻きつけ、有罪だと脈拍に表われるとかいうものですか？　そういう発明品がありましたよね？」

「たしかに読んだことがあります」ポアロはいった。「しかし、このわたしは旧式ですので、古い方法を使います。小さな灰色の脳細胞だけを働かせるのです。さて、始めましょう——だが、最初に発表することがあります」

彼はアーシュラの手をとって、前の方に連れだした。

「このご婦人はラルフ・ペイトン夫人です。この三月に、ペイトン大尉と結婚なさったのです」

アクロイド夫人が小さな叫びをもらした。

「ラルフと！　結婚したですって！　三月に！　まあ！　馬鹿げてるわ。そんなことあるものですか」

夫人は、初めて会ったかのようにアーシュラをしげしげと眺めた。

「ボーンと結婚した？」彼女はいった。「まあ、ムッシュー・ポアロ、とうてい信じられませんわ」

アーシュラは赤くなって口を開きかけたが、フローラがその機先を制した。

フローラはすばやくアーシュラのそばに近づくと、相手の腕に手をかけた。

「驚いたことを気にしないでちょうだい」フローラはいった。「だって、想像もしていなかったことなんですもの。あなたとラルフはすごく上手に秘密にしていたのね。結婚のこと、とてもうれしいわ」

「なんておやさしいんでしょう、フローラお嬢さま」アーシュラは低い声でいった。「どんなにお怒りになっても、当然ですのに。ラルフはひどいふるまいをしました――とりわけ、お嬢さまには」

「そのことで、あなたがくよくよすることはないわ」フローラは慰めるようにアーシュラの腕を軽くたたいた。「ラルフは追いつめられて、それしか方法がなかったのよ。わたしだって彼の立場に立たされたら、たぶん同じことをしていたわ。ただ、わたしを信頼して秘密を打ち明けてくれたらよかったのに、と思うけど。彼をがっかりさせるような真似はしなかったのに」

ポアロがそっとテーブルをたたき、わざとらしく咳払いした。

「会議が始まるようね」フローラはいった。「ムッシュー・ポアロが話をやめるように合図しているわ。でも、ひとつだけ教えて。ラルフはどこにいるの？　他ならぬあなたなら、知っているはずよ」

「でも、知らないんです」アーシュラは泣きそうになっていった。「本当に、知らないんです」

「リヴァプールで勾留されているんじゃないんですか？」レイモンドがたずねた。「新聞にはそう出てましたよ」

「リヴァプールにはいません」ポアロがぶっきらぼうにいった。

「実をいうと」とわたしが口を出した。「行方は誰も知らないんです」

「エルキュール・ポアロを除いては、そうでしょう？」とレイモンド。

ポアロはこの冗談に大まじめに答えた。

「このわたしは、すべてを知っています。それを覚えておいてください」

ジェフリー・レイモンドは目を丸くした。

「すべてですって？」レイモンドは口笛を吹いた。「ヒュー！　それは無理な話でしょう」

「ラルフ・ペイトンがどこに隠れているか、本当に推測がつくというんですか？」わたしは信じられない思いでたずねた。

「あなたは推測とおっしゃいます。わたしは知っている、と申し上げているのです、わが友よ」

「クランチェスターですか？」わたしはあてずっぽうでいった。

「いいえ」ポアロは重々しくいった。「クランチェスターではありません」

それ以上はいおうとしなかったが、彼の身振りに従って、集まった人々は席についた。その最中に再びドアが開き、二人の人間が入ってきてドアの近くにすわった。パーカーと家政婦のミス・ラッセルだった。

「頭数が揃いましたね」ポアロはいった。「全員がここにいます」

その口調には満足そうな響きがあった。そして、その言葉を聞いたとたん、部屋の反対側に集まっているすべての顔に、不安めいたものがさざ波のようによぎるのがわかった。このすべてが罠ではないかと感じさせるものがあったのだ——しかも、すでに閉じてしまった罠。

ポアロはもったいぶってリストを読み上げた。

「セシル・アクロイド夫人、ミス・フローラ・アクロイド、ブラント少佐、ジェフリー・レイモンド氏、ラルフ・ペイトン夫人、ジョン・パーカー、エリザベス・ラッセル」

彼は紙をテーブルに置いた。

「いったい、どういうことなんですか？」レイモンドがいいかけた。

「今読み上げたのは」とポアロはいった。「容疑者のリストです。ここにいらっしゃる全員に、アクロイド氏を殺す機会がありました——」

悲鳴をあげてアクロイド夫人が立ち上がり、喉をひくつかせながらわめいた。

「嫌です。こんなこと、嫌です。わたし、帰らせていただきます」

「お帰りになれませんよ、マダム」ポアロがいかめしくいった。「わたしの話を聞いていただくまでは」

ちょっと言葉を切って、咳払いをした。

「最初からお話ししましょう。ミス・アクロイドから事件の捜査を依頼され、わたしはシェパード先生といっしょにファンリー・パークに行きました。先生といっしょにテラスを歩き、窓枠についている足跡を示されました。そこからラグラン警部に、私道に通じる小道に案内されました。小さな東屋が目に留まり、そこを徹底的に調べたのです。ふたつのものを発見しました——糊のきいた木綿の布地の切れ端と、羽軸が空になっているガチョウの羽根です。木綿の切れ端で、たちまちメイドのエプロンを思いつきました。さらにラグラン警部が屋敷内の人々のリストを見せてくれたとき、一人のメイド——アーシュラ・ボーンのアリバイがないことにすぐ気づきました。彼女自身の話によれば、九時半から十時まで自室にいたということでした。しかし、そうではなく、東屋にいたとしたらどうでしょう？ だとしたら、彼女は誰かに会いにそこに行ったにちがいありません。さて、シェパード先生によれば、あの晩、たしかによそ者が屋敷を訪ねてきたということです——先生が門のすぐそばで会った人物です。最初は、それで問題が解決したように見えました。その見知らぬ人間は、アーシュラ・ボーンに会うために東屋に行ったのです。ガチョウの羽根の存在によって、彼が東屋に行ったことは確実でした。ガチョウの羽根を見て、わたしはすぐに彼が麻薬常用者だと察したのです――しかも、その人物は、この国よりも〝スノウ〟の吸引がはやっている太平洋の向こうで、その習慣に染まったのだろうと。シェパード先生が会った人物はアメリカ訛があったのですから、その仮定にぴったり合致します。

しかし、ある一点で前に進めなくなりました。時間があわないのです。アーシュラ・ボーンは九時半前には絶対に東屋には行けませんでした。かたや、その男は東屋に九時数分過ぎには着いていたはずです。もちろん三十分間、そこで待っていたことも考えられます。もうひとつ推測できるのは、あの晩、東屋で二組が別々に会ったということです。そうです《エ・ビヤン》、もうひとつの選択肢を調べはじめたとたん、いくつかの重要な事実を発見しました。家政婦のミス・ラッセルがその朝、シェパード先生を訪ねて、麻薬常習者の治療について、とても興味を示していたのです。それをガチョウの羽根と結びつけると、問題の男はアーシュラ・ボーンではなく、家政婦に会いにファンリー・パークにやって来たのだろうと推測されました。では、アーシュラ・ボーンが密会した相手は誰なのでしょう？　わたしはさほど迷いませんでした。まず指輪を見つけたのです――結婚指輪で、〝Rより〟と刻まれ、日付が入っていました。それから、ラルフ・ペイトンが東屋に通じる道を歩いていくのを、九時二十五分過ぎに目撃されていることを知りました。さらに、その午後、村はずれの森で、ある会話が交わされていた――ラルフ・ペイトンと正体不明の若い女性とのあいだで交わされていたことを聞きました。そこで、こうした事実をきちんと順序立ててつなぎあわせていきました。秘密の結婚、悲劇の日に発表された婚約、森の中での激しいやりとり、その夜、東屋で設定された密会。

ところで、これでひとつはっきりしたのです。ラルフ・ペイトンもアーシュラ・ボーン（あるいはペイトン）も、アクロイド氏を亡き者にしたいという強い動機を持っていたということです。さらに、思いがけず、もうひとつのことも明らかになりました。九時半にアクロイド氏と書斎にいたのは、ラルフ・ペイトンではありえなかったということです。

そこで、犯罪のもっとも興味深い局面にたどり着きます。九時半にアクロイド氏といっしょにいたのは何者か？　ラルフ・ペイトンではない。彼は東屋に妻といっしょにいたのですから。チャールズ・ケントでもない、彼はすでに屋敷から立ち去っていました。では、誰なのか？　わたしはもっとも狡猾な――そして大胆な質問を発しました。そもそも誰かといっしょだったのか？」

ポアロは身をのりだすと、勝ち誇ったように最後の言葉をわたしたちに投げかけた。それから、決定的な一撃を加えたといわんばかりに、椅子にもたれかかった。

だがレイモンドは感銘を受けなかったようで、穏やかに抗議をした。

「ムッシュー・ポアロ、ぼくを嘘つきにしようとしているのかもしれませんけど、その件に関してはぼくの証言だけじゃないですよ――使われた正確な言葉はともかく、ブラント少佐もアクロイドさんが誰かと話しているのを聞いています。彼は外のテラスにいたので、はっきりと言葉を聞きとれませんでしたが、話し声はまちがいなく聞いているんです」

ポアロはうなずいた。

「忘れてませんよ」彼は静かにいった。「しかしブラント少佐は、アクロイド氏が話していたのはあなただという印象を受けたのです」

一瞬、レイモンドは啞然としたようだったが、まもなく気をとり直した。

「ブラント少佐も、これでまちがっていたことがわかるでしょう」

「たしかに」と少佐は同意した。

「とはいえ、少佐がそう思った理由があるはずです」ポアロは考えこむようにいった。

「ああ！　いいえ」と片手を上げて相手を制した。「あなたがおっしゃりたい理由はわかります――しかし、それでは十分ではありません。別の理由も探さなくてはなりません。わたしはこんなふうに考えています。事件の最初から、あることに注意をひかれました――レイモンド氏が耳にした、アクロイド氏のしゃべり方です。どなたもそのことを気にしないのは――妙に思わないのは、わたしにとって驚くべきことでした」

彼はちょっと口をつぐんでから、低い声で引用した。

「〝……最近、とても物入りなので、残念ながらあなたの要求に応じることはできかねる〟これを聞いて、変だと思いませんか？」

「ぼくはそう思いませんが」とレイモンドがいった。「よく手紙を口述筆記しましたが、まさにそのとおりの言葉を使っていましたから」

「そこですよ」ポアロは叫んだ。「わたしもそこにたどり着いたのです。誰かに話しかけるときに、そういう言葉遣いをするでしょうか？　実際の会話の一部では、まずありえません。しかし、手紙を口述筆記していたなら――」

「つまり、彼は手紙を読んでいたというんですね」レイモンドはゆっくりといった。

「だとしても、誰かに読み聞かせていたはずです」

「そうですか？　書斎に他に人がいたという証拠はないんですよ。アクロイド氏以外の声は聞かれていないんです」

「そういう手紙は絶対に一人で読み上げたりしませんよ――頭がどうかしていない限りは」

「ひとつ、お忘れのことがありますね」ポアロが静かにいった。「事件の前の水曜日に訪ねてきた人物のことです」

全員がポアロを見つめた。

「そうです」彼は励ますようにうなずいた。「水曜日です。あの青年自身は重要ではありません。しかし、彼が勤めている会社には、おおいに興味をそそられました」

「録音機《ディクタフォン》の会社ですね」レイモンドが息をのんだ。「これでわかりました。ディクタフォンです。それをお考えなんですね？」

ポアロはうなずいた。

「アクロイド氏はディクタフォンを購入する約束をしていました、ご記憶にありますね。わたしは興味を覚えて、問題の会社に問い合わせてみました。会社によれば、アクロイド氏はセールスマンからディクタフォンをたしかに買ったというのです。どうしてあなたに隠していたのか、それがわかりませんね」

「ぼくを驚かせようとしたのでしょう」レイモンドはつぶやいた。「子供みたいに、人を驚かせるのが大好きだったんです。一日、二日、秘密にしておくつもりだったのでしょう。たぶん、新しいおもちゃを手に入れたかのように、機械で遊んでいたんですよ。ええ、これでしっくりきます。あなたのおっしゃるとおりです——日常の会話で、あんな言葉遣いをする人はいませんよ」

「ブラント少佐はあなたが書斎にいると考えたのですが」とポアロはいった。「その理由も説明がつきます。口述の言葉が切れ切れに耳に入ったので、潜在意識であなたがいっしょにいると推測したのです。一方、意識では、まったく別のものに気をとられていました――ちらりと目に入った白い姿に。少佐はミス・アクロイドだと思ったのです。もちろん、彼が見たのは白いエプロン姿のアーシュラ・ボーンで、彼女はこっそり東屋に行くところだったのです」

レイモンドは最初の驚きから立ち直った。

「たしかに」と意見を述べた。「あなたの発見はすばらしいです。ぼくには絶対に思いつかなかったでしょう。しかし、本質的な問題は変わっていません。アクロイド氏は九時三十分には生きていて、ディクタフォンに口述していたのですから。そのときには、チャールズ・ケントという男は、屋敷からいなくなっていたのは明らかなようですね。ラルフ・ペイトンはどうなのでしょう――？」

彼は口ごもり、ちらりとアーシュラを見た。

彼女は頬を赤らめたが、しっかりした口調で答えた。

「ラルフとわたしは九時四十五分少し前に別れました。彼は屋敷の方には行きませんんでした、それはまちがいありません。そんなことをする気はまったくなかったのです。何よりもいちばん避けたかったのは、お義父さまと顔をあわせることでしたから。そのことをたいそう恐れていました」

「あなたの話をちょっとでも疑っているわけではありません」レイモンドはいった。

「ぼくはずっと、ペイトン大尉が無実だと信じているんです。しかし、法廷のことや――いずれ受ける質問のことも考慮に入れなくちゃなりません。大尉は非常にまずい立場にいます。しかし、姿を見せれば――」

ポアロが言葉をはさんだ。

「それがあなたの忠告ですか？　ペイトン大尉は姿を現わすべきだというのが？」

「当然ですよ。彼の居所をご存じでしたら――」

「どうやら、わたしが知っていることを信じてくださらないようですね。それに、さっきいったように、わたしはすべてを知っているのです。電話の件も、窓枠の足跡の件も、ラルフ・ペイトンの隠れている場所の件も――」

「彼はどこにいるんだね？」ブラントが鋭くたずねた。

「それほど遠くではありません」ポアロはにっこりした。

「クランチェスターですか？」わたしはたずねた。

ポアロは振り向いてわたしを見た。

「いつもそうたずねますね。クランチェスターというのは、あなたの固定観念《イデ・フィクセ》ですね。いいえ、彼はクランチェスターにはいません。彼は——あそこです！」

ポアロは芝居がかって指さした。全員がそちらを振り向いた。

戸口にラルフ・ペイトンが立っていた。

24 ラルフ・ペイトンの話

わたしにとって、それはきわめて居心地の悪い一瞬だった。続いて起きたことはろくに理解できなかったが、ともかく、叫び声や驚愕の声が渦巻いていた！ ようやく自制心をとり戻して現実を把握できるようになったときには、ラルフ・ペイトンは妻のかたわらに立ってその手を握り、部屋の向こうからわたしに笑いかけていた。

ポアロもにこにこしていて、同時にわたしをいさめるように指を振ってみせた。

「少なくとも三十六回は、エルキュール・ポアロから何かを隠そうとしてもむだだ、といいませんでしたか？」彼はたずねた。「どんな場合も見つけだすと？」

ポアロは他の連中の方を向いた。

「先日、わたしたち六人だけでテーブルを囲みましたね。他の五人の方々に、わたしは何か隠し事をしていると非難しました。そのうち四人は秘密を明かしてくれましたが、シェパード先生はご自分の隠し事を打ち明けてくださいませんでした。わたしはずっと疑いを抱いていました。シェパード先生はあの晩、ペイトン大尉に会いにスリー・ボアーズ館に行きました。ペイトン大尉はいなかったというが、ひょっとして家に帰る途中、道で出会ったのではないだろうか？　と思ったのです。シェパード先生はペイトン大尉の友人でした。しかも、犯行現場からまっすぐ旅館に行ったのです。ペイトン大尉にとって非常に不利な状況だということをわかっていたにちがいありません。たぶん、世間の人たちよりもいろいろご存じだったのでしょう――」

「たしかに」わたしは沈んだ声でいった。「こうなったら、すべてをすっかりお話しした方がいいでしょうね。わたしはあの午後、ラルフに会いにいきました。最初のうち、彼は打ち明けようとしませんでしたが、やがて結婚のことや、苦境に陥っていることについて話してくれました。殺人が起きたとき、その事実が公になったら、まちがいなくラルフが疑われると気づきました――たとえ彼ではなくても、彼の愛している女性に嫌疑がかかるでしょう。あの晩、わたしは事実を率直に彼に話しました。すると、妻が疑われかねない証言をするぐらいなら、と、彼は決意したのです、どんな犠牲を払っても――その――」

わたしが口ごもると、ラルフがあとをひきとった。

「ずらかろうってね」ラルフは生々しい言葉を使った。「いいですか、アーシュラはぼくを残して屋敷に戻っていきました。彼女は継父ともう一度話し合おうとしたのかもしれない、と思ったんです。その午後、継父は彼女にとても無礼な態度をとっていた。それで思ったんですよ、継父はアーシュラをとうてい許せないような言葉で侮辱したんじゃないか——で、彼女は自分が何をしているかわからないうちに——」

ラルフは言葉を切った。アーシュラはラルフと握りあっていた手を放すと、あとずさった。

「そんなことを考えたの、ラルフ！　わたしがあんな真似をしたと、本気で考えたの？」

「シェパード先生の非難すべき行為に話を戻しましょう」ポアロがてきぱきといった。「シェパード先生はペイトン大尉を助けるために、できるだけのことをしようと約束しました。そして、警察からペイトン大尉を隠すことに成功したのです」

「どこに？」レイモンドがたずねた。「先生の家ですか？」

「ああ、いえ、もちろんちがいます」ポアロはいった。「わたしも自分の胸にたずねてみましたが、ご自分にその質問をしてごらんなさい。医者が若い男を隠すとしたら、どこを選ぶでしょうか？　手近な場所でなくてはなりません。わたしはクランチェスターを思いつきました。ホテルか？　いいえ。下宿屋？　いいえ。もっと不適当です。では、どこでしょう？　ああ！　閃きました。療養所です。精神障害者のための施設。わたしはその仮説を試してみました。精神障害の甥がいると偽り、適当な施設がないだろうか、とマドモアゼル・シェパードに相談したのです。弟さんが患者を入所させたことがある、クランチェスター近郊のふたつの施設の名前を教えてくれました。わたしは問い合わせをしました。たしかに、片方の施設に、土曜の早朝、先生自身が患者を連れてきたことが判明しました。偽名を使っていましたが、その患者がペイトン大尉だということは簡単に確認できました。わたしは必要な手続きをとり、彼を連れだす許可を得たのです。きのうの朝早く、彼はわたしの家に到着しました」

　わたしは悄然としてポアロを見た。

「キャロラインがいってた内務省の人間か」とひとりごちた。「まさか、こんなこととは思わなかった！」

「これで、あなたの原稿が控え目なのに驚いたといった理由がおわかりでしょう」ポアロがつぶやいた。「書かれている部分は正確でした――しかし、すべては書かれていなかった、そうでしょう、わが友よ？」

　わたしはきまりが悪くて返事もできなかった。

「シェパード先生はとても誠実でした」ラルフはいった。「終始変わらず、ぼくの味方になってくださいました。最善とお考えになったことをしてくださったんです。しかし、今ムッシュー・ポアロの話をうかがって、それが必ずしも最善ではなかったということに気づきました。姿を現わして、事態を受けとめるべきでした。ただ、療養所では新聞を読むことがなかったので、事件がどうなっているのかまったく知らなかったんです」

「シェパード先生の口の堅さときたら、お手本にしたいぐらいでしたな」ポアロは皮肉っぽくいった。「しかし、このわたしはどんな小さな秘密でも探りだします。それが仕事ですから」

「そろそろ、あの晩に起きたことをペイトン大尉の口から話してください」レイモンドがじれったそうにいった。

「もうご存じですよ」ラルフがいった。「ぼくから補足することはもうほとんどありません。ぼくは九時四十五分に東屋を出て、小道をぶらぶらしながら、これからどうするか――どういう道を選べばいいか、心を決めようとしていました。アリバイがまったくないことは認めざるをえませんが、書斎には行ってないし、生きている継父には――あるいは死んでいるにしろ、継父にはまったく会っていないと誓います。世間がどう考えようと、ここにいるみなさんにはぼくを信じてほしいんです」

「アリバイがないんですか」レイモンドがぼそっといった。「それはまずいですね。もちろん、ぼくは大尉を信じていますよ。しかし――まずい状況ですね」

「しかし、これで事が非常に単純になりますよ」ポアロが陽気にいった。「単純そのものになります」

全員がポアロを見つめた。

「わたしのいう意味がおわかりですか？　おわかりにならない？　たんにこういうことです――ペイトン大尉を救うためには、真犯人が自白しなければならない」

ポアロはにっこりして座を見回した。

「ええ――わたしは本気でいっているのです。よろしいですか、わたしはこの場にラグラン警部を招きませんでした。それには理由がありました。わたしが知っていることすべてを警部には話したくなかったのです――少なくとも、今夜はそれを望まなかったのです」

彼は身をのりだした。ふいに、彼の声と人格ががらりと変わったように思えた。いきなり、危険な人物になったのだ。

「みなさんに申し上げておきます――このわたしは、アクロイド氏を殺した犯人が今この部屋にいることを知っています。殺人犯にいいます。明日、真相をラグラン警部に伝えます。おわかりですか？」

張りつめた静寂が続いた。そのさなかに、ブレトン帽をかぶったメイドが、盆に一通の電報をのせて入ってきた。ポアロは封を切った。

いきなり、ブラントの声が朗々と響き渡った。

「犯人がわれわれの中にいる、そういうのか？　では——誰なんだね？」

ポアロは電報を読んだ。それを片手でぎゅっともみつぶした。

「これでわかりました」

彼は丸めた紙をトントンとたたいた。

「それは何ですか？」レイモンドが鋭くたずねた。

「無線電報です——合衆国に向かっている客船から届いたものです」

部屋はしんと静まりかえった。ポアロは立ち上がって、お辞儀をした。

「紳士淑女《メッシュー・エ・メダーム》のみなさん、わたしの会合はこれでおしまいです。覚えておいてください——

——明日の朝、真相はラグラン警部に伝えられます」

25　すべての真相

ポアロは目立たぬように合図して、他の連中が帰ったあとも残るようにわたしに指示した。わたしはそれに従い、暖炉に近づいて、物思いにふけりながら編み上げ靴の爪先で大きな薪をつついた。

困惑していた。初めて、ポアロの意味するところが皆目わからなかったのだ。一瞬、たった今目にした場面は、大仕掛けな芝居だったと考えたくなった――自分をおもしろい重要人物に見せようとして、ポアロがよくいう〝コメディを演じていた〟のだと。しかし、意志に反して、目の前に横たわる現実を信じないわけにはいかなかった。彼の言葉には本物の脅威がこもっていた――明らかに真実を語っていることが感じられた。しかし、わたしはこの時点では、ポアロがまったくまちがった方向にいっているとまだ信じていたのだ。

最後のお客が出ていきドアが閉まると、彼は暖炉に近づいてきた。

「さて、わが友よ」彼は静かにいった。「どうお考えになりますかな？」

「どう考えていいのか途方に暮れています」わたしは率直にいった。「何が狙いなのですか？　犯罪者に手のこんだ警告をしたりせず、どうしてすぐにラグラン警部のところに行き、真相を伝えないのですか？」

ポアロはすわると、小さなロシア煙草の箱をとりだした。しばらく黙って煙草をくゆらせていたが、こういった。

「あなたの小さな灰色の脳細胞を使いなさい。わたしの行動の裏には、常に理由があるのです」

わたしはちょっと口ごもってから、ゆっくりといった。

「まず頭に浮かんだのは、あなたは犯人を知らないが、今夜集まった人々の中にいるにちがいないと確信しているということでした。それで、ああいうふうにいって、未知の犯人から自白をひきだそうとしたのですか？」

ポアロはなるほどとうなずいた。

「鋭い考えですが、真実ではありません」

「あなたが知っていると犯人に思いこませることができれば――必ずしも自白させなくても――犯人をあぶりだせる、そういう狙いなのかと思いました。以前、アクロイドの口を封じたように、犯人はあなたを殺そうとするかもしれませんよ——明日の朝、あなたが行動に移る前に」

「わたし自身を餌にした罠ですか！　それはどうも《メルシ》、わが友よ《モナミ》、しかし、わたしはそこまで英雄的行動ができるほどの人間ではありません」

「だとすると、あなたの考えが理解できません。こんなふうに警告をすれば、犯人をとり逃してしまう危険を冒すことになりますよ」

　ポアロはかぶりを振った。

「彼は逃げられません」重々しく答えた。「逃げ道はひとつしかないのです——ただし、それは自由に通じる道ではありません」

「今夜ここに集まった人たちの中の一人が殺人を犯したと、本気で信じていらっしゃるんですか？」わたしは信じられない思いでたずねた。

「ええ、そうです」

「誰なんですか？」

　しばらく沈黙が続いた。やがてポアロは吸い殻を暖炉に放りこむと、しみじみと思い返しているような口調で語りはじめた。

「わたしがたどってきた道にお連れしましょう。一歩ずつわたしといっしょに進んでいけば、すべての事実はある一人の人間をはっきりと指していることがわかるでしょう。

さて、まずわたしが注意を引かれたのは、ふたつの事実と、わずかな時間の食い違いでした。第一の事実は、かかってきた電話です。ラルフ・ペイトンが本当に犯人だったら、あの電話は無意味で馬鹿げたことです。よって、ラルフ・ペイトンは犯人ではない、と内心思いました。

屋敷の中の人間には、あの電話がかけられなかったことを確かめました。それでも、あの運命の夜、あそこにいた人々の中に探しだすべき犯人がいると確信していました。そこで、あの電話は共犯者がかけたものだという結論に達しました。その推理に完全に満足したわけではありませんが、当面、そういうことにしておきました。

次に、電話をかけた動機について検討しました。それはむずかしかった。その結果によって判断するしかありませんでした。すなわち、当然、翌朝になるはずだったのに——

——あの晩のうちに、殺人が発見されたということです。このことには異論はありませんね？」

「え、ええ」わたしは同意した。「そうですね。たしかに、アクロイドは邪魔されたくないと命じていたので、あの晩は誰も書斎に行かなかったでしょう」

「たいへんけっこう《トレ・ビヤン》。これで事件は少し進展します。しかし、まだいろいろと不明なところがあります。翌朝ではなく、あの晩、犯行がわかると、どういう利点があるのでしょう？　わたしが考えついた唯一の理由は、ある時刻に犯行が発見されると知っていれば、犯人はドアが破られるときに——あるいは少なくともその直後に、確実に現場にいるようにできるというものでした。では次に第二の事実に行きましょう——壁際から移動させられていた椅子のことです。ラグラン警部はたいして重要ではないと、それを無視しました。逆にわたしは、きわめて重要なことだとずっと考えてきました。

あなたの手記の中には、書斎の小さな見取り図がきちんと描かれています。今、お手元にあれば、すぐにわかるでしょう——椅子はパーカーが証言した場所に引き出されていますドアと窓を結ぶ線上に置かれているのです」

「窓ですね！」わたしはすぐにいった。

「あなたも、わたしが最初に考えたようにお考えですね。椅子が引き出されていたのは、ドアから入ってきた人間に、何か窓に関係のあるものを見えなくするためだと想像しました。しかし、すぐにその仮説を捨てました。というのは、背もたれの高い安楽椅子とはいえ、窓はほんのわずかしか、窓枠から床までのあいだのほんの一部しか隠せないのです。いいえ、ちがうのです、わが友《モナミ》よ——しかし、窓のすぐ前に、本や雑誌ののったテーブルがあったことを思い出してください。そのテーブルは引き出された椅子で、完全に隠されていました――そしてすぐに、わたしはおぼろげながら初めて真相に気づいたのです。

見られたくないものが、あのテーブルにのっていたとしたら、どうでしょう？　殺人者によって置かれた何かが？　そのときはまだ、それが何であるか、皆目見当がつきませんでした。しかし、そのことで非常に興味深い事実を知りました。たとえば、殺人を犯したときには、それを持ち帰れなかったものだということ。同時に、犯行が発見されたあとは、すみやかに持ち去ることが不可欠であること。となると――あの電話の伝言は、死体が発見されたとき、殺人者が現場に居合わせる機会を与えるためのものだったことになります。

さて、警察が到着するまで、現場には四人の人間がいました。先生、パーカー、ブラント少佐、レイモンド氏。すぐに消去したのはパーカーでした。なぜなら犯行がいつ発見されようと、必ず現場に居合わせることができたからです。さらに、安楽椅子が引き出されていることを教えてくれたのも彼だったからです。そこでパーカーは容疑からはずしました（殺人に関してだけです。まだ、フェラーズ夫人を恐喝していた可能性はあると考えていました）。しかしレイモンド氏とブラント少佐はまだ容疑者でした。犯行がその日の早朝に発見されたら、現場にやって来るのが遅れ、テーブルの上の品物が発見されないように手を打つことができなくなってしまうからです。

ところで、その品物とは何だったのでしょう？　切れ切れに聞こえた書斎の会話について、今夜わたしが論じたことは聞きましたね？　ディクタフォン会社のセールスマンがやって来たと知ったとたん、ディクタフォンのことが頭から離れなくなりました。つい半時間前に、この部屋でわたしがいったことをお聞きになったでしょう？　全員がわたしの説にうなずいていました――ただし、ある重要な事実が見逃されていたように思えます。あの晩、アクロイド氏がディクタフォンを使ったのなら――どうしてそのディクタフォンは見つからなかったのでしょう？」

「そのことは考えもしませんでした」わたしはいった。

「アクロイド氏がディクタフォンを手に入れたことはわかっています。しかし遺品の中に、ディクタフォンは見つからなかったのです。そこで、テーブルから何かが持ち去られたとしたら――ディクタフォンであってもおかしくないのではないでしょうか？　しかし、いくつかの難点がありました。当然、全員の注意は殺害された男に注がれていました。他の人が部屋にいても、気づかれずにテーブルに近づけただろうと思います。しかし、ディクタフォンはかなり大きなものです――ポケットに忍びこませられるものではありません。それをしまえるような入れ物があったはずです。

わたしがどういう結論に向かっているか、おわかりですね？　犯人の姿が、じょじょに浮かびあがりはじめました。すぐに犯行現場に駆けつけた人物、しかし、翌朝発見されたのでは現場にいられなかった人物。ディクタフォンがしまえるような入れ物を持っていた人物――」

わたしは遮った。

「どうしてディクタフォンを持ち去ったんですか？　その目的は何だったんですか？」

「先生もレイモンド氏と同じですね。九時半に聞こえた声は、アクロイド氏がディクタフォンに口述していたものだと当然のように考えています。しかし、この便利な発明品について、ちょっと考えてみてください。まず、言葉をふきこみますね？　そして、しばらくして秘書なりタイピストなりがスイッチを入れると、声が再生されるのです」

「ということは――？」わたしは息をのんだ。

ポアロはうなずいた。

「ええ、そうです。九時半にアクロイド氏はすでに死んでいたのです。話していたのはディクタフォンで――本人ではなかったのです」

「では、犯人がスイッチを入れたわけだ。では、あのとき犯人は部屋にいたはずですね？」

「かもしれません。しかし、機械的な仕掛けがほどこされていた可能性は捨てられません——時限装置とか、簡単な目覚まし時計とかの原理を使ったものです。しかし、その場合、想像上の犯人像に、さらにふたつの可能性を加えなくてはならなくなりました。アクロイド氏がディクタフォンを買ったことを知っていて、なおかつ、機械仕掛けについて必要な知識がある人物です。

そこまで考えたとき、窓枠の靴跡の問題が出てきました。ここで三つの結論が考えられました。（1）実際にラルフ・ペイトンによってつけられた。その晩、ファンリー・パークにいたのだから、書斎に忍びこんで、継父が死んでいるのを発見したのかもしれない。これが第一の仮説です。（2）同じゴムの突起がついた靴をはいた別の人間によってつけられた。しかし、屋敷内の人々の靴底はクレープゴムだし、外部から来た人間が、ラルフ・ペイトンと同じ種類の靴をはいていたという偶然があるとは信じられません。〈犬と口笛〉亭の女性バーテンダーの話から、チャールズ・ケントはぼろぼろの編み上げ靴をはいていたことがわかっています。（3）この靴跡は、ラルフ・ペイトンに疑いを向けるために、何者かによって故意につけられた。この最後の結論の真偽を調べるために、いくつかの事実を確認する必要がありました。警察はラルフの靴を一足、スリー・ボアーズ館から押収しました。あの夜はラルフにしろ誰にしろ、その靴をはくことはできませんでした。なぜなら靴磨きに出されていたからです。警察の推理によれば、ラルフは同じ種類の靴をもう一足持っていて、それをはいていたのだろうということでした。たしかに、ラルフが二足持っていたことは確認しました。さて、わたしの仮説が正しいことを証明するには、あの晩、犯人はラルフの靴をはいていなくてはなりません――その場合、ラルフは別の三足目の靴をはいていたことになります。しかし三足とも同じ種類の靴だとは、とうてい考えられませんでした――三足目はおそらく編み上げ靴でしょう。その点について、あなたのお姉さまに調べていただきました――ただし色のことを強調しておきましたが――正直にいうと――質問の真の狙いをごまかすためでした。

お姉さまの調査の結果はご存じですね。たしかにラルフ・ペイトンは編み上げ靴を持っていたのです。きのうの朝、彼がわたしの家に来たときにまっさきに聞いたのは、あの運命の夜、何をはいていたか、ということでした。彼はすぐに、編み上げ靴をはいていたと答えました。実際、今もまだはいています――他にはくものがないからです。そこで、犯人像にまたひとつ条件が加わりました――その日、スリー・ボアーズ館からラルフ・ペイトンの靴を持ちだすことのできた人物です」

彼は言葉をちょっと切り、いくぶん声を高めて続けた。

「さらにもう一点あります。犯人は、あのシルヴァー・テーブルから短剣を盗むチャンスがあった人物です。屋敷内にいた人間なら、誰でも盗めたと反論するかもしれませんが、ここで思い出していただきたいのは、フローラ・アクロイドがシルヴァー・テーブルをのぞいたとき、すでに短剣がなかったと断言したことです」

彼はもう一度言葉を切った。

「要点を繰り返してみましょう——すべてが明らかになりましたから。その日早く、スリー・ボアーズ館にいた人物、アクロイドがディクタフォンを買ったことを知っているほど彼と親しい人物、機械いじりが好きで、マドモアゼル・フローラがやって来る前にシルヴァー・テーブルから短剣をとる機会があり、ディクタフォンを隠すのに都合のよい入れ物——たとえば黒いかばんなど——を持っていて、犯行が発見されたあと、パーカーが警察に電話しているあいだ、数分間、書斎で一人きりになった人物。それは——シェパード先生、あなたです！」

26　そして真実があるだけ

一分半ばかり、死のような静寂が続いた。

それから、わたしは笑い声をあげた。

「頭がどうかしてますよ」わたしはいった。

「いいえ」ポアロは落ち着き払って答えた。「どうかなどしてませんよ。最初に先生に注意を向けたのは、時間の小さな食い違いでした――そもそもの始めからです」

「時間の食い違い？」わたしは困惑してたずねた。

「ええそうです。先生も含め、全員が門番小屋から屋敷までは五分かかるといいました――テラスへの近道を使えば、もっと少ない時間ですむと。しかし、あなたは八時五十分に屋敷を出ました――あなたご自身とパーカーの証言があります。だが、門番小屋を通過したときには、九時だったのです。あの日は冷えこみ、ぶらぶら散歩したくなるような夜ではありませんでした。なぜ、歩いて五分のところを十分もかかったのでしょう？　さらに、書斎の窓が閉まっていたことについては、あなたの証言しかないことにも気づいていました。アクロイド氏があなたに窓を閉めたかと聞いたにしても、自分で確かめたわけではありません。では、書斎の窓が閉まっていなかったら、どうなるでしょう？　十分で屋敷の外側を回り、靴をはきかえ、窓から忍びこみ、アクロイド氏を殺し、九時までに門番小屋にたどり着けるでしょうか？　この説は却下しました。あの晩のアクロイド氏のように神経質になっている人間は、まずまちがいなく窓から侵入する物音を聞きつけ、もみあいになったでしょう。しかし、あなたが帰る前に――彼の椅子のかたわらに立っているときにアクロイド氏を殺していたとしたら？　そのあとで玄関から出て、東屋まで走っていき、その晩かばんに入れてきたラルフ・ペイトンの靴をとりだし、それをはいてぬかるみを歩き、窓枠に足跡を残し、書斎に忍びこんで内側からドアに鍵をかけ、また東屋に走っていって自分の靴にはきかえて、門まで急いで行けばよいのです（先日、あなたがセシル・アクロイド夫人と話しているときに、同じことをしてみました――ぴったり十分かかりました）。それから帰宅――九時半にディクタフォンのスイッチが入るようにしておいたので、アリバイもあります」

「ムッシュー・ポアロ」我ながら奇妙な、無理やり絞りだしたような声に聞こえた。「この事件のことを長く考えすぎたんですよ。アクロイドを殺して、わたしにどんな得があるというんですか？」

「身の安全です。フェラーズ夫人を脅迫していたのは、あなたでした。フェラーズ氏を診察していた医者以上に、彼の死因についてよく知っている者がいるでしょうか？　庭で初めて言葉を交したとき、あなたは一年前に遺産が入ったといいましたね。わたしは遺産を相続した形跡をまったく見つけることができませんでした。フェラーズ夫人の二万ポンドを説明するために、何かでっちあげなくてはならなかったのです。そのお金はたいして役に立ちませんでした。ほとんどを投機で失ってしまいました――そして、もっと絞りとろうとしたせいで、フェラーズ夫人は先生の予想もしていなかった道を選んでしまいました。アクロイド氏が真相を知ったら、容赦しなかったでしょう――あなたは破滅です」

「では、あの電話は？」わたしは気をとり直そうとしながらたずねた。「あれについても、もっともらしい説明があるんでしょうね？」

「あの電話が実際にキングズ・アボット駅からかけられたと判明したとき、最大の障害にぶつかりました。最初は、あなたがたんなる作り話をしているだけだと思っていました。実に巧妙な思いつきでしたね。あなたは何か口実をこしらえてファンリー・パークに駆けつけ、死体を発見し、あなたのアリバイを作ってくれたディクタフォンを片づける機会を見つけなくてはならなかったのです。初めて姉上にお会いして、あの金曜の朝、どんな患者さんを診察したのかたずねたとき、ぼんやりとどういう仕掛けだったのかわかりかけました。あのときは、ミス・ラッセルのことなど考えていませんでした。彼女の訪問は幸運な偶然でした。わたしの質問の真の意図から、あなたの目をそらすのに役立ったのですから。わたしは探しているものを見つけました。その朝の患者さんの中に、アメリカ行き客船の給仕がいたのです。その晩、汽車でリヴァプールに行くというのですから、これほどうってつけの人間はいないでしょう。そしてそのあとは大海原の上、厄介払いができます。わたしは土曜日にオリオン号が出航したことを知り、給仕の名前をつかんでいたので、ある質問を無線電報で送りました。たった今受けとったのが、彼の返事です」

彼は電報をわたしにさしだした。そこには以下のように書かれていた

ソノトオリ。シェパードセンセイ　カラ　カンジャ　ノ　イエ　ニ　テガミ　ヲ　トドケ、エキ　カラ　デンワ　デ　ヘンジ　ヲ　ツタエルヨウニ　タノマレタ。ヘンジ　ハ「ヘントウナシ」。

「頭のいい思いつきでした」ポアロがいった。「あの電話は本物だったのです。お姉さまはあなたが電話に出るのを見ていた。しかし、実際に交わされた会話については、たった一人の証言――あなたの証言しかありません！」

わたしはあくびをした。

「最初から最後まで、実におもしろい話でした」わたしはいった。「しかし、現実味が薄くて論じる価値がほとんどないですね」

「そうお思いですか？　わたしがいったことを忘れないでください――朝になったら真相がラグラン警部の耳に入ります。しかし、あなたの善良なお姉さまのために、別の逃げ道を選ぶチャンスをさしあげるつもりです。たとえば、睡眠薬の飲み過ぎという方法もあるでしょうね。おわかりですか？　しかしペイトン大尉の容疑は晴らされなければなりません――いうまでもなく《サ・ヴァ・サン・ディール》。あなたの大変に興味深い手記を完成させることをお勧めします――ただし、これまでのような控え目な表現はなさらないように」

「提案がずいぶん多いんですね。これで本当に話は終わりですか？」

「そういわれて思い出しました。たしかに、あとひとつあります。アクロイド氏の口を封じたように、わたしを黙らせようとするのは賢明ではないですよ。そういう手はエルキュール・ポアロには通じません、おわかりですな」

「ムッシュー・ポアロ」わたしはうっすらと微笑んだ。「とにもかくにも、わたしは馬鹿ではありませんよ」

わたしは立ち上がった。

「さてさて」と小さくあくびをした。「家に帰らなくてはなりません。大変におもしろく、ためになる一夜を過ごさせていただき、ありがとうございました」

ポアロも立ち上がり、部屋を出ていくわたしに、いつものように礼儀正しくお辞儀をした。

27 弁明

朝の五時。ひどく疲れた——だが、仕事は終わった。書き続けていたので腕が痛い。手記は思いがけない結末になった。いつかポアロの失敗の記録として出版するつもりだったのに！　妙な展開になったものだ。

ラルフ・ペイトンとフェラーズ夫人が頭を寄せ合っているのを目撃したときから、災厄の予感がしていた。あのとき、夫人はラルフに秘密を打ち明けているのだと思った。結局、その点は完全にまちがっていた。しかし、あの晩、アクロイドといっしょに書斎に入ったあとも、彼から真相を聞くまで、その考えは頭から去らなかった。

気の毒なアクロイド。彼にチャンスを与えてやったことはよかったと思っている。手遅れにならないうちに、手紙を読むようにうながしたのだ。いや、正直にいおう——彼のような頑固者の場合、読ませないためには、そうけしかけるのがいちばんだと潜在意識で悟っていたのかもしれない。あの夜のアクロイドの怯えぶりは、心理学的に興味深かった。彼は危険がすぐそばまで迫っていることを知っていたのだ。それでも、わたしのことはつゆほども疑っていなかった。

短剣はあの場で思いついたことだった。手近にある小さな凶器を持っていったのだが、短剣がシルヴァー・テーブルに入っているのを見たとたん、出所がわたしだとわからない武器を使う方がはるかにいいと、即断したのだ。

わたしはずっとアクロイドを殺すつもりでいたのだと思う。フェラーズ夫人が死んだと聞いたとたん、死ぬ前に、アクロイドにすべてを打ち明けたにちがいないと確信した。彼と道で会い、非常に動揺しているのを目の当たりにしたとき、もしかしたら彼は真実を知ったが、どうしても信じられず、わたしにそれを否定するチャンスをくれるつもりなのかもしれないと思った。

そこで家に帰ると、策を講じた。もしアクロイドの心配事というのが結局ラルフに関係することでしかなかったら――まあ、彼に危害を加えることにはならなかっただろう。ディクタフォンは二日前に調整するために預かったものだった。ちょっとした故障だから会社に送り返さずに、わたしに調べさせてくれと説得したのだ。思いどおりの細工をほどこして、あの晩、かばんに入れて持っていった。

作家としての自分には、かなり満足している。たとえば、以下の文章など、これ以上ないほど巧妙に書かれている。

〝その手紙は九時二十分前に運ばれてきた。わたしが彼のもとを辞したのは、ちょうど九時十分前で、手紙はまだ読まれていなかった。わたしはドアのノブに手をかけたままためらい、振り返って、やり残したことがないだろうかと考えた〟

ごらんのように、すべて事実である。しかし、最初の文章のあとに星印を並べておいたらどうだろう！　空白の十分間に何が起きたのだろう、と不思議に思う人がいただろうか？

戸口に立ち部屋を振り返ったとき、わたしはとても満足していた。何ひとつやり残したことはなかった。ディクタフォンは窓辺のテーブルにあり、九時半に動きだすように設定してあった（この小さな仕掛けは、目覚まし時計の原理を応用したなかなかすぐれたものだった）。そして、戸口からディクタフォンが見えないように、安楽椅子が引き出されていた。

ドアのすぐ外でパーカーと鉢合わせしたときは、いささか衝撃を受けた。その出来事も忠実に書き留めておいた。

そのあと死体が発見され、パーカーに警察に電話をかけに行かせると、慎重に言葉を選んで〝やるべきことはほとんどなかったが、わたしはそれをすませた〟と書いた。実際、ほとんどなかった——ディクタフォンをかばんにしまい、椅子を元の場所に戻しただけだ。パーカーがあの椅子に気づくとは予想もしていなかった。理論的には、死体に気が動転して、他のことなど一切目に入らないはずだった。しかし、わたしは訓練された使用人の職業意識を考慮に入れていなかったのだ。

フローラが九時四十五分に生きている伯父に会ったと証言することが、まえもってわかっていたらと思う。あれには、いいようがないほど混乱させられた。実際、事件全体を通じて、ひどく困惑させられることが次々に起きた。どうやら、全員がある意味で事件に関わっていたようである。

終始もっとも恐れていたのは、キャロラインだった。気づかれたかもしれない、と思っていた。あの日、姉がわたしの〝性格の弱さ〟について話題にしたときの口調が、ひどく奇妙に感じられたからだ。

だが、姉は決して真相を知ることがないだろう。ポアロがいったように、逃げ道がひとつあるのだから……

ポアロは信用できる。彼とラグラン警部は内密に事を処理してくれるだろう。キャロラインにはどうしても知られたくない。姉はわたしを愛していたし、それに、誇り高い性格でもある……わたしの死は姉にとって大きな悲しみだろうが、悲しみはいずれ癒えるものだ……

これを書き終えたら、手記をそっくり封筒に入れ、宛名にポアロの名前を書いておくつもりだ。

それから——何にしようか？　ヴェロナール？　それなら一種の因果応報になるだろう。フェラーズ夫人の死に、責任をとろうというのではない。あれは彼女自身の行為がもたらした結果にすぎないのだから。彼女にはまったく同情を感じない。

自分に対しても同情はない。

というわけだから、ヴェロナールにしよう。

それにしても、エルキュール・ポアロが仕事を引退して、カボチャ栽培のためなどにここに来なければよかったのにと思わずにいられない。

解説

作家　笠井　潔

以下の文中で『アクロイド殺し』の犯人および真相に触れています。解説は、作品を読了後にお読み下さい。

『スタイルズ荘の怪事件』（一九二〇年）で初登場したアガサ・クリスティーは、長篇第六作『アクロイド殺し』（一九二六年）の成功で、英国探偵小説の代表作家の地位を築いた。クリスティーは生涯、この名誉ある地位を守り続けたといえる。

『アクロイド殺し』が刊行されるや、英米の探偵小説界は賛否両論で沸騰した。否定派の先鋒はS・S・ヴァン・ダイン（ウィラード・ハンティントン・ライト）で、この作品の「読者に対するトリックは、探偵小説作家として許される策略の範囲内だったとはいいがたい。この作品では、ポアロの仕事ぶりはところどころさすがと思わせる部分もあるが、その効果も結末で台なしになっている」(『推理小説の詩学』所収「傑作探偵小説」)と批判している。

また肯定派のドロシイ・L・セイヤーズは「ウォトスン型テーマの扱いのずばぬけた例」、「離れ業的傑作」と高く評価した上で、ヴァン・ダインによる批判は「巧妙に一杯くわされた時に人がいだく自然な腹立ちを物語るにすぎない、とは言えまいか。必要なデータはすべて与えられている。(略)結局読者はたえず注意をおこたらず、完全なる探偵とおなじように『あらゆる人物』を疑ってみるべきなのである」(『推理小説の美学』所収「犯罪オムニバス」)と反論した。

第一次大戦後、とりわけ一九二〇年代は、探偵小説の形式化がラディカルに押し進められた時代である。形式化運動を理論的に主導し、二八年には「二十則」を発表しているヴァン・ダインが、『アクロイド殺し』をアンフェアと批判したことに不思議はない。ジュリアン・シモンズは『ブラッディ・マーダー』で、「探偵役ポアロのワトソン役をつとめるその村の医師が殺人者であったところに、きわめて高度な独創性があった」が、こうした設定は「ロナルド・ノックス師の提唱する『探偵小説十戒』の一箇条、『探偵の愚鈍な友人、つまりワトソン役の男は、その心に浮かんだ考えを読者に隠してはならぬ』とのルールに反している」と、否定論の主張を要約している。しかし、同じ点をセイヤーズは「ウォトスン型テーマの扱いのずばぬけた例」と評価しているのだ。現在の視点から捉え返して、否定論と肯定論のいずれが妥当だろうか。

『アクロイド殺し』の全篇はシェパード医師の手記である。「二十三章　ポアロの小さな集まり」ではシェパードが、「実をいうとヘイスティングズ大尉の記録をいくつか読んだことがあったので、わたしも同じようなものを手がけてみようかと思ったんです。（略）めったにない機会ですから、記録しないのは残念だと思いまして」と口にする。ポアロは手記を二十章まで熟読し、アクロイド殺人事件の真犯人を論理的に導き出す。たしかに探偵役にも読者にも、「必要なデータはすべて与えられている」。

『アクロイド殺し』を開いた読者が、「フェラーズ夫人が亡くなったのは、九月十六日から十七日にかけての夜――木曜日だった」という冒頭の文章を目にして、この作品を一人称小説と思いこんでしまうのは、ほとんど必然的である。小説の中身が登場人物の手記である場合、作者はその旨を、あらかじめ読者に明らかにしなければならない。それが『パミラ』や『ロビンソン・クルーソー』以来の近代小説のルールである。アガサ・クリスティーの著作として刊行された小説の全篇が、シェパードという人物の手記であると見抜きえた読者は、無視できるほど少数だったに違いない。

読者が『アクロイド殺し』という小説を、シェパードを語り手とした一人称小説であると信じこんだまま、「第四章 ファンリー・パークでの夕食」の「その二」を読みすごすよう仕組んだところに、作者による企みの核心がある。しかも作者は、先にも触れたように二十三章で、この小説が一人称小説でなくシェパードの手記であることを明らかにしてもいるのだ。

手記である以上、シェパードが文中で自分の犯行を伏せていても不自然ではない。無警戒に事実を書いて、もしも盗み読まれたりしたら、文字通り身の破滅である。フェアプレイ原則の観点からしても、『アクロイド殺し』をアンフェアであると非難するのは難しい。提出された文章がシェパードの手記であること、手記に自分の犯行を麗々しく書き記したりしないだろうことを、結末まで無視し続けたのは読者のほうなのだ。

肯定派のセイヤーズまでが捉えそこねているのだが、作者によって仕掛けられた最大のトリックは「ワトソン役＝犯人」や「語り手＝犯人」ではない。『アクロイド殺し』の独創性は、手記を一人称小説に見せかけ、読者の臆断を誘い、最後まで読者を騙しぬいた点にある。「小説＝手記」トリックが先行し、「ワトスン役＝犯人」や「語り手＝犯人」トリックは、その副産物として生じたにすぎない。

探偵小説とは「小説の形をした、複雑化し拡大されたパズル」であると、ヴァン・ダインは主張した。探偵小説＝パズル論にも一理あるだろう。しかし「二十則」の提唱者は、パズルが小説の形をとった結果、どのように奇妙な事態が生じてしまうのかを、的確に予測しえたとはいえない。自由な形式であると自認する近代小説だが、実は見えない規範や約束事でがんじがらめに縛られている。「私は……」と書き出されている小説なら、一人称小説に違いないという読者の臆断もまた、近代小説の規範や約束事から生じる。

『アクロイド殺し』の作者は、小説化されたパズルという探偵小説の奇妙な特性を利用し、大胆きわまりない形で読者を欺しきることに成功した。さらに返す刀でクリスティーは、近代小説の空間を密かに統御している規範や約束事に、どのような根拠もないという事実を暴き出している。この作品でクリスティーが破ったのは、探偵小説のルールではない。むしろ、探偵小説が近代小説のルールを侵犯しているというべきだろう。

灰色の脳細胞と異名をとる

〈名探偵ポアロ〉シリーズ

本名エルキュール・ポアロ。イギリスの私立探偵。元ベルギー警察の捜査員。卵形の顔とぴんとたった口髭が特徴の小柄なベルギー人で、「灰色の脳細胞」を駆使し、難事件に挑む。『スタイルズ荘の怪事件』（一九二〇）に初登場し、友人のヘイスティングズ大尉とともに事件を追う。フェアかアンフェアかとミステリ・ファンのあいだで議論が巻き起こった『アクロイド殺し』（一九二六）、イニシャルのＡＢＣ順に殺人事件が起きる奇怪なストーリーが話題をよんだ『ＡＢＣ殺人事件』（一九三六）、閉ざされた船上での殺人事件を巧みに描いた『ナイルに死す』（一九三七）など多くの作品で活躍し、最後の登場になる『カーテン』（一九七五）まで活躍した。イギリスだけでなく、イラク、フランス、イタリアなど各地で起きた事件にも挑んだ。

映像化作品では、アルバート・フィニー（映画《オリエント急行殺人事件》）、ピーター・ユスチノフ（映画《ナイル殺人事件》）、デビッド・スーシェ（ＴＶシリーズ）らがポアロを演じ、人気を博している。

訳者略歴　お茶の水女子大学英文科卒，英米文学翻訳家　訳書『牧師館の殺人』『予告殺人〔新訳版〕』クリスティー，『木曜殺人クラブ』オスマン（以上早川書房刊）他多数

アクロイド殺《ごろ》し

〈クリスティー文庫 3〉

二〇〇三年十二月十五日　発行
二〇二五年　四月十五日　四十刷
（定価はカバーに表示してあります）

著者　アガサ・クリスティー
訳者　羽《は》田《た》詩《し》津《ず》子《こ》
発行者　早川　浩
発行所　株式会社　早川書房
郵便番号一〇一-〇〇四六
東京都千代田区神田多町二ノ二
電話　〇三-三二五二-三一一一
振替　〇〇一六〇-三-四七七九九
https://www.hayakawa-online.co.jp

乱丁・落丁本は小社制作部宛お送り下さい。
送料小社負担にてお取りかえいたします。

印刷・星野精版印刷株式会社　製本・株式会社フォーネット社
Printed and bound in Japan
ISBN978-4-15-130003-5 C0197

本書は活字が大きく読みやすい〈トールサイズ〉です。